岩波講座　世界歴史　1

世界史とは何か

岩波講座

世界歴史

01

世界史とは何か

【編集委員】
荒川正晴
大黒俊二
小川幸司
木畑洋一
冨谷至
中野聡
永原陽子
林佳世子
弘末雅士
安村直己
吉澤誠一郎

岩波書店

第1巻【責任編集】小川幸司

本講座の編集方針と構成について

ここに『岩波講座 世界歴史』全二四巻を刊行します。

西暦二〇二一年を生きる私たちの眼前には、深刻さを増す気候変動、猛威を振るう感染症、拡散する核兵器と原子力の「平和利用」にともなう諸問題、世界各地で激化するファクト(事実)や歴史認識をめぐる政治対立、少子高齢化の急速な進展と福祉国家のゆきづまり、依然として存在するさまざまな不平等の現実……などの光景が広がっており、暗雲が垂れ込める中で「未来」への道筋がいっそう見えなくなっています。

『岩波講座 世界歴史』は戦後三回目の刊行となります。第一期の全三一巻は、高度経済成長と冷戦の只中であり、ヨーロッパ近代の歴史がいまだ私たちにとってのモデルであると考えられた、一九六九年という年に発刊しました。巻構成は、世界の諸地域を古代・中世・近代・現代の時代区分によってマス目状に明瞭に整理しており、世界史を貫く基本法則が意識されていました。これに対して第二期の全二九巻は、二〇世紀の終わりの一九九七年に刊行が始まりました。冷戦が終結して国際平和が世界に実現するかに見える一方で、世界各地の地域紛争が激化し、日本を含むいわゆる「先進国」の経済の行き詰まりが顕著になるといった、世界史の転換点のなかで、改めて歴史を振り返ることが意識されていました。巻構成においては、研究の進展にともなって世界共通の時代区分を行うことをせず、各地域をそれぞれの通時的な展開のありようによって区切るA系列の巻と、時代の特色を共時的・地域横断的にとらえるB系列の巻を設ける工夫をしました。

その後、四半世紀の歳月を経て、世界の様相は激変し、歴史をめぐる研究や教育は大きく変化してきました。歴史学について言えば、文字史料をはじめとする多様な史料から歴史像をいかに実証的に解釈するかという方法が、コンピュータ技術の応用とあいまって格段に深化してきました。世界の各地域の史料が読み解かれ、「グローバル・ヒストリー」という名称で呼ばれるような世界の各地域の構造的なつながりを描く歴史が、注目を集めるようになってきました。一方で、人種、民族、ジェンダー、宗教、文化、国民国家というような概念と実態について、それらが歴史の中で形成され、変容してきたものであるということが明らかにされてきました。こうした新しい史料読解、世界の構造的な把握、人々の世界理解や存在形態をめぐる再検討を組み合わせながら、世界諸地域の通時的な歴史叙述は、多様に深められています。

『岩波講座 世界歴史』第三期の全二四巻は、次のような編集方針をたてました。第一に、すべての人に大学の授業のような研究の最前線を届けるという「岩波講座」の原点を大切にし、平易で明晰な内容になることを心がけ、高等学校をはじめとする歴史教育や市民の皆さんの歴史探究にも参考となるような編集を意識しました。第二に、知りたいことを容易に調べられるように、各巻が対象とする地域と時代をマトリクスによって示せるようにしました(巻末奥付裏参照)。その際、地域というもの自体が歴史的に変遷してきたことを見つめるとともに、従来のシリーズで視野の外におかれがちであったアフリカやオセアニアの歴史についても目配りをしました。第三に、グローバル・ヒストリーなどの世界の構造的把握について、それぞれの巻の論文が重視するようにしました。各巻は地域別の巻タイトルをつけてはいますが、単なる地域史ではなく、その地域から見た「世界史」になっています。そして近世史や現代史など特定の巻については、同時代を地域横断的に見る構成にしています。第四に、歴史像を深めていくと同時に歴史を描く主体のありようを問い直すために、ジェンダーや文化の視点、マイノリティへのまなざし、そしてここ日本列島で紡がれてきた歴史を世界史とのつながりから捉え直す、統合的な把握を各巻で心がけました。

以上の編集方針のもと、各巻は分析対象のスケールが異なる三種類の論文から構成されています。まず巻頭には、対象地域・時代の通史や概観を描く「展望」論文をおきました。各巻が単なる個別論文集にならないよう、この巻頭論文が対象とする歴史のパースペクティヴ（見取図）を描くことになっています。次に、通史・概観の中で特に大きな問題となるテーマについて掘り下げる「問題群」論文が配置されています。そして、さらに個別的なテーマを考察することで、時代像を補完していく「焦点」論文が続いています。またすべての巻において、歴史をより身近に感じられるようなコラムを配置しました。総勢四〇〇人近い執筆者が、この三種類の論文とコラムのために参画しています。

これからの私たちが「未来」への道すじを考えるとき、そもそも人類がどのようにこれまでの世界史を歩んできたのかについて振り返ることが、欠くことのできない営みになるでしょう。新しい『岩波講座 世界歴史』が、読者の皆さんにとって、人と人とが相互理解を重ねながら「未来」を模索していくことの大切さと可能性について、思索をめぐらせることのできるような叢書になることを願ってやみません。

二〇二一年秋

編集委員一同

目　次

焦点 *Focus*

展　望　*Perspective*

展望 Perspective

〈私たち〉の世界史へ

小川幸司

一、一人ひとりの世界史

「世界と向き合う世界史」と「世界のつながりを考える世界史」

人々が世界史に向き合うのは、学校や図書館だけではない。生きている折々の局面の中で、「危機の瞬間にひらめく想起」(ベンヤミン 二〇一五：四九頁)として、過去に生きた世界の人々の姿や時代のイメージが人々の心をとらえ、人々を突き動かす。

二〇一一年三月一一日の夜、四人の消防士が滞在先の都内のホテルで夕食をとっていた。そのうちの一人は、この夕食が「最後の晩餐」だと思ったと後に証言している(吉田 二〇二〇：四〇頁)。その日の午後二時四六分、日本の三陸沖でマグニチュード九・〇の超巨大地震が発生し、東北から関東にかけての広い範囲で震度7から6を記録し、観測史上未曽有の大津波が東日本の太平洋岸を中心とする広い地域を襲っていたからである。彼らは福島県の双葉《ふたば》消防本部の消防士で、全国消防駅伝大会のために都内に滞在しており、激しい交通渋滞のためにやむなくホテルにとどまっていた。地震発生から約一時間後、福島第一原子力発電所から基準以上の放射線が漏れているという「原子力災害対策特別措置法第一〇条第一項の規定に基づく特定事象」(いわゆる「一〇条通報」)が消防署に通報されていた。さらにその一時間後、原子炉がコントロール不能になっている「一五条通報」が出されていた。その頃、現地にいた双葉消防本部の消防士たちは、死に物狂いで地震と津波の被害者たちの救助活動にあたっていた。

翌一二日午後三時三六分、浪江《なみえ》消防署の消防士は、パーンという乾いた音を聞き、空気の振動を感じた。キラキラ光る細かい粒子が空から降ってくるのが見えた。発電所一号機の原子力建屋の上部が水素爆発で吹き飛んだ瞬間だった。救助活動をしていた川内《かわうち》出張所の消防士が帰所して受けたスクリーニングでは、サーベイメーターが二万一〇〇〇cpmを示したという。この日の夜から、圧力が異常に上昇した一号機の格納容器が壊れることを防ぐために、内部の蒸気を抜く「ベント」という作業が、発電所の職員たちの必死の努力で行われていた。しかしベントのことは消防士たちに知らされず、一三日の午前中、消防士たちは立ち上る白い煙の下で、発電所に淡水を搬送する任務にあたっていた。

一四日の午前一一時〇一分、発電所三号機で、より大型の水素爆発が起こり、消防士たちには、大至急一〇キロ圏内から退避するよう無線が入った。救助した人を全力で運んだ消防士が葛尾《かつらお》出張所に帰ったとき、「爆発しました。世紀末みたいになっていますよ」と同僚が話しかけてきた(吉田 二〇二〇:九一頁)。

一五日の夜、川内出張所に集められた消防士たちに、原子炉を冷却するために、発電所に出動して海水をポンプで汲み上げてほしいという要請が、東京電力からあったことが告げられた。「殺す気なのか!」「反対だ!」という怒号がとびかった。多くの消防士たちが、ソ連(当時)のチェルノブイリ原子力発電所の事故の際に消火活動にあたった男たちがその後にたどった悲惨な運命を思い浮かべていた。「これでは特攻隊と同じではないか」と彼らは思った(吉田 二〇二〇:一二〇頁)。任務にあたるかどうかの結論は出ず、明日に持ち越すことにしたが、多くの者が泣き、その夜、家族・友人への遺書を書いた。

一六日の朝六時前、発電所四号機で火災が発生したため、消防士たちは出動した。涙を流しながら敬礼する同僚たちに見送られて、車両が出発していった。ひとりの消防士は「きっと特攻隊はこうだったのだろう」という思いで発電所に向かったと、のちに語っている。別の消防士は、こうした日々が「国や県の記録に残っているだろうか」と今でも考えているという(吉田 二〇二〇:一二八―一二九頁)。

こうした双葉郡の消防士たちの「3・11」を私たちがまとまった形で知ることが出来たのは、九年後の二〇二〇年になってからのこと。吉田千亜のルポルタージュ『孤塁――双葉郡消防士たちの3・11』が世に出たからであった。これは、吉田が関係者に徹底した聞き取りを重ねて完成させた、すぐれた「オーラル・ヒストリー」による現代史でもある。そして、吉田が描いた一人ひとりの消防士たちもまた、「3・11」の極限状態の中を生きぬくときに、「過去」の人間たちの姿やイメージを引照しながら、自分の生きている位置を見定め、自分の進むべき道を決めようとしている。そのとき「過去」によって世界のなかの自分を定位しているならば、それは世界史を考えていることになるだろう。双葉郡の消防士たちは、福島第一原子力発電所が制御不能の事態となり爆発を繰り返すなか、「最後の晩餐」とか「世紀末」といった「過去」のイメージを想起しながら、この世の破局を予想した。しかしやがて、孤立無援のなかで非情なミッションが課せられることで、消防士たちはチェルノブイリの消防士や日本の特攻隊員たちの姿を想起し、そうした事態をひきおこした国家への憤りとともに、破局を回避するために自分を犠牲にしなければならないという決意を固めていったのだった。

歴史とは、歴史学者や歴史教育者だけが探究するものではなく、様々な人々が日常生活の中で参照し、それをもとに行動するものでもある。そうした意味で、歴史を探究することをアカデミックな「歴史学」よりも広い視野でとらえ、これを「歴史実践」という概念で表現する論者が多くなってきている。歴史実践という問題提起をきわめて鮮烈な形で行ったのは、オーストラリアの先住民アボリジニの歴史意識を分析した、文化人類学者の保苅実《ほかりみのる》(一九七一―二〇〇四)の遺著『ラディカル・オーラル・ヒストリー』(二〇〇四/二〇一八)である。保苅は、「日常的実践において歴史と関わりを持つ諸行為」を「歴史実践」と名付け、それは歴史学者による歴史研究や、学校の授業などよりもはるかに多様な、人々が歴史に触れる広範囲な営みであると指摘した(保苅 二〇一八:五〇頁)。歴史実践とは、時間軸を意識して他者と自分との関係を考えることであるとすれば、そうした他者は、自分と同じ地域・国に生きた他者の場合もあるし、異なる地域・国に生きた他者の場合もある。その意味で、歴史実践とは「世界史実践」と言い換えることもできよう。「世界史」とは、学校教育でイメージされてきた「外国史」にとどまるものではなく、人々が生きる地域《ローカル》、国、複数の国を包む広い地域《リージョン》、世界といった、重層的な空間の歴史を総称する概念ととらえたほうがよいからである。

その場合、世界史実践には、二つの形がある、と私は考えている。一つは、「世界と向き合う世界史」である。フクシマの原発事故の中で必死に活動を続けた消防士たちがそうであったように、人は自分の置かれている状況や自分の進むべき道を考える際、この世界に生きた「過去」の人々や時代のありようを参照する。そしてフクシマの消防士の記憶を吉田千亜が記録にまとめたように、未来の人々が「過去」の人々の軌跡に対峙できるように、人々の世界史実践のありようを記録・叙述して忘却に抗おうとする。消防士たちも吉田も「世界と向き合う世界史」を実践しているのである。こうした世界史実践は、特定の時代の事件・事象を切り出して、テーマ設定に基づく歴史叙述を創造する。たとえて言えば、地域別・国別に構成された世界史年表のなかの特定の事象をめぐる歴史叙述と言えよう。

それに対して、もう一つの世界史には、歴史年表の事象の関係を大きくつなぐ「世界のつながりを考える世界史」がある。たとえば、「3・11」の惨事を受けて、人類と科学技術との関わりを根底的に問い直した、科学史家・山本義隆の一連の著作がある。山本は、思弁的な論証知と技術的な経験知を結合させた近代ヨーロッパ文明の独自性に着目し、ガリレオに始まるそうした自然への新しい向き合い方が、一七世紀のベーコンに見られるような「技術が自然と競争して勝利を得ることにすべてを賭ける」まなざしをうみ、やがて一九世紀のファラデーの電磁誘導の発見により、科学理論が先行する形での技術開発、つまり「科学技術」が始まっていくことを描き出す。やがて一九世紀後半の「大不況」による資本主義社会の危機や二〇世紀初めの第一次世界大戦の危機のなかで、国家主導による資本主義経済の立て直しと科学技術の推進が追求されるようになる。そして第二次世界大戦中のアメリカでは、ニューディール政策の延長線上に「マンハッタン計画」による原子爆弾の開発が進められ、それが戦後に「原子力の平和利用」という掛け声のもと、核爆弾を大国が独占しつつ、ある程度の技術を民間に公開して原子力発電を推進させることで、核技術の維持と進歩をはかる政策につながっていく(山本 二〇一一)。こうした欧米の科学技術の歩みを近代日本が導入し、明治期の「殖産興業・富国強兵」、アジア・太平洋戦争期の「高度国防国家建設」、戦後の「経済成長・国際競争」というように一貫して「科学技術総力戦体制」を発展させてきた。これが「3・11」によって破綻したのだと、山本は分析する(山本 二〇一八)。ヨーロッパやアメリカの科学技術の展開と日本のそれを関連させながら、現代日本の科学技術のあり方に再考を迫る、山本の一連の仕事は、現代的な問題関心に基づいて、大きな時間軸と空間軸の中で歴史事象の構造的な展開を追究する、「世界のつながりを考える世界史」のすぐれた一例であると言えよう。

学校の教室で学ぶ世界史とは、各地域・各国の歩みが横並びに陳列されたものであり、それもまた典型的な「世界のつながりを考える世界史」である。多くの人々にとっては、教養形成として「世界のつながりを考える世界史」についての学ぶ経験を重ねながら、生きるそれぞれの局面において「世界と向き合う世界史」を考えるというのが、世界史実践のありようではないだろうか。そして歴史を研究したり教えたりすることを職業とする歴史家、歴史教育者は、「世界と向き合う世界史」の探究を重ねる中で、それらの集積としての「世界のつながりを考える世界史」を考察していく。そして「世界のつながりを考える世界史」は、新たに生まれる「世界と向き合う世界史」の衝撃と蓄積によって更新されていく。世界史とは、このような二つの世界史実践の総体なのではないだろうか。

世界史実践の六層構造

では、その場合、一般の人々の「世界と向き合う世界史」と、歴史の探究を職業としている人々の「世界と向き合う世界史」は、どのような関係に立つのだろうか。

このことを考えるためには、まずは歴史の探究とは、そもそもどのような営みなのかを、振り返る必要がある。この点については、「戦後歴史学第2世代」の歴史家たちの方法論が、今もなお大きな説得力を持っていると思われる。私が「戦後歴史学第2世代」と呼ぶのは、一九二〇年代前半から三〇年代後半にかけて生まれ、日本の敗戦と戦後改革の大転換を自覚的に体験しつつ自己形成をした、戦中・敗戦期青春世代ともいうべき人々である。彼らは、非合理的な皇国史観を払拭《ふっしょく》する戦後啓蒙の担い手であった大塚久雄・丸山眞男・高橋幸八郎らの「戦後歴史学第1世代」の問題意識を継承しつつ、ヨーロッパやアメリカに留学して世界の新しい歴史研究の手法を吸収し、直接現地の史料と格闘しながら自らの研究スタイルを磨き上げる先駆けとなった人々である。

そのひとり、フランス革命史の泰斗である遅塚忠躬《ちづかただみ》(一九三二―二〇一〇)の大著『史学概論』(二〇一〇)は、歴史学の営みの作業工程表を次のように明晰に説明する。

① 問題関心を抱いて過去に問いかけ、問題を設定する。
② その問題設定に適した事実を発見するために、雑多な史料群のなかからその問題に関係する諸種の史料を選び出す。
③ 諸種の史料の記述の検討(史料批判・照合・解釈)によって、史料の背後にある事実を認識(確認・復元・推測)する(この工程は考証ないし実証と呼ばれる)。
④ 考証によって認識された諸事実を素材として、さまざまな事実の間の関連(因果関連なり相互関連なり)を想定

し、諸事実の意味（歴史的意義）を解釈する。

⑤その想定と解釈の結果として、最初の問題設定についての仮説（命題）を提示し、その仮説に基づいて歴史像を構築したり修正したりする（遅塚 二〇一〇：一一六頁）。

こうした歴史学は、宗教・イデオロギー・芸術とは明確に区別された「客観的な科学の一つ」であり、それを担保するのは、事実立脚性と論理整合性である。この二つの判断基準にもとづいて、自らの言説を他者と自己点検の反証にさらし、繰り返し過去に問いかけ、繰り返し過去を読み直すことにより、傲慢や卑屈の弊を免れて独善や非寛容に陥る危険性を避けることができ、この緊張関係においてのみ、歴史学は、学の名に値するものとなる——このように遅塚は論じた（遅塚 二〇一〇：二一三頁）。さらに遅塚は、主観的解釈から独立した客観的事実の実在が「ある」と強調し、次のように述べる。事実は、歴史家の解釈や概念に先立って独立に存在するものであり、事実は概念に先立っている。しかし、ある事件についての中核をなす事実とか、統計的にたどれるような事実は「揺らがない事実」であり、文化史で描き出されるような事実や事件についての周辺をなす事実は「揺らぐ事実」であるから、事実の性質は実は多様である。ゆえに、どのようなすぐれた歴史研究でも完全な事実立脚性を実現させることはできない——このことを遅塚は明確に自覚している。例えば、彼がフランス革命のジャコバン派の指導者ロベスピエールの主張である「生存権の優位」という主張を重視してその思想を描き出すとき、それはあくまで「思想と行動のある一面に関するわれわれの主観的判断による仮説なのであって、そういう仮説をどれほど多面的に積み上げてみても、ロベスピエールという人間の「本質」だの、「ありのままの姿」だの「実像」だのを描くことにならない」のである（遅塚 二〇一〇：八八、一五三頁）。実は、ここには遅塚自身の立論の揺らぎがある。確かに遅塚は、歴史の「真実」とか「リアリティ」といった本質にかかわる問題は、事実と論理という判断基準に束縛される歴史学が把握するところのものではなく、その領域に踏み込めるのは文学や芸術になると言う。しかし、遅塚が示した歴史学の作業工程を振り返るならば、歴史を探究することが「歴史の意味」の探究を内包している以上、歴史家はロベスピエールに対する主観的判断の仮説を積み上げる中で、事実の向こうの「本質」を探究しようとしているのではあるまいか。その実践についても、事実立脚性と論理整合性という判断基準によって、「科学」たる要件を備えていると言い切ることはできるであろうか。

事実と呼びうるものは、実は私たちが「ことば」や「見え方」によって切り取った、多面体としての事実のなかのいくつかの部分的な側面であって、事実の中にすでに私たちの解釈が入り込んでいる。従って、事実立脚性とは、私たちの歴史を語る「ことば」と客観的な事実との照合というよりも、自分の事実把握と他者の事実把握とのあいだに矛盾がないかとか、自分の史料の読み方が他の史料の内容と矛盾がないかといった、論理整合性の問題と実は渾然一体となって存在しているのだと思われる。この点について、より早くに歴史学の構造を論じて遅塚に影響を与えた、同じ「戦後歴史学第2世代」の歴史家である西川正雄(一九三三―二〇〇八)の発言を見てみたい。二〇世紀前半の社会主義者たちの反戦平和運動を、多言語史料を渉猟《しょうりょう》しながら描き出した西川は、こう論じている。歴史学とは、「時とともに生起・消滅する出来事の流れの中における自分の位置に関する認識」、つまり「時のイメージ」を明確にすることである。そのとき、人は自分の立つ位置によって特有の空間イメージをもち、また、それぞれに価値のイメージをもつ。それらと相関関係を持ちながら「時のイメージ」が形成され、それが体系化されたときに「史観」となる。「時のイメージ」も「史観」も多様なものであり、史観どうしの対立には妥協の余地がなくなる。しかしそうだからこそ、歴史学における「根拠」、つまりいかなる「情報」に立脚し、いかなる「論理」を組み立てているかという客観性の部分でのみ、異なる史観どうしの議論が可能になってくる。この「根拠」が反証に耐えうるものになることで、歴史学の分析の客観性が実現する――こう西川は論じた(西川 一九九七:三四頁)。この西川の方法論を、遅塚が『史学概論』において、事実立脚性と論理整合性という概念によって再整理したのである(遅塚 二〇一〇:三四七頁)。しかし、実は遅塚が「事実」ととらえるものの多くは、西川が言うように「情報」なのであり、それゆえに事実立脚性と論理整合性は、多くの場合は重なり合って存在しているのだと言えよう。ゆえに、反証にさらされることでより客観性を獲得できる「根拠としての情報」とは何であり、反証にさらされても価値観の衝突しか起こらない「史観としての情報」とは何であるかの区分けが、実は困難になる場合が少なくないのである。

遅塚や西川が、歴史学の客観性を担保する判断基準にこだわるのは、第二次世界大戦後に世界各地に登場した歴史修正主義に対する警戒からであった。全体主義から戦後民主主義への世界観の転換を同時代人として生きてきた遅塚や西川にとって、アウシュヴィッツの存在を否定したり、アジア・太平洋戦争の日本の戦争責任を否定したりするような歴史修正主義は、到底容認できるものではなかった。遅塚は、「われわれが皇国史観やその現代版たる自虐史観排撃論などを批判するのは、それらが「反動的」だからではなく、それらが事実を無視ないし隠ぺいしようとしているからである。この点から見ても、事実は揺らぎながらも実在するという本書の主張が、歴史学を科学たらしめるうえでの枢要点であることは、容易に了解されるであろう」と強調している(遅塚 二〇一〇：四五五頁)。

それゆえ、遅塚も西川もともに、歴史修正主義だけでなく、一九八〇年代以降に注目されるようになった歴史学の「言語論的転回」とか「構築主義」に対しても批判的であった。「言語論的転回」、「構築主義」については後述するが(五六頁)、歴史を探究する営みのなかの「歴史を叙述する」ありように着目し、歴史像がどのような表象や概念によって構築され、どのようなスタイルで叙述されたのかを分析する動きである。遅塚は、科学哲学を専攻する野家《のえ》啓一(一九四九ー)が、歴史とは人々が過去の微《かす》かな痕跡から過去のありようを想起する物語り行為であると論じたことに対し、それでは「よくできたお話をつくりあげた方が勝ちだ」ということになってしまうと強く批判する(遅塚 二〇一〇：二〇一頁)。西川は、社会学の上野千鶴子が、「慰安婦」をめぐる歴史認識の対立について、「ただ特定の視角からの問題化による再構成された「現実」だけがある」と論じていることに対し、「再構成された「現実」」に説得力を持たせるためには「史料批判」のような論証こそが必要なのであり、そうした歴史学の基本的な営みを無視した主観主義は、政治の次元での争いしかもたらさないだろうと強く批判する(西川 二〇一〇:七〇―七一頁)。いずれも「言語論的転回」や「構築主義」が、歴史修正主義を容認することになるという警戒感からの批判であった。

しかし、野家や上野らの哲学・社会学からの歴史論を紐解くと、先の遅塚の提示した歴史学の作業工程から脱け落ちていた営みについて、私たちは気づかされる。たとえば、野家の『歴史を哲学する』(二〇〇七/二〇一六)は、歴史的出来事は歴史記述に存在論的に先行するけれども、歴史的出来事の存在は歴史記述を通してのみ知ることができるという点で、歴史記述が歴史的出来事に認識論的に先行していると述べる。この存在論と認識論の双方から見た時の歴史的出来事と歴史記述の循環構造があるからこそ、私たちは歴史記述(歴史叙述)のありように着目していかなければならない。その場合、歴史記述は「物語り行為」(narrative act)という言語行為の遂行であるから、その行為が、どのような場面で誰が誰に向かって語るのかという語り手の「立ち位置」(positionality)を自覚的に再検討していくことが必要になる。そうすることで、「唯一の正しい歴史」の物語(story)に回収されてしまわないような批判的視座をもつことができるというのが、野家の主張である(野家 二〇一六:三二―三三頁)。それゆえ遅塚が指摘するような「よくできたお話をつくりあげた方が勝ちだ」という姿勢どころか、そうした姿勢にむしろ真っ向から抗うのが、野家の歴史論であると言えよう。「物語り行為」という表現は、「物語」と混同しやすいため、私は「歴史叙述」と言い換えておきたい。同じく、上野千鶴子の『ナショナリズムとジェンダー』(一九九八)が、「実証性の名において客観性、中立性を標榜するかたわらで、何が実証的な史料として入手可能なのか、そのような史料に特権性を与えることにどんな「政治的な意味」があるのか、という問いは不問に付されてきた」と実証史学を厳しく批判するとき、文字史料になってはいないサバイバーの「証言」の「現実」に、私たちがどのように向き合うべきなのかという重い問いかけがなされているのである(上野 一九九八:一七〇頁)。歴史学においては対立する史観どうしの議論は不可能であり、史観の「根拠」のほうを議論すべきなのだと西川は論じた。これに対し、語り手の「立ち位置」を自覚することで、「史観」

のありよう自体を俎上にのせていくことも大切なのであろう。それは「根拠」の必要性を否定しているのではなく、「根拠」をいかに「根拠」として成立させていくかを目指す、より自己批判的な試みなのだと言えよう。この場合、歴史修正主義の政治性や権力性を批判して自らの倫理性をふりかざすだけでは、相手の倫理性の主張と同一平面上で争うことにしかならない。史観どうしの対立があったときに、それらを俯瞰《ふかん》的な視点や別の角度から見つめ直してみる必要があろう。こうした視座は、西川の姿勢と実はそれほど対立するものではないと私は考える。なぜならば、西川は先に紹介した文章に続けて、自分にとって意味のある史観を展開し、他者の史観に挑戦し、また挑戦されることによって初めて歴史認識の深まりに貢献できるのであり、その際に「自らの歴史」に批判的であることを辞さないとき、その史観の盲点が最も小さいことが期待できるのではないかと述べているからである(西川 一九九七:三五頁)。自国史や自分の歴史叙述を自己批判的に俎上にのせることの大切さについての指摘である。

以上のことを総合すると、歴史学を含む「世界史実践」には、六層構造があると言うべきであり、先述した遅塚の作業工程を、私は次のように再整理してみたい。

①問題設定に基づき、諸種の史料の記述を検討(史料批判・復元・解釈)することにより、問題設定に関わる「事実の探究」(確認・復元・推測)を行う。【歴史実証】

②事実間の原因と結果のありよう(因果関係)やつながり(連関性・構造性)、そして比較したときに浮かび上がること(類似性・相違性)について問題設定に関わる仮説を構築することにより、「連関・構造の探究」を行う。【歴史解釈】

③その歴史解釈について、より長い時間軸やより広い空間軸においてみたときの意義や、現代の世界に対する意義について、「意味の探究」を行う。【歴史批評】

④歴史解釈や歴史批評を論理的・効果的に表現する「叙述の探究」を行う。【歴史叙述】

⑤以上の営みについて事実立脚性と論理整合性に基づいて検証を重ね、特に歴史実証の矛盾や歴史解釈の矛盾のうえに歴史批評や歴史叙述が行われていないか、歴史批評や歴史叙述のありかたが歴史実証・歴史解釈を歪めていないかなどを、他者との協働によって考察することにより、「検証の探究」を行う。【歴史対話】

⑥歴史を参照しながら、自分の生きている位置を見定め、自分の進むべき道を選択し、自らが歴史主体として生きることにより、「行為の探究」を行う。【歴史創造】

以上の六つの営みが歴史学(世界史実践)を構成していくのだと思われる。

歴史を探究する主体どうしの対話

「3・11」のフクシマで生と死の限界状況に立った消防士たちは、自分のおかれた状況を「最後の晩餐」「世紀末」「チェルノブイリ」と重ね合わせ(歴史解釈)、「特攻隊」が不条理に立たされながらも大切な人々を守るために死地に赴いたことの意味を確認し(歴史批評)、決死の覚悟で制御不能になっている福島原発へ向かった(歴史創造)。そして自分たちの体験した限界状況が忘却されることをおそれ、記憶として他者にうけつがれていくこと(歴史叙述)を望んだ。そのときに記憶の検証(歴史実証・歴史対話)はさらに進むであろう。世界史実践の六層構造とは、歴史家だけでなく人々の営みにも多かれ少なかれ共通するものであり、事実立脚性や論理整合性、そして自らの立ち位置の反省によって、自分の世界史実践を不断に検証していく必要があることも共通しているのだと言えよう。歴史家の世界史実践は「歴史実証」から「歴史創造」までのプロセスが一貫した構造を持つのに対し、人々の世界史実践は「歴史批評」や「歴史創造」が人生の様々な局面において非連続的に想起・実践されることになる。その際、人々の「歴史批評」や「歴史創造」とは、歴史家の仕事を参考にしながらも、自分がこれまで重ねてきた人生経験や世界観と相関しながら生成されるものとなる。

あらためて振り返ると、歴史の探究は歴史学者や歴史教育者だけのものではないということは、保苅実が「歴史実践」という概念を立てる以前から、「戦後歴史学第2世代」の歴史家たちによって強調されていたことに気づく。たとえば、フランスのアナール学派に学んで日本の社会史研究を牽引した二宮宏之(一九三二－二〇〇六)は、歴史の具体的な研究と、歴史学の理論的な省察が、近代の日本の大学制度のなかで分断されており、特に歴史認識論を含めた理論的な省察が哲学科の領分になってしまっていることを問題視する。そして二宮は、歴史家の立場から「二重のオペレーション」という歴史学方法論を構築した。私たちが歴史に立ち向かう出発点には、自らの「問い」があり、その問いを支えるものとして「自分」と「いま」への関心がある。その問いに対応する過去の痕跡を探し、その読解を進めるのが、第一のオペレーションである。これに対し、過去の解釈や意味付けを通して、自分自身が立てる問いそのものを改め、その改訂された問いをさらに探究する、第二のオペレーションがある。現在から過去へ、そして見えてきた過去から現在の見直しへという往復運動が、緊張関係の中で重なり合いながら行われていくことが、歴史を探究することなのだと二宮は論じた。さらに二宮は、こうして形成されたひとつの歴史認識が、他者の歴史認識と交流していかなければならないと述べる。「必要なのは、多様な姿で立ち現れる歴史が、出会い、話しあう開かれた場が確保されることである」と、歴史対話の必要性を強調する(二宮 二〇一一：一五二－一五四頁)。二宮にとって、歴史学の方法論は、単なる職業的な歴史家にとっての方法論にとどまらず、生徒・学生も含めた歴史教育の方法論と重なり合っているのである。日本の世界史教科書は、生徒が問いをもつことがなく、書かれていることを真実としてそのまま暗記すればよいという「天から降ってくる歴史」のようなものであり、それは「歴史の客観性と言う神話の戯画化された姿」にほかならない。このような歴史の学び方をしている日本人は、自分で歴史を創り出しておらず、結果的に自分の歴史観に責任をもっていない。人間社会における歴史は、しばしば「集合的記憶」という形になり、国家が国民を統合する手段となる。国民に覚え込ませる歴史ではなく、一人ひとりが歴史認識を形成していく作業の延長線上に、共同主観としての「集合的記憶」が新たに形作られるべきであり、その際には一人ひとりが自分の記憶のあり方を相対化しつつ、それらを突き合わせながら、記憶の共同性を練り上げていくことが必要である。この「厄介な作業に、いまの日本の若い世代に加わってもらわなければならない」――こう二宮は論じたのであった(二宮 二〇一一:三〇四―三〇六頁)。

学生や生徒・児童は、歴史教師が研究の成果を教え込む客体なのではなく、歴史教師とともに歴史を探究していく主体である。歴史を探究する主体どうしが対等なパートナーとして歴史対話を展開することで、私たちは互いの歴史認識(歴史実証・歴史解釈・歴史批評・歴史叙述の総体)を鍛えることができ、ひいてはそれが社会の集合的記憶を鍛え上げる営み(歴史創造)になっていくのであろう。このように、世界史は、私たち一人ひとりに開かれており、皆が自分の世界史をつくり、それを開いていくべきなのである。以上のことを念頭に置きながら、次の節では、人類の長い歴史のなかで、どのような世界史実践が積み重ねられてきたのかをたどってみたい。

二、世界史実践の軌跡をたどる

「世界と向き合う世界史」と「世界のつながりを考える世界史」の誕生

人類が歴史を書き記す行為を始めたのは、古代メソポタミア文明に遡《さかのぼ》る。ティグリス・ユーフラテス川の下流域で、前四〇〇〇年紀の末期頃からシュメール人の都市文明が興《おこ》り、そのなかでおよそ前三一〇〇年前後の都市国家ウルクにおいて、文字によって粘土板に物事を記録するシステムが始まったと考えられている。やがて王の治世の一年ごとに、記録に値すると思われた出来事を記録する「出来事のリスト」が作られ、その一年を「～の出来事のあった(年)」というように重要事件で特徴づけて記録するようになった。こうしたリストはメソポタミアでもエジプトでも後世の書記によって改めて整理・要約され、王の在位年間の記録「王名表」としてまとめられていく。メソポタミア北部から興って前七世紀にオリエントを統一する、アッシリアで編纂された「王名表」では、最も古い時代の王名の多くが古バビロニア王国のハンムラビ王の祖先と共通しており、王権の正統化のために実際よりも起源を遡らせて歴史が作成されたと考えられる(蔀《しとみ》 二〇〇四：四〇―四二頁)。つまり、人類はその歴史記述の始まりのときから、自分たちの王国の歴史を世界との関係性の中で描いてきたのであり、歴史記述は「世界史」記述そのものなのであった。王権の業績と系譜を記録することは、「世界のつながりを考える世界史」の萌芽であり、その目的は、系譜によって自分たちの特徴を明確にすること、つまり「アイデンティティの共有」にあったのであろう。

こうした王権の系譜とは異なる世界史を構想したのが、『(旧約)聖書』であった。『旧約聖書』は、古代イスラエル人(ヘブライ人／ユダヤ人)が長い年月のなかでうみだした多くの文書の中から、一世紀後半のヤムニア会議において三九の文書を正典としてまとめたものである。それは、神話的なモチーフと歴史の記録が合わさった書物であった。前一〇世紀、分立状態の一方(北のイスラエル王国)だけが滅亡するという独特な歴史経験のなかで、滅亡を免れた南のユダ王国の人々は、神が自分たちの勝利を約束してくれたはずなのにその約束が守られなかったのはなぜか、という問いをもった。そしてその答えとして、事態の原因を神の非力に帰するのではなく、神に背いて異教に傾いた人間の側の責任に帰する世界認識を導き出した。それは、たとえ悲劇的な歴史状況が生まれても神の義は不変であり、神への信仰を絶対に捨ててはならないという独特な世界観となる(加藤 二〇一一：二三四―二三八頁)。やがてユダ王国も新バビロニアにより滅ぼされ、イェルサレムの神殿を破壊されてバビロン捕囚を受けると、神への揺るぎない信仰はさらに強固なものとなり、一神教としてのユダヤ教が成立する。イスラエル人は、失われた神殿の儀式のかわりに、過去の自分たちの祖先の歴史を想起して神の義を再確認するようになり、『旧約聖書』を参照して集合的記憶をもつことが、ユダヤ教を信仰する人々の「アイデンティティの共有」と人間の「規範の共有」につながっていったのである。

つまり、『旧約聖書』は、イスラエル王国の滅亡やバビロン捕囚といった決定的事件の歴史的意味を考察することによって「世界と向き合う世界史」をうみだし、その世界観をさらに「天地創造」や「出エジプト」に始まる「世界のつながりを考える世界史」によって根拠づけたのであった。このように「世界のつながりを考える世界史」には、そのフレーム（歴史解釈の枠組み）を照射して浮かび上がらせるような、「世界史の光源」とも言うべき重要な出来事が存在し、それがまず「世界と向き合う世界史」を形作る。その「世界と向き合う世界史」の根拠や経緯を探究すべく時間軸と空間軸が拡大されて、「世界のつながりを考える世界史」が立ち上がってくるのだと言えよう。

古代の西アジアにおける世界史の萌芽が、無数の記録者・伝承者による記述の集成として構築されたのに対し、古代のギリシアでは、歴史家と言いうるような個人が主体的な問題意識をもって過去の出来事を探究し、自己の名を冠した歴史叙述をうみだした。まず、ヘロドトス（Hērodotos 前五世紀頃）は、小アジアのハリカルナッソス（現トルコ共和国、ボドルムの地）に生まれ、古代ギリシアの一大事件であるペルシア戦争の記録を著述した。この著書のタイトル『歴史 *Historiai*』は、ギリシア語で「調査・探究」を意味するhistoria（ヒストリアー）の複数形であり、ヘロドトスのこの著作の影響があって、historiaが約一〇〇年後のアリストテレスの頃までに「過去の出来事の探究の記録」という意味になっていく。実際、『歴史』の冒頭でヘロドトスは、ペルシア戦争にかかわって「ギリシア人や異邦人《バルバロイ》の果した偉大な驚嘆すべき事蹟の数々」が人々から忘却されないよう、自ら「研究調査したところ」をまとめたい、と書いている（ヘロドトス 一九七一：上巻九頁）。ヘロドトスには当時のギリシア人一般の通念であった自民族中心主義が希薄であり、好奇心に基づいてギリシアの外の世界に厖大《ぼうだい》な調査旅行を行い、そこで見聞した異民族とギリシア人との差異について、価値判断を留保した「驚嘆」といううまなざしの中で叙述した（栗原 二〇一六：一一四―一一五頁）。その結果、ヘロドトスは、『歴史』の舞台を、ヘラクレスの柱（現ジブラルタル海峡）からインダス川まで、つまり広大なユーラシア大陸のほぼ西半分に相当する地域に広げることができた。ヘロドトスの見るペルシア戦争の基本的な対抗軸は、ギリシアの民主政とペルシアの専制君主政の対決にあったが、並行してヘロドトスは『歴史』全編にもう一つの伏線をおいているように思われる。それはギリシア人であれ異邦人であれ、自らの力を過信して傲慢に陥ることなく、人々が互いの風土・文化習慣に根差した差異を自覚しつつ、共存したほうがよいという展望である(ヘロドトス 一九七二:下巻三一四頁)。つまり彼は、強国の覇権が永続しないという見通しのもとに文化相対主義のまなざしを導いたのであった。さらにこれを時間論としてとらえるならば、どのような栄華もやがては衰退に向かうということが見つめられているのであり、螺旋《らせん》のように循環する時間感覚がうかがえよう。

ヘロドトスの見通しは、ギリシアのポリス世界を二分してペロポンネソス戦争が起こるという形で現実化した。この戦争を叙述したのが、古代ギリシアを代表するもう一人の歴史家トゥキュディデス(Thoukydidēs 前四五五以前―前四〇〇頃)の『歴史 *Historiai*』であった。トゥキュディデスは、戦争のプロセスにかかわる事実については、様々な証言の内容の相違があるから「自分に思われたとおりに」記述するのではなく「各々について可能な限り厳密に検討した上で」記述していきたいと、批判的に情報を解釈することを言明した(トゥキュディデス 二〇〇〇:一巻二四頁)。トゥキュディデスは、今回の戦争で起こったようなことや、ここで見られた人間性は、今後繰り返される可能性があるので、この書物がそのときの参考となることを目指したいと、歴史を描く目的を明言している。その後世への教訓とは、敗戦の混乱のアテネで卑小な政治家たちによって言葉が乱用されて、言葉の意味するところが信じられなくなる事態が起こり、人間同士の深刻な対立・憎悪がうまれ、その結果、言葉による相互理解よりも暴力や機先を制した無謀な行動がもてはやされた、苦い歴史経験であった(トゥキュディデス 二〇〇〇:一巻三二八―三三一頁)。つまり、トゥキュディデスは、ペリクレス黄金期のアテネとその凋落《ちょうらく》を題材に、民主政であるがゆえの問題点を見つめ、民主政が衆愚政治に陥り破滅していく螺旋循環型の世界史像を考えたのである。トゥキュディデスは、ヘロドトスと同様に、「世界と向き合う世界史」を描き出したのであり、その目的は「人間・社会の洞察」にあった。それは同時代の政治観・

価値意識の基調となっていたものについて、歴史を題材にしながら揺さぶりをかける営みであり、歴史叙述の言語表現の特徴から見れば、出来事の中にいる人物たちの言説を描きながらそれとは反対の意義を浮かび上がらせる「アイロニー」(反語)の修辞法をとっていた。その衝撃力が、ヘロドトスとトゥキュディデスに共通した魅力であろう。現代の歴史哲学者ヘイドン・ホワイト(Hayden White 一九二八—二〇一八)が、合理主義に立つ歴史家が自らに生きる同時代を反省するときにはアイロニー的な態度をとらざるをえないものであり、「偉大な歴史学的著作が採用した方法はおしなべてアイロニーの様式であった」(White 1973 : 54; 邦訳一二六頁、一部訳文変更)というとき、それは古代ギリシアの二人の歴史家にも当てはまるのである。

　次のローマ時代になると、さらにいくつもの世界史実践がうみだされる。まず、共和政ローマがアフリカやギリシアに覇権を樹立していく歴史をギリシア語で叙述したのが、ポリュビオス(Polybios 前二〇〇頃—前一二〇頃)の『歴史 *Historiae*』全四〇巻であった。ポリュビオスの問いとは、「人が住むかぎりのほとんど全世界」がなぜ「ローマというただひとつの覇権」の支配下におかれるようになったかの理由の解明であった(ポリュビオス 二〇〇四:一巻四頁)。そのため、ポリュビオスは、「従来の歴史家が、ギリシア史やペルシア史といったある特定地域の歴史を記したのとは違って、知られているかぎりの全世界の歴史を総合的に書き記すことに着手した」と述べ、イタリア、リビュア(アフリカ)、アジア、ギリシアなどを包含する「世界史」を意識的に目指した(ポリュビオス 二〇〇四:一巻一八二頁)。歴史上の様々な国制を比較すると、どの国制も完璧なものはなく内部から腐敗していく可能性があるのに対し、共和政ローマは王制の性格を持った執政官、優秀者支配制《アリストクラティア》の性格を持った元老院、民主制《デモクラティア》の性格を持った民衆による三権の抑制と支え合いを実現した混合政体であるところに稀有《けう》な特色があり、それこそがローマの覇権の原動力であるというのが、ポリュビオスの考察である。彼の考察のフレームは、しばしば言及されるような政体循環史観ではなく、ローマの混合政体への着目にあった。しかし、こうした完璧に見える国制においても、しだいに官職争いと日常生活の中での虚栄がはびこり、やがては激情の中で民衆が物事を判断するようになり、民主政が腐食して衆愚政治に陥っていくだろう(ポリュビオス 二〇〇七：二巻三六四―三六六頁)。こうしてポリュビオスは、「アイロニー」とも言うべき批判精神に立ちながら、壮大な「世界のつながりを考える世界史」の方を生み出した。七〇〇年の歴史を重ねたカルタゴがポエニ戦争に敗北して燃え上がり、ローマの覇権が決定的になったそのときに、勝者の小スキピオは「人目もはばからずに涙を流し、敵のために嗚咽《おえつ》した」のであり、そして「なぜだか分からないが、不安なのだ。この命令をいつかだれかがわれわれの祖国に向けて発するのではないか、そんな予感が消えないのだ」と語ったという(ポリュビオス 二〇一三：四巻四二二頁)。小スキピオにとって、未来とは、歴史が示すごとく栄光からの転落の不安にかられながら、後ずさりしつつ向かうようなものであったろう。ギリシア語で「背後に」を意味する副詞オピソー(opisō)は、「未来に」という意味も有しているという。人々の眼前にあるのは未来ではなく過去のほうであり、未来は背後に存在するものだと考える歴史感覚は、近代以前の世界各地に広く見られるものであった(月本 二〇〇二：四頁)。

これに対して、未来に向かって直線的に歴史が展開していく歴史叙述を完成させたのが、滅びゆくローマ帝国を見つめながら世界史を構想したアウグスティヌス(Aurelius Augustinus 三五四―四三〇)の『神の国 *De Civitate Dei*』全二二巻であった。北アフリカのヒッポ・レギウス(現アルジェリアのアンナバ)の司教となったアウグスティヌスは、四一〇年にゲルマン人の西ゴートがローマを劫掠《ごうりゃく》した衝撃的な事件に直面し、国教たるキリスト教の無力が異教徒たちから厳しく指摘されたことに反論するために、一五年の歳月をかけて『神の国』を執筆した。アウグスティヌスは、国家とは市民のものであり、市民とは単なる多数の集合体なのではなく、法による同意と利害の共通性によって結び合わされた結合体なのだと述べている。つまり現実のローマ帝国のような「地上の国」とは別の原理・価値観による「神の市民共同体」(De Civitate Dei)とも言うべき人間のつながりが生成・発展しつつあり、これが世界の終末である「最後の審判」のときまでに「地上の国」に取って代わるだろうというのが、アウグスティヌスの歴史解釈・歴史批評のフレームであった（アウグスティヌス 二〇一四：上巻七九、一〇九頁）。「神の市民共同体」の市民は、神を愛し、隣人を自分自身を愛するように愛し、自己愛を相対化する。ゆえに「何人も害しないこと」とか「助けることのできる人に役立つこと」が行動原則になる。アウグスティヌスは、戦争の犠牲になった女性たちがどう処遇されるべきかという問題について、戦争の性暴力の辱めを受けまいとして自殺した女性たちや、逆に辱めを受けて自殺をしなかった女性たちについて、罪に問われるべきでなく赦されるべきであると主張し、当時のキリスト教規範に異を唱えて人道的な論陣をはっている（アウグスティヌス 二〇一四：上巻五六頁）。

こうした世界史実践の画期性は、現在においては未だ萌芽的にしか存在していないが、未来には着実に現実化するであろう人間社会のあり方を想像し、それを概念化したことにある。アウグスティヌスは、ローマ帝国の中の「神の市民共同体」につながる要素、すなわち焦点化された歴史に注目し、そこに世界史全体の動向にかかわる意味を見出そうとしているのである。それは、これまでの「アイロニー」による歴史叙述とは異なる、部分から全体を想像する「提喩」とも言うべき修辞法の叙述スタイルの発明であったと考えられよう。歴史叙述の修辞法を、隠喩・換喩・提喩・アイロニーに整理したホワイトによれば、換喩とは、「五〇隻の船」を表すのに「五〇隻の帆」という言葉を使うように、「あるものの部分の名が、その全体の名と置換される」表現方法であり、「還元主義的」な態度がそこにはある。これに対して提喩とは、「かれは真心そのものだ」という表現に見られるように、「全体の中に内在すると思われる特徴を部分が象徴する」ことで現象を記述する表現方法であり、そこには部分と全体の関係を「統合的」に叙述しようとする態度がある（White 1973：31-32; 邦訳九四―九五頁、一部訳文変更）。ホワイトを援用するならば、アウグスティヌスは、人類全体がそこに至るであろう「神の市民共同体」がローマ帝国の中でどのように生長してきたのかを考察したのであり、部分の発展が全体の本質を表すような「提喩」の世界史を構想したのであった。

しかも彼は、「市民」とか「共同体」（国）といった歴史分析の概念の意味内容を再定義し、「過去」から「現在」に至る道筋だけでなく「現在」から「未来」に至る道筋を想定して、新たな歴史解釈を打ち出したわけである。それは、ローマ帝国の滅亡という現在と、世界の終末という未来の二点の光源から「世界のつながりを考える世界史」を構築するものであった。さらに歴史叙述の時間軸の方向性を見るならば、これまでの歴史家がうみだしてきた、過去から教訓を解釈して不確かな未来に備える世界史（「過去からの世界史」）というよりも、過去から現在の道を解釈して未来を明確に見すえる世界史（「未来への世界史」）であった。歴史は未来に向かって「まっすぐな道」を進むものであり、循環するものではないと考えられるようになったのである（アウグスティヌス 二〇一四：上巻六〇三頁）。世界の終末に光源がおかれたことにより、私たちは未来に後ずさりするのでなく、未来を見つめて歩むことになったと言えよう。

以上のような古代の西アジア・地中海世界に並行して、中国においても世界史実践の誕生が見られた。中国では、前一一世紀頃に殷《いん》を倒した周王朝の工房で、王から諸侯の功績に対して賜《たま》わり物が下され、諸侯が感謝を述べるという形式の金文が青銅器に鋳込まれた。諸侯はこうした青銅器を祖先祭祀の場で世代を超えて使用し、周王朝を中心とする秩序を確認していく。やがて、周の東遷によって春秋時代になると、周の工房にいた技術者が各地に散って諸侯の側でも青銅器を作るようになり、文字を使ってものごとを記録する「史《し》」と呼ばれる人々を擁する国が増えてゆく（平勢 二〇〇二：六九―七一頁）。やがて前八世紀から前五世紀までの魯《ろ》の国を中心とした諸国の歴史を描いた『春秋』が生まれ、儒家の経典の一つとして扱われるようになった。そして前一世紀頃、前漢の司馬遷《しばせん》（前一三五頃―前九三頃）が『史記』（原題『太史公書』）をまとめ、以来「正史」という形で、歴代の王朝のもとで国家事業としての歴史叙述が編纂された。その記述は百科全書的な特色を持ち、政治・経済・社会・文化・技術などを包括していた。ユダヤ・キリスト教世界のように唯一神をもたない儒教世界において、ものごとを判断するさいの根拠・規範は、過去の歴史的事実の中にあったから、それを正史が提供したのである（佐藤 二〇〇四：二〇六―二一〇頁）。つまり「正史」は、時間軸の特徴としては、過去からの教訓を解釈する「過去からの世界史」であり、歴史叙述の目的としては、「アイデンティティの共有」と人間の「規範の共有」という性格を色濃く持つものであった。

司馬遷の『史記』は、紀伝体という独特な構成による歴史叙述をうみだした。「列伝」のなかには「匈奴《きょうど》列伝」「南越列伝」「朝鮮列伝」なども配置され、まさに前漢皇帝を世界の正統的な統治者と位置付けるための「世界のつながりを考える世界史」となっている。全一三〇篇の最後にあたる「列伝」末尾には「太史公自序」という執筆の経緯を述べた文章が付されている。前一〇八年に父のあとを継いで太史令となった司馬遷は、やがて匈奴に投降した李陵《りりょう》を弁護したかどで宮刑に処せられた。刑を受けたあとの司馬遷の心情は、生きることの苦痛との闘いであり、前九一年に友人に宛てた書簡「任安への返書」のなかで、「あえて隠忍して生き残り、糞土の中に陥るのも辞さなかったのは、私心に言い尽くさないことがあり、亡くなったあと、文章が後世に出ないことをとても残念に思うからです」と書いている(藤田 二〇〇一：二一五頁)。そして「太史公自序」の中で、李陵事件のあと自分を責めて家に籠って深く考え込む中で、これまでの歴史において著作を書き残してきた人々は、皆、「心に何かの鬱結《うっけつ》があって、それのはけみちが得られなかった」からなのだということに気づいたと司馬遷は述べ、「ゆえにわたしは過去の事を述べつつ、未来のことを予想する」と決意を書いた(司馬遷 一九七五：五巻一九二頁)。つまり司馬遷は、王朝の記録としての「世界のつながりを考える世界史」とともに、心の鬱結を解決するための問いかけをもった「世界と向き合う世界史」を構想していたのだと考えられる。天命によってすべての地上の物事は動いており、その命に皇帝が背いたときには天変地異が起こるという儒教的な天人相関説に対して、正しい行為をしても不幸や失敗に陥ることがいくらでもあるという世界の不条理を見つめた時に湧いてくる、天への「アイロニー」に満ちた懐疑であった。「列伝」冒頭の「伯夷列伝」における「天が善人に対する報いとは、いったいどんなことなのか」、「もしかすると天道といわれるものがただしいのか、ただしくないのか」という問いかけである(司馬遷 一九七五：一巻一一―一二頁)。

この問いに対する司馬遷の考察の一つは、「李将軍列伝」の李広についての記述の中にある。李陵の祖父である李広は対匈奴戦争を指揮した軍人で、部下たちからの信望厚い人であったが、衛青に貶《おと》しめられて作戦に失敗し、自害した。おそらくは李陵と重ね合わせたであろう李広の不条理な死を描いて、司馬遷はこう書いた。諺《ことわざ》に「その身正しければ、令せずして行なわる。その身正しからざれば令すといえども従われず」とあるように、李広の死は、皆の哀悼を集めた。それは諺の「桃や李《すもも》はものをいわないが、木の下には自然と蹊《こみち》ができあがる」という光景そのものであった。このような世界の姿は「小さいことだが、大きなことにもたとえることができよう」(司馬遷 一九七五：四巻二一頁)。つまり、過去に生きた人間の「生きる意味」が成立するかどうかは、歴史の後方に生きている「私たち」の行為にかかっていることを司馬遷は考察しているのである。それは歴史を記憶するという行為が、「アイデンティティ」や「人間・社会の洞察」の共有というだけでなく、過去に生きた「いのちの尊厳の回復」という意味を持つことへのまなざしであると思われる。このことは現代世界における歴史認識対立にもつながるような、世界史実践が不可避的にもつ倫理性と政治性を示していると言えよう。

『史記』以降、『明史』にいたるまで二四の「正史」が編纂されたが、歴代の皇帝の正統性を主張する歴史であったため、それはほぼ中国の範囲に歴史の舞台が限定されることになり、また、鮮卑系の拓跋《たくばつ》氏の流れを汲む隋・唐の皇帝たちやモンゴル系の元の大ハンたちのユーラシア規模での政治・経済の広がりについては「正史」からは窺えない(岡田 一九九九：一二一―一二二頁)。この点で新しい風を吹き込んだのは、モンゴル帝国の時代に中東で生まれた世界史実践であった。イラン一帯を支配したモンゴル政権であるイル・ハン朝においてラシードゥッディーン(Rashid al-Din 一二四七―一三一八)が編纂した『集史』(一三〇七)は、「モンゴル史」「世界史」「世界地誌」の三巻からなっている。特に第一巻「モンゴル史」の巻は、個々の歴史事象についてモンゴル暦とイスラーム暦を併用して記述しており、東西の史料をもとに描かれる歴史を統合して一つの歴史叙述を構築しようとした画期的な世界史叙述となった(清水 一九九五：四〇頁)。こうしてモンゴル帝国の時代に「世界のつながりを考える世界史」はユーラシア大陸を覆う空間軸で統合的に叙述されるようになったわけである。ただし『集史』の第二巻「世界史」は、先行するカーシャーニー(al-Qāshānī 一三二二／二四以降没)の『歴史精髄』(一三〇〇／〇一)の改訂版にすぎないものであり、独創ではなかった。むしろラシードゥッディーンの独自性は、トルコ・モンゴル系王朝の伝説上の始祖とされるオグズ・ハーンを『旧約聖書』のノア、ヤペテの子孫として位置付け、トルコ・モンゴルの伝承を聖書の世界史に接合させたことにあった(大塚 二〇一七：一八九―一九二頁)。モンゴル帝国時代のペルシア語文化圏では、「アイデンティティの共有」のために、先行するユーラシア大陸東西の世界史実践と自分たちのそれを結合させながら、様々な「世界のつながりを考える世界史」が試みられたのであった。

ヨーロッパにおける「世界のつながりを考える世界史」の展開

アウグスティヌスを受け継いで中世ヨーロッパで様々に試みられた、「天地創造」を始点、「最後の審判」を終点にするキリスト教的な世界史叙述は、「普遍史」(Universal History)と呼ばれてきた。実際、その枠組みはキリスト教文化圏だけでなく、イスラーム文化圏でも応用されてきたわけである。しかしヨーロッパの人々の視野が地球規模で拡大して中国の歴史が知られるに及んで、普遍史の整合性が動揺する。科学革命によるニュートン物理学の時間認識やキリスト教の迷信を批判する啓蒙思想の登場とあいまって、一八世紀から一九世紀のヨーロッパでは、「天地創造」と「最後の審判」には区切られない「世界史」(World History)が生まれてきた(岡崎 二〇〇三：一三四―一四〇頁)。

このような近代ヨーロッパの世界史実践は、人類が未来に向かって発展していく道筋を描く「進歩史観」であることが共通しており、その発展の先頭を歩んでいるのがヨーロッパと北アメリカであるという比較のまなざしも共通している、「世界のつながりを考える世界史」であった。たとえば、世界史とは、精神が「自由」という本来の自己のあり方を次第に正確に知ってゆくプロセスだとした、ヘーゲル(G. W. F. Hegel 一七七〇―一八三一)の『歴史哲学講義』

（一八三七／四〇）においては、中国やインドの国家には「国家の本質をなす自由の概念の意識が欠けている」として、東洋の歴史が世界史の発展から外れたものとされ、ギリシア史・ローマ史・ヨーロッパ史だけが一直線に結び付けられる（ヘーゲル 一九九四：上巻一二四―一二五頁）。ヘーゲルにとっての世界史の光源は、フランス革命とナポレオン戦争における諸国民の勝利であり、自由の実現は「国家」を通してのみ与えられると考えられた。自由とナショナリズムが理想主義的に結びついていた時代の世界史実践であった。ただしヘーゲルは、ベルリン大学の最初の「世界史の哲学講義」（一八二二／二三年）において、東洋の歴史について多面的な見方をしていたことが、現存する複数の講義筆記録からわかっている。たとえばヘーゲルは、清の康熙帝《こうきてい》と乾隆帝《けんりゅうてい》について、質素な暮らしぶりと最高の学問的教養を兼ね備えており、「古代人の理想」を彷彿《ほうふつ》とさせる「道徳的に造形化された形姿」であると高く評価している。そのような優れた皇帝の出現が偶然に左右されているところに中国社会の課題がある（ヘーゲル 二〇一八：上巻二〇四―二〇五頁）。しかし、のちの『歴史哲学講義』の段階になると、ヘーゲルはこれらの分析をすべて捨象した。世界のつながりが強調されるほどに、捨象されるものが増えるというのは、世界史叙述のパラドックスであろう。

一九世紀ヨーロッパの進歩史観のもう一人の代表格はマルクス（Karl Marx 一八一八―八三）である。彼が友人のエンゲルス（Friedrich Engels 一八二〇―九五）とともに書いた『コミュニスト宣言』（『共産党宣言』一八四八）は、すべての世界史は「搾取する側と搾取される側」の「階級闘争の歴史」であるとして、つまり階級闘争という表象に世界史の全体を還元する「換喩」の修辞法で、古代ローマから一九世紀の同時代までの「世界のつながりを考える世界史」を描こうとした。それは同時に、プロレタリアート（労働者階級）がいかに生まれ、いかに未来に勝利していくかを焦点化した、「提喩」のまなざしをもって一九世紀の政治情勢を見つめる「世界と向き合う世界史」でもあった。人々の解放が生産手段の社会化によって実現する具体的な道すじが示されたわけではないが、「換喩」による還元主義的な歴史叙述と「提喩」による倫理的な響きが、歴史発展の基本法則のようなものを人々に予感させていったのである。階級のカテゴリー化には正義・不正義の倫理的価値が付与されることになり、打倒対象とされた階級に関しては、そのあらゆる行為が正邪の全体構図から否定的な価値判断をなされがちになった。

しかしながらマルクスの「唯物史観」は、二つの点で世界史実践に新たな視点をもたらした。第一に、『資本論』(一八六七–九四)において、資本主義経済の人間関係が「物と物の社会的関係」になっていく「物象化」(Versachlichung)のメカニズムが明らかにされたことにより、商品の生産や流通、消費の歴史をたどることが、人間社会の権力関係を解明することになると理解されるようになった。物象化という現実社会の「換喩」のメカニズムを可視化することで、歴史分析の視座の大きな転換がもたらされたと言えよう。第二の新たな視点として、マルクスが、世界に向き合うときの自分の立場を、「観察者の立場」から「存在の立場」に転換させていかなければならないと考えていたことが挙げられる(有井 二〇一〇:八七–八八頁)。「存在の立場」とは、自分たちが生きる世界を自分にとっての単なる客体ではなく、自分とつながっている存在としてとらえる姿勢である。マルクスが、『経済学・哲学草稿』(一八四四)のなかで、「自然は人間の非有機的身体である。〔中略〕人間が自然に依存して生きるということは、自然は人間の身体であり、人間は死なないためには、たえずそれと交流しつづけなければならないということである」(傍点部分は原文が隔字体)と書いたとき、「自然」という概念は自然環境とともに人々を包含しており、まさに世界と言うべきものであった(マルクス 二〇〇五:一巻三一五頁)。マルクスは、自分の生命がいかに環境と人々からなる世界とつながっているかを見つめ、世界に対して自分自身のあり方を切実に考えるような問いをもって向き合うことを重視し、そうした自己と対象の関係を「対象が自己へ帰還する」と表現したのであった(マルクス 二〇〇五:一巻三八〇頁)。

以上のようなヘーゲルやマルクスの進歩史観に対してむしろ「観察者の立場」を徹底したのが、「実証主義史学」の祖と言われるランケ(Leopold von Ranke 一七九五–一八八六)であった。彼は、各地の文書庫の未公刊史料を徹底的に探索し、歴史的事実を文字史料から厳密に立証するという方法で、歴史叙述を行った。それは、歴史学が人文科学の中の一つの独立した学問分野になる貴重な一歩となった。加えてランケは進歩史観への深い懐疑を持ち、前の時代よりも後の時代が優れているということはなく、それぞれの時代の価値は、時代の存在そのもの自体の中にあると考えた。歴史学とはそのような「個体的生命」とも言うべき、時代の「傾向」を明らかにする学問なのだと、ランケは強調した。ただし、アジアの文化については「最古の時期がいちばん盛ん」であり、「蛮族(蒙古族)の侵入とともにまったく終わりを告げてしまった」とされ、時代の「傾向」を動かしていく歴史主体は、ヨーロッパの国々にほぼ限定される(ランケ 一九九八:一三一一五頁)。ゆえにランケの世界史は、例えば一七世紀については、フランスが「カトリック的君主制の原理」であるのに対して、プロイセンは「ドイツ的・プロテスタント的・軍国的・官僚的原理」であるというように、ヨーロッパ各国史の特徴が並列されるような歴史叙述になる。そしてランケは、フランス革命から一八四八年革命に至る民衆たちの「破壊的傾向」に直面している「現代」においては、君主が秩序を守りながら民主政の要素を取り入れることで、時代の「傾向」を受け止めながらそれぞれの「国民性」を発展させていくしかないと結論づけた(ランケ 一九九八:二四九一二五〇頁)。精緻な史料の読解に基づく実証作業を積み重ねながら、結論的には国家の歩みに「個体的生命」が宿っていると解釈するとき、そこには歴史実証から歴史解釈・歴史批評への大きな飛躍がある。つまり、一見「ありのまま」の叙述のように見えて、実は歴史主体を有機体のような国家に見出すことが前提とされている。マルクスが還元主義的であった以上に、ランケもまた実は還元主義的であった(White 1973:32;邦訳五〇七頁)。ランケの歴史叙述が、現代日本の世界史教科書に見られるような、各国史がその特徴とともに短冊状に並列される「世界のつながりを考える世界史」の原型となる。実際、ランケはベルリン大学のゼミナールを通して多くの弟子を育てた。そして国民国家の「アイデンティティの共有」のために、自国の歴史を研究することと教育することが重視されるようになり、実証主義史学はそうした要請に応えていくことになった。

アナール学派による世界史実践の刷新

「これから学ぶ時代は我々の歴史のうちの最も活気ある時代の一つであるが、それは前の時代を継承し次の時代を予告している。伝統打破と革新が入り混じっているがゆえに、この時代は注目に値する」。……各時代の個性を強調するために、このような歴史解釈を「おうむ返し」のように繰り返してきたランケ流の実証主義史学を、フランスの歴史家リュシアン・フェーヴル(Lucien Febvre 一八七八―一九五六)は、青年たちから愛想をつかされても仕方がないと、厳しく批判した。フェーヴルは、歴史家が事実を入念に仕上げるということは「構築する」ことであり、ひとつの「問い」に「答え」を与えることであるとして、問題設定に基づいて歴史像を主体的に構築する歴史学を重視した(フェーヴル 一九九五：一九、四八頁)。

フェーヴルがマルク・ブロック(Marc Bloch 一八八六―一九四四)とともに一九二九年に創刊した『社会経済史年報 *Annales d'histoire économique et sociale*』(通称『年報《アナール》』)は、のちに幾度かの改称を繰り返しながら刊行が続けられ、「アナール学派」の流れをうみだしていく。アナール学派の革新性は、政治史や外交史に限定されがちであった実証主義史学に対して、その奥にある人々の心のありよう(心性)とか、人と人の絆のありよう(社会的結合関係)をめぐる社会史を描き出すことで、まったく新しい世界史像をうみだしたところにある。そのため歴史家が扱う史料もきわめて多様化し、文字史料だけでなく非文字資料(道具・景観・環境・図像・地図・音声など)にも対象が広がっていった。様々な「問い」から出発するという主体的な問題設定を明確にしたことで、歴史実証の対象は大きく拡大し、現代の文脈だけで過去を解釈するのではなく、過去(その時点)の文脈において過去を解釈することで、歴史解釈の視野も重層的になっていく。また、「問い」を出発点とすることで、「世界と向き合う世界史」こそが世界史実践の核になることが、改めて確認されたのである。

アナール学派の第二世代を代表するフェルナン・ブローデル(Fernand Braudel 一九〇二―八五)の『フェリペ二世時代

の地中海と地中海世界』(邦題『地中海』一九四九／六六)は、一六世紀の地中海世界を対象に、諸学問を越境して試みられた壮大な「全体史」であった。ブローデルは、歴史を、①「ほとんど動かない歴史」としての環境と人間との関係の歴史、②「緩慢なリズムをもつ歴史」としての社会や人間集団の歴史、③これまでの歴史家が対象としてきたような「出来事の歴史」(実は、歴史という潮の表面の「波立ち」のようなもの)という、時間幅の異なる三つの変化に着目して構造的に叙述するという画期的な試みを行った(ブローデル 二〇〇四：一巻二一-二二頁)。「ほとんど動かない歴史」としての環境と人間の関係から「緩慢なリズムをもつ歴史」や「出来事の歴史」がどのような影響を受けたかという、層どうしの構造的な関係が分析されることで、地形がもたらす交通や経済活動との因果関係からはじまって、地球の温暖化・寒冷化といった気候変動がもたらす経済活動や政治変動との因果関係、さらには環境に起因する感染症がもたらす人類の諸活動との因果関係など、因果関係を解釈する視点が格段に広がっていく。また、ブローデルは「環境」としての「地中海」とともに、ひとつの経済の構造で自己充足している地域、すなわち「経済《エコノミー》=世界《モンド》」としての「地中海世界」を析出して、「地中海世界」としての動態的な世界史を考察した。歴史を分析する際の空間設定を重層化したのである。これにより、国家の歴史が短冊状に並列される世界史ではなく、国家だけでなく多様な人々が歴史主体として交錯する、各国史の集合体ではない世界史が誕生した。歴史に描かれる人々のカテゴリー化についても、たとえば、地中海世界の各地の物価と俸給の関係によって「多くの貧しい人々」が広く存在したことを割り出し、こうした人々を「プロレタリアート」と呼んだように、その方法はあくまで帰納法的であった(ブローデル 二〇〇四：二巻一七八-一七九頁)。人間を分類する表象は、歴史家の「問い」に基づく解釈の結果であることが明示されるようになった。ブローデルの歴史叙述にはアプリオリな歴史の枠組みというものが存在しないのであり、すべては歴史家が「問い」をもって史料に向き合い、そこから浮かび上がる事実群から解釈によって構築した枠組みである。こうしたブローデルの「世界のつながりを考える世界史」は、「普通にはほとんど気づかれもしない膨大な領域」について

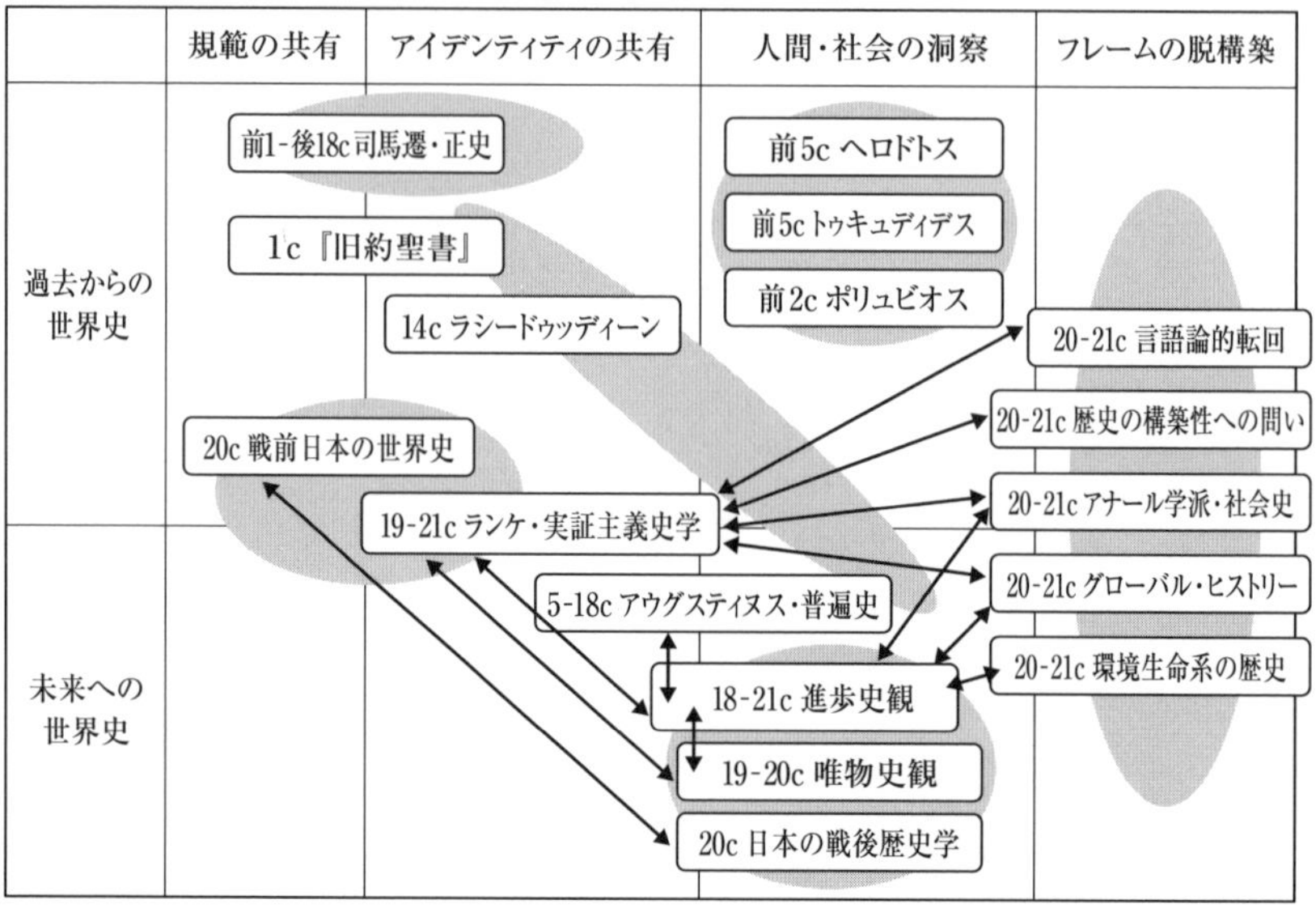

図1　多様な世界史実践（楕円は継承・交流関係を表し，双方向矢印は対抗関係を表す）

「見えるようにする」ことを目指すものであり（ブローデル 二〇〇九：一六一一七頁）、そのことによって従来の歴史学が依拠してきた「フレームの脱構築」を行ったのである。

ここまでみてきた世界史実践の軌跡をまとめるならば、①世界史実践には「世界と向き合う世界史」と「世界のつながりを考える世界史」の循環構造があること、②世界史実践は、「規範の共有」「アイデンティティの共有」「人間・社会の洞察」「フレームの脱構築」などの目的・志向性をもっていたり、「過去からの世界史」「未来への世界史」という時間軸の力点をもっていたりすること、③それぞれの世界史実践がすぐれた方法論と問題点を併せ持っているので単線的な世界史方法論の発展はないこと、④時系列でみた時には前の世界史実践を乗り越えるべく次の世界史実践が試みられる関係（いくつかの対立軸）が存在すること、などが言えるであろう［**図1**］。以上のことをもとに、日本の世界史実践の軌跡とその課題について、今度は歴史対話のプロセスにも視野を広げながら考えていきたい。

三、日本の世界史実践とその課題

近代日本の世界史実践

「歴史」という言葉を日本で使った最も古い例は、佐藤正幸によれば、一六六〇年に儒者の林鵞峯《がほう》が弟の林読耕斎《どっこうさい》に宛てた書簡のなかで、唐代の史家劉知幾《りゅうちき》(六六一―七二一)の『史通』(七一〇)を批判して、「古今を商量し、歴史を可否す、其の証明白なら不るに非ずと雖も、然も毛を吹きて疵を求むるの煩有るに似たり」(彼が歴代の史書を比較して是非を論じているのをみると、小さなことをあげつらって大きく批判したつもりになっている姿勢が目につく)と書いたときであると言う。父羅山とともに徳川幕府の歴史書の編纂事業を主導した林鵞峯は、劉知幾が司馬遷の『史記』をはじめとする歴代の史書を大胆に批判していることに強い違和感をもったのであろう。ここで彼が「歴史」という用語で表したのは、「歴代の史書」のことであり、過去の記録という意味ではなかった。林の用語法は、明代の袁黄《えんこう》が「歴史」という用語を冠した『歴史綱鑑補』(一六〇六)を書いていたことを受けてのものであったと考えられるが、この用語が中国では頻繁に使われていたわけではない。それに対して元禄の頃から日本では「歴史」が書名に冠せられるケースがしばしば現れ、幕末に編まれた英語の辞書のなかでhistoryの訳語として「歴史・記録」という表現が使われるようになっていく。さらには、一八七二年の学制にともなう文部省布達のなかで外国語学校などの教科として「歴史」が設けられ、やがて翌年になると小学・中学の教科名が「史学」から「歴史」に改められていった。その後、中国でも梁啓超《りょうけいちょう》の『中国歴史研究法』(一九二二)などに見られるように、日本経由で西洋の歴史学を摂取しつつ、「歴史」という用語法を逆輸入していったと考えられる(佐藤 二〇〇四:四―一三頁)。

もちろん日本列島における世界史実践は、「歴史」という用語の登場よりもずっと前から存在していたであろう。

そもそも「世界」とはサンスクリット語の仏教用語「ローカダートゥ」(lokadhātu)の漢訳であり、領域にわけられた私たちの生きる場のことであった。仏教とともにもたらされた世界像は、インド(天竺《てんじく》)の須弥山《しゅみせん》を中心とする世界に中国(震旦《しんたん》)と日本が並列している三国史観であり、仏教文献に広く描かれてきた。もうひとつの世界像は、この世界は天の支配のもとにあるという考え方で、世界の中心を中国とする発想を、記紀神話によって日本を世界の中心とするように組み替えることが可能であり、戦国時代以降に広がっていった(末木 二〇一六：一一―一二頁)。そして時間についての感覚をみるならば、日本の長い歴史の中で、「サキ」という言葉が未来を指すようになったのは、およそ一六世紀以降のことで、それ以前には「サキ」という言葉は過去を指していた。「サキ」には時間的な位置と空間的な前方という二つの意味が含意されていることから、一六世紀前後の時期に、人々が過去(サキ)を向いて未来に後ずさりして入っていくような時間感覚から、未来(サキ)を向いて進むような時間感覚への転換がおこったと考えられている(勝俣 二〇一一：二二―二三頁)。

日本列島の世界認識を大きく変化させたのは、一九世紀前半にアヘン戦争で清朝がイギリスに敗れたときであった。儒教を生んだ中華帝国が理不尽な戦争に屈せざるをえなかったという事実は、日本の存立自体が危ういという認識をもたらし、ここに日本をとりまく世界を地理的・歴史的に把握し直そうとする著作が、蘭学者の箕作《みつくり》省吾(一八二一―四七)の『坤輿《こんよ》図識《ずしき》』・『坤輿図識補』(一八四五―四七)をはじめとする、世界地誌の形で次々にうみだされた。そして一八五三年のペリー来航と日本の開国というさらに切迫した対外的危機意識の中、清朝の開明派官僚である魏源(一七九四―一八五七)がアヘン戦争の敗北に対する憤りの中で書いた、各国の歴史・政情をふまえた地理書『海国図誌』全一〇〇巻(一八四二―五二)が、日本の漢学者・蘭学者によって翻刻されていった。「則ち外夷を制せんと欲する者は、必ず先づ夷情を悉《つく》すより始む。夷情を悉さんと欲する者は、必ず先づ訳館を立てて夷書を繙するより始む」(傍点原文ママ)として、まずもって外国の事情に通じること、そのためにはまず翻訳から始めることが肝要だと説くメッセージ(田中・宮地 一九九一：二一―二二頁)は、アヘン戦争と開国の時代に生きた「世界と向き合う世界史」の基本姿勢であった。歴史はもはや「歴代の史書」を通したアイデンティティや規範の共有のための学問ではなくなった。

こうして幕末維新にかけて福澤諭吉(一八三五―一九〇一)の『西洋事情』(一八六六―七〇)と『文明論之概略』(一八七五)が刊行され、西洋の歴史が積み重ねてきた文明を日本が努力して到達すべき目標として描き出した。明治政府は、一八七二年に学制を発布し、初の歴史教科書『史略』をつくり、二年後に世界史部分をわけた『萬國史略』、さらにその翌年に日本史部分の『日本略史』を発行した。『萬國史略』では、アジア洲の歴史とヨーロッパ洲・アメリカ洲の歴史を分けて各国史を記述しており、西洋史のほうが決定的に重視されている。「万国史」は当初、上等小学第四級(一二歳)で開始され、すべての生徒が教科書を持っていたわけではなく、教師がこれを教材として授業をしたり、主要な史実を暗記させたりしていた。日本史でもだいたいの時代的推移の暗唱をすればよかっただけであり、歴史学習によってどのような人間を育てるかを明確に規定してはいなかった(和歌森 一九五七：七頁、海後 一九六九：三六頁)。しかし、一八八一年に文部省は「小学校教則綱領」により歴史教育の目的を「尊王愛国ノ志気ヲ養成センコトヲ振起セシムルニアリ」と定め、小学校の歴史を日本史のみに限定した。やがて教科書を認可制度から検定制度に変え、一九〇三年には小学校教科図書をすべて文部省の著作権下においていった。そもそも「万国史」はヨーロッパの「普遍史」の概説書を翻訳したものが多かったから聖書的な神話から始まっていたし、日本史も神話から始まっていた。結局、歴史教科書は外国史と日本史の統合ができないまま、特に日本史教育において、かつての史書のような「アイデンティティの共有」及び「規範の共有」としての歴史学習が要請されていく。

一方、ベルリンでランケの原稿の浄書をしていた若き歴史家ルートヴィヒ・リース(Ludwig Rieß 一八六一―一九二八)が、ベルリン大学の推薦に基づき、一八八七年、(東京)帝国大学に新設された史学科に招聘《しょうへい》され、ここに日本の歴史学の新しい歩みが、進歩史観ではなくランケの実証主義史学の強い影響下に始まった。二年後、リースは重野安繹《やすつぐ》

（一八二七—一九一〇）と協力して国史科をつくり、同じ年に史学会と『史学雑誌』をスタートさせ、大学では「古代・中世・近代・現代」という西洋の時代区分による世界史の概説を講義した。やがて日清戦争後の一九〇二年に、日本と特に関係の深い中国、朝鮮、インドなどを詳細に学ぶ必要があるという理由で、文部省が中学校の教授要目において、「東洋歴史」と「西洋歴史」を分離し、一九〇四年には東京帝国大学が史学科を国史学・支那史学（のち東洋史学）・西洋史学の三専修科制に分割して、日本特有の三科分立体制が各地の大学に広がっていった。このうち東洋史学では、漢文史料に通暁《つうぎょう》して欧米の歴史学に勝る独自な業績をあげていくことが、輸入史学である西洋史とは異なる自分たちの長所であると考えられた。一方の西洋史学では、原史料にあたって本場の研究を凌駕することが当時にあっては困難であり、専門研究の数が東洋史や日本史に比べれば圧倒的に少なかった（斉藤 一九八四：一五二—一六三頁）。日本史学においては、一八九二年に久米邦武（一八三九—一九三一）の論文「神道は祭天の古俗」が「不忠」「不敬」と非難され、久米が（東京）帝国大学辞職に追い込まれていた。一九一一年には、南北朝を対等に扱っていることを理由に読売新聞が小学校の国定教科書を批判したことで、野党や国粋主義団体が政府批判を展開し、編集責任者であった喜《き》田《た》貞吉《さだきち》（一八七一—一九三九）が東京帝国大学を休職処分となった。後にマルクス主義の歴史家になる井上清（一九一三—二〇〇一）は、一九三三年に入学した東京帝国大学の学生時代について、「入学早々に国史学科の教官・先輩による新入生歓迎会がありましたが、その席上で三《み》上《かみ》参次《さんじ》名誉教授が、大学では学問的な講義があるが、諸君が卒業して中学校の教師などになったとき、大学の講義をそのまま生徒に教えてはいけない、学問と教育は別であると私たちに説教しました」と回想している（井上 一九八二：一二一—一二二頁）。三上参次（一八六五—一九三九）は南北朝正閏《せいじゅん》問題の当事者として教科書執筆者を辞任した苦い経験を持っていた。研究者には、人々に伝える「教育」次元の歴史像を、自らの「研究」から切り離して考える思考習慣が形成されていく。

　このようなかで大正期に入ると歴史教育の分野において「世界史」を意識的に目指した試みが登場する。その中心となったのは、東京高等師範学校教授の斎藤斐章《ひしょう》(一八六七―一九四四)である。彼は一九〇九年から二年間、文部省から派遣されてヨーロッパ諸国に留学し、ことにドイツでは日本の武士道精神などを解説した『日本史 *Geschichte Japans von Hisho Saito*』をドイツ語で刊行した。一九一四年、彼が中心となっていた地理歴史教員協議会は、文部大臣の歴史教育改革についての諮問に対し、歴史教育においては日本史を重視すべきであるがゆえに東洋史・西洋史を統合してスリム化した「世界史」を教えるべきであり、その「世界史」では煩瑣《はんさ》な中国史を簡略にして「現代」の理解に重点を置くべきであるという答申を出す。そしてその内容を具現化するような複数の教科書が斎藤によって作られていった(松本 二〇二〇:一二三―一二四頁)。すでに「世界史」という用語自体は、リース経由でランケの影響を受け、西洋史と東洋史を統合しようとした概説書――坂本健一編『世界史』(一九〇一―〇三)や高桑駒吉『最新世界歴史』(一九一〇)など――によって使われていた(岡崎 二〇一八:四四―五一頁)。しかし、斎藤の「世界史」には日本史も視野に入っていた点が、特に注目されよう。一九二四年に共著の形で『中等世界史要』を出版した斎藤は、一九二六年に単著として『實業教育外国史』を完成させる。わずか一五七頁のボリュームに農耕牧畜の開始から第一世界大戦後の世界の情勢までの歴史を簡潔にまとめたもので、古代・中世・近代・現代(斎藤の用語で言えば上古・中古・近古・近世)という時代区分の中に、東洋史と西洋史が共時的に構成されていた。年表、歴史地図も丁寧に配置されており、章立てや歴史用語の使い方も含めて現代の世界史教科書にきわめて近いスタイルであり、明治維新の頃の「万国史」の教科書とは隔世の感があった。斎藤は冒頭の「例言」において、日本史との関係を最も意識していること、世界の「文化系統」が東洋・西洋それぞれ別々に発達し、時代が進むにつれて近接して「世界文化」が形成されていることに着目していること、この学習によって生徒は「一貫せる世界文明史」を理解できることなどを強調している(斎藤 一九二六:一―二頁)。実際にこの教科書は、各時代の「総括」の章に「我が国の文化的地位」と題した節をそれぞれおき、文化交渉史の視点から「世界史の中の日本」を位置付けた。古代史で言えば、漢学や仏教の伝来によって「我が文明は次第に進歩した」ことが強調される。中世史で言えば、この頃の日本は元寇・明との通商のほかは「殆《ほと》んど外国との交渉は無かつた」が、ようやく足利時代の末期に西欧の文化が伝来したことが述べられる。いっぽう、宗教改革から合衆国の独立までが扱われる近代史においては、シャビエルによるキリスト教の布教があったものの「寛永の鎖国」以降の日本は「全く世界の事情に通ぜず、世界に於《お》ける我が国の地位は依然として地平線下にあつた」という記述しかない。そして現代史から突如、日英同盟の締結や日露戦争、第一次世界大戦への参戦において日本が本文中に言及されるようになる。本文の叙述の中に「吾人《ごじん》の覚悟」という節がおかれ、日本がパリ平和会議において「五大強国の一」に数えられた現在、立憲政治の運用の経験も浅く、商業・学術ともにまだまだ課題が多いのだが、「東西文明を融合して渾然たる世界文明を建設するには我が国が最も適当の位置に立つてゐる」と結論づけている(斎藤 一九二六：一五四―一五五頁)。つまり、前近代の世界史を文明の展開の歴史に還元するランケ流「換喩」の歴史叙述が、近代をパワーポリティクスの世界における西洋文明の覇権の歴史として描き、国際社会の中で日本が一定の位置を占めるようになったという時局認識と結びついて、日本の独自な立場を価値優位的に把握しようとする「世界のつながりを考える世界史」が生まれたのであった。そもそもランケ流の世界史は、それぞれの国家が主語となる各国史の集合体であったが、斎藤の世界史では、日本が主語群における第一の主語となる。こうして世界史は、ナショナリズムを鼓吹する自国史(ナショナル・ヒストリー)となる。ここから日本のアジア・太平洋戦争を肯定する論理まではそう遠くない。

京都帝国大学の鈴木成高《しげたか》(一九〇七―八八)が『ランケと世界史学』(一九三九)を書いたとき、彼の思考を特徴づけたのは、「個別の認識はそれだけで意義あるものでありそれ自身において自己目的性をもつ」とともに「その眼を普遍に対して見瞠《みひら》いてゐなければならない」という、ランケ自体がもっていた、歴史実証から歴史解釈と歴史批評への飛躍であった。それゆえ、日中戦争という「聖戦」により日本が「アジヤによるアジヤの新秩序」を建設することは、ヨーロッパ的秩序を非ヨーロッパに拡大するのが当然視されていた「旧秩序」を打破し、ヨーロッパ人自身に「ヨーロッパとは何ぞや」ということを再考させることになると、鈴木は日中戦争の世界史的意義を強調したのである（鈴木 一九三九：三二、一六八―一六九頁）。世界史は、皇国史観とともに日本の「いま」を絶対化して肯定し、国策遂行の学問的基盤となっていく（成田 二〇二二：一三一―一三二頁）。

このような歴史学の状況に対し、羽仁《はに》五郎（一九〇一―八三）は「歴史および歴史科学」（一九四〇）のなかで、「批判なくんば、学問なし。批判なくんば、歴史なし」と書いた。そして羽仁は、専門家が史料批判をすればそれだけで歴史が書けるわけではないのであり、「浅薄な人生経験しかもたぬ人に、深刻な歴史的体験がわかるはずはなく、深い歴史的批判ができるはずがなく、深い歴史が書けるはずがない」（羽仁 一九八六：七三頁）と述べ、批判的に歴史を見つめる営みについて、研究者と民衆のまなざしの対等性を打ち出した。治安維持法違反で逮捕されてマルクス主義からの転向表明を強いられ、在野の立場で歴史を研究している羽仁だからこその洞察であった。五年後の一九四五年五月、鹿児島の知覧から沖縄へ出撃にするにあたって、学徒兵の上原良司（一九二二―四五）は、「人間の本性たる自由を滅す事は絶対に出来なく、例えそれが抑えられているごとく見えても、底においては常に闘いつつ必ず勝つ」のであり、「自己の信念の正しかった事、この事はあるいは祖国にとって恐るべき事であるかも知れませんが吾人にとっては嬉しい限りです」と、矛盾に引き裂かれている胸中を書いた（日本戦没学生記念会 一九九五：一八―一九頁）。上原の世界史への向き合い方のバックボーンになったのは、イタリアの歴史哲学者クローチェ（B. Croce 一八六六―一九五二）に関する羽仁の著作であった（羽仁 一九三九）。世界史を自由が実現していくプロセスであるとしたヘーゲルの「未来への世界史」が、羽仁とクローチェを経由して、全体主義に抗して自由の復活を信じる、一人の青年の精神を形作っていた。「敵の航空母艦に向って吸いつく磁石の中の鉄の一分子に過ぎぬ」最期をとげた上原の世界史実践の記憶は、戦後になって戦没学生の手記を集めた『きけ わだつみのこえ』の冒頭に「遺書」として収録され、「平和」を願う人々に繰り返し想起されていくことになる。

戦後歴史学の世界史実践

日本の世界史の再構築は、「戦後歴史学第1世代」とも言うべき歴史家たちによって進められた。彼らは、敗戦後いちはやく、なぜ近代の日本が太平洋戦争のカタストロフをひきこしたのかという問いに対して、日本の「近代」が欧米に比べて不完全なものだからという答えを導きだし、その系譜を歴史的に解明しようとした。彼らは、「西洋対日本(あるいは東洋)」、「近代対前近代」という二項対立で歴史を分析しようとし、西欧近代が実現した人々の主体性を日本国民に確立させ、「日本資本主義の半封建的軍事的性格」を克服しようとする強い啓蒙的情熱をもっていた(安丸 二〇一三：三、三一頁)。そのような戦後歴史学第1世代が活躍した一九四〇年代から七〇年代前半までを、「戦後歴史学の世界史」の時代と整理してみたい。その代表的著作が、経済史研究者の大塚久雄(一九〇七―九六)による『欧洲(州)経済史』(一九五六／二〇〇一)や『社会科学の方法』(一九六六)であった。大塚は、ヨーロッパの近代を、ピューリタニズムが現世の生活の組織的・方法的な改革をはかる「内面的品位の倫理」となり、人間精神のありかたに「魔術からの解放」を促した時代であると見る(大塚 一九六六：一六六頁)。こうした新しい精神が、イギリスでは産業資本家層に見られるように、禁欲的・合理的に経済的余剰と再生産の拡大を目指す「経済人」の人間類型をうんだ。いっぽう、同じヨーロッパでもドイツでは、グーツヘルシャフト(農場領主制)により農村工業が萎縮して半封建的な「寄生地主制」が維持される「特殊な構成」の資本主義となった――こう大塚は述べ、ドイツと日本を重ね合わせてファシズムへの道を見出していた(大塚 二〇〇一：二二五―二二六頁)。大塚の進歩史観的な「世界のつながりを考える世界史」は、戦時中に弾圧されたマルクス主義の講座派と同じくヨーロッパ近代と日本近代との相違点を強調するとともに、日本国民が伝統的な迷妄から自らを解放する主体的な人間類型に自己変革すべきことを説くものであった。

それは太平洋戦争の歴史的原因をさぐりつつ、政治経済と精神文化の双方の変革が戦後日本の課題であるとする、「未来への世界史」であったと言えよう。大塚と同じような問題関心に立つ世界史として、一八四八年革命の挫折やドイツ帝国の成立といったドイツの近代の総体がナチズムに至る「特有の道」(Sonderweg)を歩んだとする、ドイツ社会構造史(ビーレフェルト学派)のヴェーラー(H.-U. Wehler 一九三一―二〇一四)などが挙げられ、ヨーロッパ近代の歴史発展をモデルにして、それとの偏差で各国史を類型化する発想は、現代日本の世界史教科書にもいまだに影響を残している。

しかし大塚の歴史学の研究は、欧米の歴史学と社会科学・哲学の知見を総合して歴史解釈の理論化を目指すものであったから、のちに実際に海外にわたって一次史料と格闘した「戦後歴史学第2世代」・「第3世代」から、その歴史実証と歴史解釈を批判されるようになる。大塚史学における西洋の表象は「オクシデンタリズム」とも呼ぶべき「他者の捏造《ねつぞう》/発明」であったとする、近藤和彦の批判は痛烈であった(近藤 一九九八:四〇頁)。資本主義の形成といった出発時点を「光源」にして各国史を類型化するのは、「換喩」の還元主義的発想であり、近藤が指摘するように解釈の肥大化に陥る危険が大きかった。また、そのヨーロッパ中心主義は、ヨーロッパが植民地を支配した歴史へのまなざしをあまりに欠いていたと言えよう。そして成田龍一が指摘するように、戦前の歴史学への批判的意識によってうみだされた戦後歴史学は、結局は日本を考えるための世界史として提供されているのであり、「ナショナル・ヒストリー」の枠組みで世界史を構築する点においては戦前との連続性があったのである(成田 二〇二二:一三五頁)。

そのような戦後歴史学の中で、帝国主義がつくりだす不均等発展の同時存在とも言うべき世界史の構造を描いたのが、江口朴郎《ぼくろう》(一九一一―八九)であった。資本主義とは民衆を抑圧する反動的なものであり、様々な旧体制が温存され、「不均等な発展」が国際的にあらわれる。ドイツ、日本、ロシアは、こうした不均等な発展の事例にほかならない。このような中でロシア革命は帝国主義時代に民主主義革命をなしとげたのであり、この時代のあらゆる被抑圧者の民主主義的な反発を結集したものであった——このように江口は論じた(江口 一九五四：五四—五六、一四一頁)。抑圧する資本主義と抑圧される民衆という二項対立や、ロシア革命の意義づけは、今日から見れば観念的であるという批判は免れない。しかし資本主義の世界体制が、その特性として独裁体制を含む多様な政治・経済体制の同時存在を必要とするという構造分析は、マルクス主義講座派や大塚史学の類型論とは異なる、新しい世界史の見方であった。

このような構造分析の先駆は、ポーランドとドイツで革命運動を展開したローザ・ルクセンブルク(Rosa Luxemburg 一八七一—一九一九)の『資本蓄積論』(一九一三)である。彼女は、「資本主義的生産は、自分の(すなわち労働者や資本家の)必要を超えて消費手段を供給し、その購買者は、非資本主義的な諸階層や国々である」ことを、イギリスの綿布の世界的な輸出先をあげながら指摘する。そして、原料を調達するためには、「白人種」が労働できない地域において「他の人種」を使役することが必要であるから、資本主義国は植民地を保有し、「近代的な賃金制度と原始的な支配諸関係との極めて奇妙な混合形態」が立ち現れると分析する。つまり「資本主義は、完全に成熟しても、あらゆる点において、非資本主義的な諸階層や諸社会が自分と同時的に存在することに依存している」のである(ルクセンブルク 二〇一三：四〇、五六、六一頁)。帝国主義を資本主義の最高度に発達した段階だとするレーニンに対し、ルクセンブルクは帝国主義を資本主義に内在するものとして描いており、江口もこれに近いと言えよう。

こうした「戦後歴史学の世界史」の時代に高校の社会科の科目として「世界史」が誕生した。そもそも一九四六年に新制高等学校の教科課程が発表され、社会科の中に歴史系科目として「東洋史」と「西洋史」が置かれた。そして一九四八年の教科課程改正の文部省通達で「国史」(のち日本史)が加えられることになり、科目数を調整する必要が生じ、「東洋史」「西洋史」が「世界史」一本にまとめられたのだと言う。このような便宜上の出発をした「世界史」が一九四九年から実施されると、教師の側からは戸惑いの声が多かったものの、生徒には非常に歓迎されたようである。一九五一年の千葉県の調査によれば、社会科のなかで世界史を全生徒の七割近くが履修しており、圧倒的に高い選択率を実現していたことを示している。一九四八年から五〇年にかけて、宮崎県の高校で多くの生徒に世界史を教えた久坂三郎は、「何か生徒に世界史というものに希望があったんでしょうね」と後に(一九七四年)回想している(茨木 二〇一八:一七一—一八頁)。

この時期の世界史教育に大きな影響を与えた著作に、上原専禄《せんろく》ほか『日本国民の世界史』(一九六〇)がある。これは二度にわたって教科書検定に不合格になった世界史教科書を単行本として出版したものであり、著者は上原専禄・江口朴郎・太田秀通《ひでみち》・久坂三郎・西嶋定生《さだお》・野原四郎・吉田悟郎であった。彼らの世界史が斬新であったのは、近代以前を大きく東洋文明(第一部)と西洋文明(第二部)に分け、中国文明の章では「東アジア文明圏」という地域設定のもと、日本が中国や朝鮮と共通の文明圏のなかで歴史を展開させてきたことを叙述して、日本史を組み込んだ点にある。これが実現できたのは、「冊封体制」や「東アジア世界」という問題設定で戦後歴史学を牽引した西嶋定生(一九一九—九八)が執筆者になっていることが大きかったのであろう。ただし、第三部以降になると「東洋」の諸民族はひたすら西洋に抑圧され、諸改革の混迷を繰り返す受け身の存在としてしか描かれなくなる。「明治維新」の節では、「独立国としての日本が確立される過程には、アジア人の相克という大きな犠牲が生まれようとしていた」という視点が打ち出されているものの、日本の韓国併合に韓国側がどのように抵抗し、また、どのように協力し、それがのちにどのような影響を与えたかという「相手側のまなざし」による歴史分析の余地がない。前近代を各地の文明圏の発展ととらえ、近代以降をヨーロッパの拡大と非ヨーロッパの抵抗という二項対立でとらえる世界史の構造は、今でも多くの世界史教科書に共通する。それは大正期の斎藤斐章が描いた文明論的な世界史と比較して、日本の独自な世界史的立ち位置という気負いが消えているものの、依然として近代以降の世界史を西洋文明の圧倒的な優位のもとに描くことが共通しているように思われる。それはたとえば、この著作の末尾近くに出てくる、「さまざまの異なった歴史をたどってきたアジア・アフリカのいわゆる後進諸民族が新しい段階に対処する道も多難である」(上原 一九六〇:三七一頁、傍点は引用者)といった表現にあらわれている。上原たちもまた、ヨーロッパ由来の自由・平等といった普遍的な価値をどう非ヨーロッパが実現していくかという、文明の相克や受容に世界史の歩みを還元する「換喩」の世界史叙述をおこなったのであり、それは日本が東洋文明のなかから西洋文明を身につけて「世界文明」になっていくという斎藤斐章の「換喩」と、実は根底で重なり合うものであったと言えよう。斎藤の場合は、第一次世界大戦への参戦にともなう列強化が西洋化の契機であり、上原の場合は、戦後改革が西洋化の契機となる。そのヨーロッパ中心主義は日本のナショナリズムと共鳴しながら、現在にまで受け継がれている高校世界史の教科書の通奏低音となっているように思われる。上原の場合、タイトルに「日本国民の」という主語を明示したが、他の世界史教科書では「日本国民」が書かれざる主語になっていると言えよう。いずれにせよ、堅固な価値・理念の枠組みで歴史の解釈をしていくような戦後世界史教育は、知識の少ない生徒たちに歴史を教え込もうとする啓蒙のスタイルをとるから、戦前のような研究と教育の乖離《かいり》は是正されるものの、講義による知識注入という学習のスタイルは継続することになる。

『日本国民の世界史』の執筆者であった西嶋定生は、戦後歴史学の世界史の集大成とも言える、第一期『岩波講座世界歴史』(全三一巻、一九六九―七一)の編集委員でもあり、この一大企画について、「ここでは『日本国民の世界史』の構想をさらに発展させて、新しい世界史像を構築することが当初からの方針であった」と後に回想している。さらに西嶋は言う。自分たちの世界史では、地球上に併存していた複数の地域が次第に包摂され、一九世紀以降に「汎地球的な近代世界」となったことを描いたが、それは「国際的政治関係」の歴史にすぎない。経済や政治の論理だけで裁断することのできない「民族的・宗教的相克の矛盾」をどのように定位するかが、世界史の「未解決の問題」として残されている――こう西嶋は総括している(西嶋 二〇〇二:八九―九〇頁)。東アジア史の研究者としての鋭い問いかけであった。世界史研究における欧米・日本以外の人々と、世界史教育における生徒たちは、ともに見えざる存在にとどまっていたのである。

現代歴史学への転換期の世界史実践

一九七〇年代後半から、戦後啓蒙の枠組みではなく、一次史料に基づく歴史実証を積み上げながら新しい歴史解釈を志向する潮流が顕著になってきた。それはまず、先述した「戦後歴史学第2世代」と一九四〇年代から五〇年前後に生まれ、戦後民主主義の時代に青春時代をおくった「戦後歴史学第3世代」を第一の担い手とした。彼らは戦後歴史学の成果と限界に対峙しながら自分の研究を進め、一九六八年の大学紛争の中で既成の知の枠組みの動揺を経験するとともに、高度経済成長期の人々の意識の変容を目《ま》の当たりにしてもいた。戦後啓蒙の目標であったヨーロッパ「近代」の価値そのものを問い直しながら、同時に『戦後的教養』の中で身につけた歴史学をどのように発展させれば、新たな歴史の展望を切り拓くことができるのかということを、自らに問わなければならない」と考え続けたのである(研究会「戦後派第一世代の歴史研究者は二一世紀に何をなすべきか」二〇一二：iii頁)。この架け橋世代の歴史家たちによって世界史が再び大きく刷新されていくことになる。この新しい世界史の形成を成田龍一の史学史的整理にならって「現代歴史学」と呼び(成田・小沢・戸邉 二〇一一：二四―二五頁)、それが立ち上がってくる一九七〇年代後半から八〇年代の「現代歴史学への転換期の世界史」を考えてみたい。なお、紙幅の関係で対象とする歴史研究を極端に限定せざるを得ないことをお断りしておきたい。

第一にフランスのアナール学派の影響を受けた社会史研究の広がりがある。網野善彦(一九二八―二〇〇四)の『日本論の視座』(一九九〇／一九九三)は、日本の歴史を特徴づけてきた「単一民族・単一国家論」「日本島国論」を批判し、政権の支配者の歴史ではなく、「多様な生活をくりひろげてきた人びとの社会とその歴史」を描くことで、アイヌをはじめとする北方の諸民族や、琉球・朝鮮・ひとつの属性だけでは表せられない「自由の民」たちが、ダイナミックに交錯し合う日本列島史を構想した。「日本は周囲から孤立した『島国』なのでは決してない。日本列島はむしろ、アジア大陸の北と南を結ぶ、弓なりの架け橋であった」と網野は結論づけ、日本史をアジア史の中に開いたのである(網野 一九九三：五〇頁)。網野の日本列島史は、従来の各国史の寄せ集めではない世界史であり、各国史やそれを包む地域の歴史の短冊の境界が、重複し合っていたり溶解し合っていたりする動態的な「世界のつながりを考える世界史」への道を拓くものであった。

同じく社会史研究の二宮宏之の『全体を見る眼と歴史家たち』(一九八六)は、従来「絶対王政」と呼ばれてきたフランス王権について、その権力は重層的な中間団体(社団)を媒介にしてはじめて人々を支配できたことを明らかにした。よってフランス革命は、こうした社団の持つ「特権」としての「自由」を否定し、すべての人間に属する市民の権利としての「自由」を実現させたが、長い伝統を持つこれまでの社会的結合関係は「一片の法令によってそれが雲散霧消するものではなかった」のであり、それが革命後の「名望家」の支配につながっていくことになる(二宮 一九八六：一五六―一五七頁)。こうして二宮は、近代国家の起点とされる絶対王政について「社会的結合関係」にまで掘り下げて分析することで、それが近代国家とは異なる特徴をもっており、その構造が革命後においても断絶と連続の両面をもちながら展開したことを明らかにした。人権宣言や憲法にうたわれた普遍的な価値と、その実際の歴史的展開を峻《しゅん》別《べつ》する視点から、ヨーロッパの近代が相対化されたのである。網野も二宮もともに、歴史分析の対象を支配層だけでなく社会の中に生きた人々のありようにまで広げることで、国別の「類型」よりも政治社会の「構造」を明らかにし、さらにはその「構造」を動かす主体のありようを考える歴史像を描いた(高澤 二〇一一：一三五頁)。そして「構造」を成り立たせている意味や約束事に着目したときに、政治を「文化」としてとらえる政治文化論のまなざしがうまれ、唯物史観のフレームを超えてエリートや民衆の政治運動がもつ「規範」のありようが分析されていく。喜安朗《きやすあきら》『パリの聖月曜日』(一九八二)、良知力《らちちから》『青きドナウの乱痴気』(一九八五)、近藤和彦『民のモラル』(一九九三)など、戦後歴史学の世界史像を刷新する成果が次々と世に問われていくことになった。

「現代歴史学の転換期の世界史」として第二に注目したいのは、アジア史からの世界史像の刷新である。たとえば、溝口雄三(一九三二—二〇一〇)の『方法としての中国』(一九八九)は、西洋の「近代」を基準にして中国を後れているとか特殊であるとか裁断するような歴史の見方を批判し、中国もヨーロッパも世界の構成要素の一つであるとする「多元的な世界」像を構築していくべきだと説いた。たとえば、唯物史観では前近代遺制として否定される「封建」という考え方について、明末清初の黄宗羲《こうそうぎ》や顧炎武《こえんぶ》が儒教的な封建制の位の秩序に基づいて「天子だけが等級の外に超然と存在しているのではない」(黄宗羲)と皇帝の専制絶対権力を規制しようとしたように、「封建」論は地方自治論として展開していた。この流れの中で洋務運動は早くから議会制への関心をもっており、実は洋務運動と変法の間に「質的な段差」は存在しなかった。「中国の近代」は「ヨーロッパとも日本とも異なる歴史的に独自の道を、最初からたどったのであるし、今でもそうなのである」——こう溝口は論じたのである(溝口 一九八九:五〇—五一、九五—九六頁)。対象とする歴史の特徴を内在的な文脈で読み解きつつ、ヨーロッパ近代の普遍的価値そのものを相対化する「フレームの脱構築」は、溝口以外にも多くの歴史家によって、対象とする地域をアジア、アフリカ、ラテンアメリカ、オセアニアに広げながら試みられていった。

地域の歴史を分析する視座を、市民的実践の視座と交錯させて理論化したのが、板垣雄三(一九三一—)の「民族と民族主義」(n地域論)(一九七三/のち板垣 一九九二に収録)であった。不均等性がたえず増幅される世界資本主義の構造のなかでは、それぞれの地域で「帝国主義」と「民族主義」が対立しているというような単純な構造になっているのではなく、地域的結合が複合的に重なり合う中で「帝国主義」が様々な人々を重層的に支配しており、人々を分断すべく「民族主義」という考え方を楔《くさび》のように打ち込んでいる。これに「民衆の民族的運動」が対抗するためには、民族的結合の仕方を状況によりダイナミックに変化させるべく、拠って立つ地域の空間的把握を可変的なものにしていかねばならない——こう板垣は分析する。どのような歴史の場を設定するか自体が、どのような主体形成をするかを規定してくる。こうした可変的・複合的にとらえうる歴史の場を、板垣は「n地域」と呼んだ（板垣 一九九二：二五―二九頁）。板垣は、パレスチナ、沖縄、在日コリアンにとっての地域など、様々な「n地域」があり、そうした部分としての地域は、たえず世界資本主義という全体と不可分な関係として存在していることを見つめていた。短冊形の各国史を並列させるような「世界のつながりを考える世界史」への根底的な批判であり、民族主義の対立が渦巻く現代世界を分析するための「フレームの脱構築」をはかる世界史実践であった。

実は、この時期の歴史教育の分野では、一九六五年に提訴した家永三郎（一九一三―二〇〇二）の教科書裁判が行われていた。家永は、教育者の行う教育実践も、子どもの疑問との格闘のなかで再構成された、一つの「学問的営為」であると考えていた（大串 二〇一七：三四二―三四三頁）。教育とは、子どもたちの「可能性のつぼみを花として開かせる」営みであり、「時の権力がその権力の欲するような人間像を造り出す政治的目的のための手段」であってはならないと家永は考え（家永 一九七三：一九五頁）、右翼の脅迫に耐えながら、三次にわたる訴訟を重ねたのである。一九九七年に最終判決が出るまで三〇年以上の長きにわたった家永訴訟の結果、最高裁判決にて南京事件や七三一部隊についての教科書検定の裁量権逸脱が指摘され、日中戦争・太平洋戦争における日本軍の戦争犯罪についての研究成果が以前よりは教科書に記述されるようになった。しかし、一方で「現代歴史学」の成果は、世界史教育には反映されにくかった。世界史教科書は、これまでの各国史・地域《リージョン》史の集合体（各国史の短冊を地域史の短冊が包む「入れ子短冊形の世界史」）の構成が継承され、社会史研究の成果がトピック的に記載される程度であった。高校世界史の学習が、膨大な歴史用語を効率よく整理して暗記するスタイルになっていたため、網羅的な各国史の記述を詰め込んでいた教科書のフレームを脱構築することは難しかった。用語の暗記が「基礎教養の育成」と等値され、歴史実証や歴史解釈などの創造的な実践は大学で学ぶべきことであると考えられ、大学に行かない生徒のことは等閑視された。世界史教育は、意図せずして「研究と教育の乖離」という戦前の状態に回帰していったのである。

しかしながら、この時期には世界史教育の新たな模索が様々に重ねられたことも事実である。そのひとつに日本の歴史学の国際交流を牽引した戦後歴史学第2世代の歴史家(西川正雄、成瀬治ら)と戦後世界史教育を牽引した戦後歴史学第1・第2世代の歴史教育者(吉田悟郎・鈴木亮・二谷貞夫ら)が中心となった「東アジア歴史教育シンポジウム」の試みがある。比較史・比較歴史教育研究会と銘打った手弁当のサークルに集った彼らは、定期的に学習会を開きつつ、一九八四年の第一回を皮切りに、九九年までに計四回の国際シンポジウムを開き、中国・台湾・韓国・北朝鮮・ベトナム等の歴史家・歴史教育者と世界史について語り合ったのだった。いまだ冷戦体制の続いているアジア各国の人々を招いて、しかも一九八二年に教科書検定が日本の大陸政策を「侵略」から「進出」へと書き換えさせたという報道(この報道自体は誤報であったが「侵略」「侵入」「進出」といった用語が教科書検定の争点になっていたことは事実であった)がなされて中国・韓国との間の外交問題に発展した直後の時期に、歴史認識についての国際対話を民間の立場で重ねたのである。この研究会が歴史家と歴史教育者の対等な協働で進められたのは、戦後歴史学第1・第2世代の歴史教育者から、世界史と日本史は生徒のなかでは構造的に統一されなければならないという問題提起がなされるようになっていたからである。二谷貞夫は、歴史像とは自己・地域・自国・世界を双方向に考察する回路のなかで形成されるものであり、その意味で歴史学と歴史教育がともに自国史を包摂した「同心円的拡大主義の世界史像」を目指すべきであると述べた(比較史・比較歴史教育研究会 一九八五:五八—五九頁)。そして歴史家の側からは西川正雄が、西ドイツとポーランドの教科書改善の国際協力を紹介しながら、「国民によって異なる見解の間に歩み寄り」ができるためには西ドイツとポーランドの教科書会議の討論のような「共通の土俵」が必要であり、それでもなお「国民による見解の相違」は「置かれた状況が異なる限り、残って当然のもの」であると述べた(比較史・比較歴史教育研究会 一九八五:三二五頁)。歴史認識の対立は、統一の世界史像を樹立することによって克服されるのではなく、一定の「土俵」を作りつつ、「見解の相違」(複数の世界史像)を認め合うことが大切なのだという、鋭い指摘であった。互いをリスペクトしあいながら「見解の相違」を認容するような歴史対話がどのように可能なのか、そのための「土俵」とはどのようなものなのか、このことは「現代歴史学」で一層鋭く問われていく。

現代歴史学の世界史実践①――グローバル・ヒストリー

一九九〇年代以降の「現代歴史学の世界史」は、戦後歴史学第2・第3世代に加え、一九五〇年代以降に生まれ、最初から現代歴史学の中で知的形成をはかった「現代歴史学世代」によって担われていく。ソ連・東欧の社会主義体制の崩壊と西側資本主義体制の「新自由主義」化とグローバリゼーション、そしてアジア・ラテンアメリカ・アフリカ諸国の経済発展と南南問題の深刻化、民族紛争の激化、ポピュリズムの混乱や歴史認識をめぐる「記憶の政治」の対立、そして「3・11」とフクシマの原発事故、気候変動の激化と荒れ狂う新型感染症など、現在進行形の世界課題に直面しながら、私たちは世界史像を模索している。

この前半期の総括となったのが、第二期『岩波講座　世界歴史』(全二九巻、一九九七―二〇〇〇)である。研究の細分化とフレームの脱構築の進展の中で、どのような「世界のつながりを考える世界史」が可能なのかについて、このシリーズはユニークな挑戦をおこなった。世界の各地域を時代別に論ずる「通時的連関」の全二〇巻と、特定の時代に世界に共通してみられる現象を論じる「共時的連関」の全七巻に系列を二分し、後者については「帝国と支配」「遭遇と発見」「商人と市場」「移動と移民」などの地球規模の視野の歴史を描き出した。また、アジア史のウェイトが高くなり、第一期にあった古代・中世・近代・現代という時代区分は明示されなくなった。いずれも世界史研究の新しい動向を十分に反映させるものであった。ただし、編集方針にうたわれた「日本史は世界史の一環でなければならない」という課題意識は、全巻にわたって実現されているわけではなかった。このような第二期『岩波講座　世界歴史』を含めた現代歴史学の世界史実践の特徴を、以下の五点、①グローバル・ヒストリー、②生命環境系の歴史、③歴史の構築性への問い、④世界史教育改革、⑤記憶と歴史をめぐる問い――に整理しながら考察してみたい（個々の歴史家の生没年は省略する）。

第一に、地域間の交流及び相互連関の視点に立つことで、各国史の寄せ集めとしての世界史やヨーロッパ中心主義の世界史の刷新をはかる「グローバル・ヒストリー」の試みがさかんになった。ただし、羽田正《はねだまさし》によれば、アメリカの歴史学界で一九八〇年代以降に追求されるようになった world history が特定のアプローチによって人類の過去についての新しい見方をとる歴史であり、これに対して global history は一九七〇年代以降（または一六世紀以降など）のグローバル化の時代の歴史を指しているなど、英語圏での world history と global history の用法は、実は定まっていないのだと言う（羽田 二〇一八：一五九―一六四頁）。第二期『岩波講座 世界歴史』が岸本美緒や宮嶋博史の「近世」論に代表されるような、グローバルな視野を持ったすぐれた研究を世に問うてきたことを振り返ってみても、木畑洋一が指摘するように、「グローバル・ヒストリー」という新用語ではなく、「これまで使われてきた世界史という呼称を生かしていけばよいのではないか」（歴史学研究会 二〇一七：一巻五五頁）と言えなくもない。実際、すでに一九七〇年代からウォーラーステイン（Immanuel Wallerstein）の「世界システム論」が登場し、さらに川北稔がイギリス資本主義の勃興を、イギリス帝国が北米大陸・カリブ海・インドを従属させていくプロセスに着目しながら鮮やかに描き出していた。こうした先行する世界史を受けて、二〇〇〇年代になるとポメランツ（Kenneth Pomeranz）が『大分岐』（二〇〇〇）において、一八世紀中葉までは西ヨーロッパの経済と中国の長江流域、日本（畿内・関東）の経済は、識字率・平均寿命・資本蓄積・技術などの点において発展の程度を同じくしており、プロト工業化と人口増加が資源の制約の壁に直面していたが、イングランドのみが化石燃料の増産と「新大陸」の開発という偶然的要素のために、工業化のブレイクスルー（西ヨーロッパとアジアの「大分岐」）を実現したという見取り図を描き出した。これは、ウォーラーステインの世界システム論に欠落していた一九世紀以前のアジアを組み込んだ世界史像であり、「経済の近代化には複数の経路がありえた」と考える、ヨーロッパ中心主義ではない新たな類型論を試みるものであった(ポメランツ 二〇一五:一二頁)。こうした議論は、一九世紀後半から二〇世紀前半にかけてのアジアで地域内部の貿易(アジア間貿易)が急速に成長を遂げたことを明らかにした杉原薫の『アジア間貿易の形成と構造』(一九九六)や、一九三〇年代にイギリスがアジアで構築したスターリング圏を利用して第二次世界大戦後の日本を含むアジア諸国が相互連関的に経済復興を実現していくことを明らかにした秋田茂の『帝国から開発援助へ』(二〇一七)などとつながりあい、二〇世紀後半の「東アジアの経済的再興」の歴史的背景を明らかにした。こうしたグローバル・ヒストリーについて、進歩史観の焼き直しではないかという批判があるが、アジア」である。この場合の「東アジア」とは東北アジアと東南アジアを含めた「広義の東アジア」である。

ことはそれほど単純ではない。たとえば、「勤勉革命」や「朱子学化」の遺産を活用しながら、一九世紀から二〇世紀に広義の東アジアで経済成長と社会・生活の近代化が急速に展開されたことは、「近代化モデルへの過剰適応」の歴史でもあり、環境破壊・過労死・少子高齢化などの深刻な問題をもたらしていると桃木至朗が分析している(桃木 二〇〇〇:三三八頁)ように、あくまで多面体としての歴史が分析されていることに注目しておきたい。また、桃木や秋田らが二〇〇五年から大阪大学歴史教育研究会を歴史教育者と連携して組織し、グローバル・シティズンシップの育成を目指した大学と高校の歴史教育を組み立ててきたことは、日本各地の大学・研究会で「研究と教育の乖離」を克服しようとする動きに大きな刺激を与えた(大阪大学歴史教育研究会編 二〇一四)。こうした阪大グループの課題意識は、「地球の住民」という意識を育むための「新しい世界史」が必要だという羽田正の課題意識と通底する(羽田 二〇一八:一三八頁)。「世界のつながりを考える世界史」が、「フレームの脱構築」にとどまらず、地方《ローカル》~国家~広域の地域《リージョン》~地球(世界)の空間四層構造のなかで追求され、日本を含むアジアを位置付けた世界システムについての新たな見方が、研究と教育の双方の場で目指されているのだと言えよう。

現代歴史学の世界史実践②――生命環境系の歴史

「現代歴史学の世界史」の特徴として第二に挙げられるのは、地球環境と人間の相関関係や、生命体としての人間のありように着目した、「生命環境系の歴史《エコロジカル・ヒストリー》」とも呼ぶべき歴史叙述に注目が集まってきたことであろう。「生態学《エコロジー》」という用語は多義的であるため、あえて別のことばをあてることにする。現代の「生命環境系の歴史」は、かつての和辻哲郎や梅棹忠夫のような環境の視点からの文明の類型論ではなく、グローバル・ヒストリーと重なり合い、地域間の支配・被支配の構造がなぜうまれたのかを生命・環境にかかわる新しい視角から描き出す。たとえば、天然痘やインフルエンザに代表される感染症とそれに対する人間の免疫の地域的偏差が近代ヨーロッパの世界征服につながったことを重視する、マクニール(William H. McNeill)『疫病と世界史』(一九七六)や、クロスビー(Alfred W. Crosby)『エコロジカル帝国主義』(一九八六/邦題『ヨーロッパの帝国主義』)がよく参照されるようになり、これら先行研究を地理学的知見に結びつけた、ダイアモンド(Jared Diamond)『銃・病原菌・鉄』(一九九七)が、日本でもベストセラーとなった。自然科学の側からの感染症の歴史へのアプローチである山本太郎『感染症と文明』(二〇一一)は、農耕・牧畜の開始と定住化が、家畜や小動物に起源をもつ病原体に新たな「生態学的地位」を与え、病原体がヒトを新たな宿主として一気に多様性を実現することになったことから、文明は「感染症のゆりかご」であったと論ずる。山本は、ウイルスのヒトへの感染には適応段階があり、家畜・獣への感染の段階、ヒトへの感染の段階、ヒトのあいだに流行する段階、ヒトのなかでしか存在できない段階、そして人の生活の変化にウイルスが適応できない最終段階というように適応段階は変化していくことに注目し、「感染症の種類や構成は時代や社会とともに常に変化していく」のであり、現在存在する感染症は、「新たに出現した感染症と、社会から消えていく感染症の動的平衡状態を、「今」という時間で切り取ったもの」になると分析する(山本 二〇一一:一八一頁)。山本の見方を歴史学に敷衍《ふえん》するならば、感染症がなぜその時代に流行したのか、どのように制圧されたのか、なぜ制圧に地域差が存在したのかを問うことで、感染症の歴史がその時代の社会の特色や構造的な問題点を鮮明に映し出す鏡のようなものになろう。

「生命環境系の歴史」のもう一つの重要なテーマとして、世界史に新しい地質区分として「人新世《じんしんせい》」(Anthropocene)という概念を導入することで歴史解釈と歴史批評を組み直す試みがある。従来、最終氷期の終わりをもって始まる「完新世」という地質年代が現在までを包含してきたのに対して、二〇〇〇年にオランダの大気化学者のクルッツェン(Paul J. Crutzen)が、ワットが蒸気機関を改良した一七八四年以降について、人間が地球環境に決定的な影響を与えるようになったという意味で「人新世」という概念を新設すべきであると主張し、大きな議論を巻き起こした。この「人新世」概念を使いながら、宇宙の始まりから終わりまでを描き出したのが、クリスチャン(David Christian)らの「ビッグ・ヒストリー」の試みである。宇宙の歴史は「複雑さの増大」というストーリーで表現でき、その複雑なものの構成要素の配列が、必要な最適条件(ゴルディロックス条件)を揃えたときに、複雑さの新しい特性(エマージェント・プロパティ)をうみだす。クリスチャンらは、宇宙の誕生からこれまでに八段階の複雑さの新しい特性が出現してきたとして、一三八億年前のビッグバンを第一段階にして宇宙と恒星や惑星の生成の歴史を数段階に区切り、第八段階として一八世紀の「人新世」の幕開けを挙げた。つまり、産業革命以降の世界史を、人間が気候変動をひきおこし生物多様性に大きなダメージを与えるなど地球環境に深刻な負荷をかけている新たな段階ととらえているのである。ただし、クリスチャンらのビッグ・ヒストリーは、ホモ・サピエンスには「生態系の破壊を避けるための新テクノロジーと新戦略を生み出す力がある」と、危機的な「未来への世界史」を、人間知性の勝利の可能性という進歩史観の発想に接木してゆく(クリスチャンほか 二〇一六:三四二頁)。これに対して日本でもベストセラーになったハラリ(Yuval Noah Harari)の『サピエンス全史』(二〇一一)は、人間の認知構造に着目して、人類誕生から現代にいたる長大な世界史を、「認知革命」・「農業革命」・「科学革命」という三つの画期によって描き出した。ハラリの著作が世界的に注目されたのは、進歩史観や唯物史観とは明確に異なり、現代の危機意識を反映した歴史批評を新しく打ち出したからである。ハラリは「人新世」という用語を使ってはいないが、「科学革命」以降の人類の歴史に、破局の足音をクリスチャン以上に聞いていると言えよう。ハラリに見られるように、二一世紀の現実の中で「世界のつながりを考える世界史」を構想しようとすれば、一九世紀的な進歩史観ではなく、地球環境の破局を「世界史の光源」としてその回避を私たちに求める「未来への世界史」(未来は目標ではなく危機として存在する)の性格をもたざるをえない。

その際の世界とは、無限の可能性を無条件に私たちに与えてくれる世界ではない。地球と生命体が相互に強く影響を与え合ってきた「共進化」の歴史(丸山・磯崎 一九九八:二五八頁)の中で、自らがひきおこした地球環境の変動や繰り返す感染症などの生命環境が、私たちの自由やいのちを大きく制約してくる世界である。そこでは人類の目標が右肩上がりの曲線ではなく、二重の円で表されるようなものとなる。内側の輪が「人間の幸せの社会的な土台」(それ以下には誰も落ちてはならない線)、外側の輪が「環境的な上限」(それ以上に地球に負荷をかけてはならない線)であり、その間の円環が「人類にとって安全で公正な範囲」になる(ラワース 二〇一八:一八頁)。円環状の未来の目標を見つめるとき、歴史主体としての私たちは、自律して世界に働きかける「独立した主体」(subject)というだけではなく、世界の制約と生命体同士の相互依存の中で生きる「応答する主体」(agency)となる。agencyとは、社会学者のギデンズが、結果に対する責任を認識し、他者のことばによって自分の応答を基礎づけ、自分の行動を調整していく力・生き方として用いた概念(ギデンズ 二〇〇〇:一三二頁)で、「行為主体性」または「行為能力」といった訳語があてられてきたものである。新型コロナウイルス感染症のパンデミック(世界的な流行)のなかで問われたのが、自分の短期的な経済的利益を超えた倫理的判断による人類の支え合いを、民主主義体制の「応答する主体」が為しうるのかという課題であった。そのことは、世界経済フォーラムの創設者シュワブ(Klaus Schwab)の言葉を援用して言うならば、「人新世」の破局の回避にかかわる「グレート・リセット」のチャンスなのであり(シュワブほか 二〇二〇:二六八―二六九頁)、私なりの表現で言えば前哨戦なのだろう。このような主体のありようを世界史がどう描けるのかが問われている。それは、かつてマルクスが「存在の立場」と呼んだ、対象から自己に再帰する思考を重ね、現代歴史学が積み重ねてきた「フレームの脱構築」を柔軟に行うなかで見えてくるものだろう。その際、化石燃料の開発を重視する「人新世」というフレーム自体が人類の原子力開発の意義を薄めてしまうおそれがあり、ヒロシマ・ナガサキ・フクシマの悲劇を世界史に位置付けていくためには、「人新世」そのもののフレームの脱構築が必要になるだろう。また、アウグスティヌスが行ったような、今は萌芽的だが未来には現実化するかもしれない人間社会のあり方を想像する力も必要となるだろう。未来に希望が見えにくいとしても、人類の歴史の多くは、むしろ未来に後ずさりして進んできたのであり、そうであるからこそ過去に真摯に向き合い、時代に流されないアイロニーの批判精神を発揮してきたのであった。未来に向かうときのアイデアの断片は、過去の人類の世界史実践の中にちりばめられているのではないだろうか。

現代歴史学の世界史実践③——歴史の構築性への問い

「現代歴史学の世界史」の特徴として第三に挙げられるのは、歴史解釈や歴史叙述の構築性があらためて問い直されたことである。そこから国民国家や人間表象の構築性を問い直したり、歴史表象を「記憶の場」としてとらえたりする試みなど新たな研究の潮流が生まれてきた。こうした動きは、いくつもの研究の影響が錯綜しながら展開してきたものである。たとえば、これまでにも度々言及してきたホワイト『メタヒストリー』(一九七三)は、過去の「事実としておこったこと」を具体的に形象化するという行為には、「出来事のまとまり全体」を認識対象として予め形象化する行為が先立っていると看破し、その形象化のスタイルについて喜劇・悲劇・風刺劇などのプロット化や、隠喩・換喩・提喩・アイロニーなどの修辞法(喩法)があると、豊富な具体例をあげて分析した。歴史叙述の構築性を分析対象にする方法は、ソシュール(Ferdinand de Saussure)の構造主義言語学やフーコー(Michel Foucault)らのポスト構造主義につらなるものであり、一九六七年に言語哲学者ローティ(Richard Rorty)が自らの論文集のタイトルにつけた「言語論的転回」(linguistic turn)という名称が一般化していく。前述したように、こうした手法は歴史を物語と同一視するものであると、「戦後歴史学第2世代」からの反発を招いた。しかしホワイトの分析方法は、客観性とか実証性を備えているように見える歴史叙述であっても、いかに歴史家の主観がそこに反映されているかを吟味するためのものであり、歴史叙述を検討する「歴史対話」の際のひとつの観点となりうるものである。実際、こうした問題関心が、「歴史家の記述行為」から「人間の世界認識の方法」へと移動し、またそれに伴い記号体系そのものの分析から記号体系を受容する側の分析へと対象が拡大していくことで、現代歴史学の新たな試みが重ねられてきた(長谷川 二〇一六：一〇一頁)。たとえば、ベネディクト・アンダーソン(Benedict Anderson)の『想像の共同体』(一九八三)が、「国民」が共同主観的に「想像されたもの」であることを、ヨーロッパのみならず東南アジアやラテンアメリカなどの豊富な事例に基づいて明らかにし、現代歴史学は国民国家や人間表象の構築性について大きな関心を寄せるようになった。貴堂《きどう》嘉之『アメリカ合衆国と中国人移民』(二〇一二)は、「人種」概念自体が「白人」として自らを意識した人々によって構築されてきたことや、アメリカ合衆国が「奴隷国家」から「移民国家」へ向かい、誰が「アメリカ人」になれないかという線引きを繰り返してきたことを描き出した(貴堂 二〇一二：二六五―二六七頁)。貴堂の歴史研究は、国家と人間の表象が交錯しながら構築されてくるプロセスを鋭く分析している。また、明確に区切られた「領土」に最高・独立の「主権」が存在するという国家のすがたが歴史的に構築されたものであるとともに、そうではない多様な国制が存在してきたことが、近世のイギリス・スペイン・スウェーデン・ハプスブルク帝国・ポーランドなどの国制について「複合君主制」「礫岩《れきがん》のような国家」といった概念などを使って分析されてきた(古谷・近藤 二〇一六)。現代の国際組織、地方的な自治、国際複合企業といった重層的な政治社会のありようを考えるとき、このような歴史研究の成果は大きな示唆《しさ》を与えるであろう。

「性差」がつくられるものであることに着目したジェンダー史研究もまた、世界史像を豊かにしてきた。すでに一九七〇年代半ばより社会史の影響を受けながら「新しい女性史」研究がさかんになり、歴史を動かす主体としての女性(his-storyに対するher-story)が描かれてきたが、それは特別なジャンルの問題として見なされがちであった。それに対してスコット(Joan W. Scott)『ジェンダーと歴史の政治性』(一九八八/邦題『ジェンダーと歴史学』)は、歴史に女性史を「補充する」だけでなく、性差の二項対立的で固定的な性格を再考することで歴史を「書き直す」べきだと論じた(スコット 一九九二:三六、七二頁)。一九九〇年代には国際社会において「ジェンダー視点を主流化する」(国連社会経済社会理事会、一九九七)ことが提唱され、歴史的にそれぞれの社会の中に働く権力関係のなかで身体的性差に様々な意味が付与されて、ジェンダー(社会的に構築された性差)の抑圧構造が生み出されてきたことを認識し、それを是正しようとする動きが盛んになってきた。歴史学においてもこれまで歴史叙述や歴史認識そのものの「男性性」に気づかずにいたことを問い直し、ジェンダー視点を女性史に限定せず様々な歴史解釈に導入していったのである。こうしたジェンダー史研究は、ナショナリズム、文化、階級といったものがいかにジェンダーと密接に構築されてきたものかを明らかにしてきたし、戦争と暴力をめぐる歴史においても欠くことのできない視点となっている。その成果のひとつを、三成《みつなり》美保・姫岡とし子・小浜《こはま》正子編『歴史を読み替える——ジェンダーから見た世界史』(二〇一四)に見ることができる。本書は、高校世界史教科書をジェンダー視点によって書き換えるとしたらこうなるというスタイルをとりながら、古代文明の時代から現代に至るまでの政治・経済・社会・文化のありようを総勢二〇名の共同研究によって描き出した。ジェンダーの構築性を見つめる歴史分析は、女性であること、男性であること、そして性的マイノリティであることといった、それぞれの境界を相対化するとともに、逆にその相対化を阻止して境界を固定化しようとする思考の権力性を明らかにする。その際、境界を固定化しようとする思考がなぜ「感情」として生成されるのかを考察する「感情の歴史」研究もジェンダー史と交錯しながら盛んになってきている。たとえば、感情の一つとしての「名誉」が、特定の社会集団の行動規範に内在されているため、「女性の名誉」が「国家の名誉」と同一視されがちになる歴史について、ロバート・キャパの有名な写真「シャルトル、一九四四年八月一八日」の中の髪を剃り落とされて群衆から辱められている女性は、ナチ占領下のフランスでドイツ兵との間の子を産んだことで、「女性の名誉」と「国家の名誉」を同時に汚したと見なされているると分析されるのである(フレーフェルト 二〇一八:八三―八四頁)。「感情の歴史」は、感情が湧きおこることそれ自体の歴史性を明らかにして、ジェンダー史と同様に、社会規範や人間の分類を固定的なものととらえがちなことへの反省を促してくるように思われる。

このように人間を分類する「フレームの脱構築」により見えてくるのは、それまでは異質な人間と思われていた「他者」のなかに、自分自身の経験とか願いと通じ合うものを見取ったときの、他者との対話可能性であろう。その対話によって発見されるのは、共通する「属性・思想」による他者と自分の相互関係性だけではなく、共通する「傷つきやすさ」(vulnerability)を自覚した連帯可能性でもあるだろう。哲学者レヴィナス(Emmanuel Lévinas)が、「傷つきやすさ」こそ「自己」が「他者のために」「自己に反して」感受性をもつための大切な条件であると述べたこと(藤岡 二〇一四:二五九―二六〇頁)を、思い起こしたい。こうしたフレームの脱構築は、自分自身のアイデンティティを動揺させ、それを複合的にすることによって、自分の世界への向き合い方を柔軟に鍛えていく営みになる。

歴史事象の構築性を論ずる世界史が多様に展開されたのと並行して、歴史認識をめぐる激しい国際対立が、日本と近隣諸国との間で巻き起こってきたことも、一九九〇年代以降の世界史を考えるうえで欠かすことのできない論点である。前述したように一九八二年に日本と中国・韓国の間で歴史教科書問題が発生し、文部省は教科書検定の基準に「近隣のアジア諸国との間の近現代の歴史的事象の扱いに国際理解と国際協調の見地から必要な配慮がされていること」という、通称「近隣諸国条項」を盛り込んだ。しかし一九八〇年代半ばの中曽根康弘首相の靖国神社参拝をめぐって中国で激しい抗議デモが巻き起こる。一九八〇年代の韓国では、社会全般において「戦後世代」(植民地期の対日協力を経験しなかった世代)が登場するとともに、バブル経済に沸く日本の男性が韓国を買春目的で旅行する「キーセン観光」が流行したことで、日本への反発が醸成されることになった(木村 二〇一四：五三、五八頁)。一九九〇年代以降になるとアジア諸国の経済発展や民主化、国内矛盾のなかでのナショナリズムの台頭が顕著になっていく。折しも、一九九一年に韓国の金学順《キムハクスン》が五〇年の沈黙を破って自分が戦時中に「慰安婦」として強制的に動員されたと名乗り出た。「事実を明らかにして、どうしても謝罪してほしい」、「過去の嫌なことを繰り返さないように」しなければならないという切実な思いからの告白であった(解放出版社 一九九三：三六―三八頁)。このことは一九九〇年代以降に国際連合や民間団体が進めた、戦時性暴力、強制労働の被害者の名誉を回復しようとする動きと共鳴し合うものであった(歴史学研究会ほか 二〇一四：vii頁)。日本では一九九三年に宮澤喜一内閣の河野洋平官房長官が、「慰安婦」の募集についての非人道性、「官憲等」の加担の事実、「慰安婦」が「強制的な状況」におかれたことを認め、「いわゆる従軍慰安婦として数多の苦痛を経験され、心身にわたり癒しがたい傷を負われたすべての方々に対し心からお詫びと反省の気持ちを申し上げる」という、「河野談話」を発表した。一九九五年の「戦後五〇年」に際しては、自由民主党・社会党・新党さきがけの村山富市連立政権のもと、「世界の近代史上における様々な植民地支配や侵略的行為に思いをいたし、我が国が過去に行ったこうした行為や他国民とくにアジアの諸国民に与えた苦痛を認識し、深い反省の念を表明する」という内容の「戦後五〇年の国会決議」がなされ、さらに後日、日本の「植民地支配と侵略によって」「とりわけアジア諸国の人々に対して多大の損害と苦痛を与え」たことに対して「痛切な反省の意」と「心からのお詫びの気持ち」を表明する「村山談話」が発表された。また元「慰安婦」への補償のために「女性のためのアジア平和国民基金」が設立されていく(二〇〇七年解散)。この政府・国会が世界に向けて表明した見解については、その後の歴代の政権にも原則的に継承されることになった。また、日本政府は、韓国・中国両政府と歴史をめぐる相互理解をはかる対話を進めようとし、二〇〇一年には日韓歴史共同研究を、そして二〇〇六年には日中歴史共同研究を始めた。後者のプロジェクトは二〇一〇年に『日中歴史共同研究第一期報告書』として戦後史の部分を除いて公表され、

「序」において、「戦争の責任について基本的共通認識があることを前提として学術的に討論」した結果、「相互の理解を深め認識の隔たりを縮めることができる」と思える成果が得られたことを表明した。この報告書について中国のマスメディアが成果を評価する報道をしたのに対し、日本では両国の歴史認識の「溝」を強調するような報道が目立った。しかし、両国の研究者が細部まで一致するような歴史認識が存在することなどありえないのであって、笠原十《と》九司《くし》や斎藤一晴が分析しているように、日本が行った中国への侵略という両国の歴史の基本解釈を共有しつつ、中国の研究者が日本の大陸侵略を明治維新から連続したプロセスとして描くのに対し、日本の研究者が政治・外交・経済・軍事などの諸要素が交錯するなかで結果的に戦争が選択されていったことを描いたことは、それぞれの立ち位置からいって当然なことであろう。歴史は多面体であり、どの性格・要素を強調するかによって歴史解釈と歴史叙述は異なってくる。むしろ「序」に書かれているように、「たとえ相手の意見に賛成できなくとも、相手がそう考えるのはある程度理解できる」と双方の研究者が理解し合えたことに意味があるのだと言えよう(笠原 二〇一〇:五、五一―五二頁)。一方、日韓の歴史対話は日本の植民地支配の基本理解を欠き、厳しい対立が起こる中で二回の報告書をまとめた。

日本国内ではこうした政府の動きや近現代史の相互理解を目指す世界史実践に対して激しく反発する動きが起こり、政権与党内の政治家の本音と建前のダブルスタンダードともあいまって、歴史教育の「偏向」を批判する動きが広がっていく。一九九七年に「新しい歴史教科書をつくる会」が結成されて、これまでの歴史教育を「自虐史観」として否定する国民運動が展開すると、歴史認識をめぐる主戦場として歴史教育の現場が急浮上することになった。そのことは誰がどのように教科書を採択するのかという問題や、南京事件や「慰安婦」の歴史を教科書にどのように記述するのかという問題を前景化させた。しかも家永教科書訴訟のときとはやや様相が異なり、教科書検定は、南京事件の犠牲者数に見られるように右派の研究者の主張への配慮を求めつつ、歴史修正主義の教科書に対しては、記述の正確性という観点から（世論への配慮から「近隣諸国条項」を根拠にはせず）多くの訂正を迫ることになった。文部省対「教育の自由」という単純な構図ではなくなってきたのである。また、一九九〇年代後半には、戦時中の済州島《チェジュ》で「慰安婦」の強制連行があったと証言していた吉田清治の虚言が明らかになったことで、「河野談話」を強く批判する論調がマスメディアを中心に高まっていく。実際には、それ以前から吉見義明ら研究者は、吉田証言の裏付けが取れないことを理由に採用していなかったし、「官憲等」の関与を示す資料は、各派遣軍が「慰安婦」の徴集業務を統制し業者選定を適切に行うことを求めた陸軍省副官通牒「軍慰安所従業婦等募集に関する件」（一九三八年）など複数存在している（吉見 一九九五：三四―三七頁）。しかし、軍の直接徴用を示す文書が発見されないことをもって戦時性暴力の被害者としての「慰安婦」の存在自体を否定する報道がなされ、歴史教育の現場においては、南京事件や「慰安婦」といった政治的争点になっている歴史事象を扱う授業を忌避するようになっていく。教科書会社においても、政治家の批判を受けて採択部数が大きく落ち込むことを恐れて、現代史の論争点については簡略な記述をしがちになる。こうして子どもたちは、世界史の論争的なテーマについて多角的に考察を加えるトレーニングを欠いたまま、マスメディアやインターネットに溢れかえる南京事件や「慰安婦」を否定する言論を浴びてゆく。そこに「慰安婦」や「徴用工」をめぐる日韓の対立の激化が加わり、この問題を理性的に考えることを一層困難にする。日韓の歴史認識の対立は、政治的なリーダーシップの問題であるというよりも、両国の「国民性」に由来するものだと考えられるようになる（木村 二〇一四：二四三頁）。こうした互いを否定する見方が強まっている現代だからこそ、事柄を多面的に再検討する視点が必要になっていると言えよう。たとえば、ヨーロッパの歴史和解には相互理解だけでなく、それが「割に合う」というリアリズムが働いていることであるとか（吉岡 二〇一八：一一七頁）、韓国の「慰安婦」の証言記録を読むと、複合的で多面的な証言者のこれまでの人生を韓国の大学院生たちが丁寧に聞き取り、「個人の語り」を定型化された「慰安婦」の姿に押し込めないようにしている研究姿勢がよくわかること（韓国挺身隊問題対策協議会ほか 二〇二〇：

二五頁)など、対立する言説が見えていないものに視野を広げていくことが大切であると思われる。そして根本的には、冷戦体制崩壊後の一九九〇年代以降、奴隷制や植民地支配の過去に関する責任を問う動きが世界各地で顕著になり(永原 二〇〇九:一一頁)、今まで視野の外に置かれがちだったコロニアルな歴史を見つめることが、それぞれの時代の支配構造や人間観を明らかにすると考えられるようになってきたことに、謙虚に向き合うことが必要であろう。

現代歴史学の世界史実践④——世界史教育改革

歴史教育では、一九八九年の学習指導要領の改訂によって高等学校の社会科が地理歴史科と公民科に分割され、地理歴史科の世界史(二単位のA科目または四単位のB科目)が全高校生の学ぶ必履修科目に指定された。しかし世界史の授業は、教科書や参考書に記載されている歴史用語を整理してエピソードで味付けしながら暗記する「素朴な分類学」とも言うべき学びに終始することが多く、教科書の内容も改訂のたびごとに増えていった。初期の世界史教科書である村川堅太郎ほか『改訂版世界史』(山川出版社、一九五二年)は本文三六五頁に対し索引にある歴史用語が一三〇八語であったが、半世紀後の佐藤次高ほか『詳説世界史B』(山川出版社、二〇〇三年)は本文三八八頁に対し歴史用語が三三七九語にのぼっており、歴史用語は二〇〇〇語以上増加していた。高校生には世界史の暗記地獄を敬遠する動きが広がり、二〇〇六年には全国の多くの高校で教育課程表の世界史のかわりに実際には日本史や地理を学ばせていること(世界史未履修問題)が発覚した。二〇〇九年度のセンター試験を見ても世界史Bの受験者は、日本史B(四〇・一%)や地理B(三〇・四%)よりも少ない、二六・一%にすぎなかった(小川 二〇一一:上巻三二五―三一七頁)。このようななか、知識詰め込みではない、生徒が歴史認識を構築する学びをするような授業実践が、様々な教員によって重ねられてきた。日本史教育の加藤公明は、生徒が夢中になって考えたくなる問いを提示して、討論しながら歴史解釈を主体的に構築する授業を重ねた(加藤・和田編 二〇一二)。世界史教育の鳥山孟郎《たけお》や米山宏史《ひろふみ》は、教師が教え込む代わりに生徒自身が調べて発表し、その内容について対話をする授業を行ってきた(鳥山 二〇〇八、米山 二〇一六)。同じく世界史教育の鳥越泰彦は、一つの歴史事象をめぐって幾種類もの外国の歴史教科書を読ませて比較検討させたり、多様な史料を読んだうえで生徒に教科書の歴史叙述を改訂させたりするような創意工夫に満ちた授業を展開した(鳥越 二〇一五)。高校の世界史教師である私(小川)自身は、史料を読み解きながら歴史実証・歴史解釈・歴史批評の作業を自覚的に授業で示すとともに、生徒の歴史批評を互いに交流するようにし、その授業の内容を一般市民に公開してきた(小川 二〇一一―一二)。また、これからの歴史教育のあり方について研究者と高校教員が協働して模索する場が、前述した大阪大学歴史教育研究会のほか、油井《ゆい》大三郎らが設立に尽力した高大連携歴史教育研究会など、大学側・高校側双方に多くの研究会がつくられて、広がってきている。二〇一六年には、日本学術会議の史学委員会・高校歴史教育に関する分科会が『『歴史総合』に期待されるもの』という提言を公表し、新しく日本史と世界史を統合して「歴史総合」(学術会議が二〇一一年に「歴史基礎」という名称で提言していたものの継承)という新科目をつくり、能動的な学習を通じて「生涯にわたり歴史を学び続ける力」を育成する科目にすべきことを説いた。こうした議論も参考にしつつ高等学校学習指導要領が改訂され、高校の地理歴史科では二〇二二年度から必履修科目としての「歴史総合」と「地理総合」(各二単位)と選択科目としての「世界史探究」・「日本史探究」・「地理探究」(各三単位)がスタートすることになった。日本の歴史教育史上初めて日本史と世界史の近現代史を統合した科目をすべての高校生が学び、しかも知識注入よりも「問い」をもって歴史の大きな変化を解釈する学習を進めるべきことが定められたのであった。

もちろん考えるべき課題は山ほどある。世界史学習が「素朴な分類学」であったことの最大の問題点は、生徒が受動的であること以上に、世界の人々をラベリングして暗記(固定化)すること自体の「権力性」に対して致命的なまでに無自覚であったことにある。よって第一に、これからの世界史教育は、ジェンダーや人種・民族などの世界史のフレーム自体を脱構築しながら人間と社会の多様な可能性を考察していったほうがよい。そして第二に、地域・日本・

広い地域・世界をむすぶ世界史像を構築することを生徒自身が実践し、それを他者と交流しながら、多様な世界史像がありうることを学んだほうがよい。実際に「世界と向き合う世界史」や「世界のつながりを考える世界史」を構築してみるのである。その場合、学ぶ対象にタブーを作らず、現実社会で見解が対立している問題にこそ、歴史対話を教室で試みたほうがよいだろう。そうすることで世界史がナショナル・ヒストリーに一元化されることを回避することができるようになる。さらに第三として、ある歴史事象を通して獲得した「人間・社会の洞察」が他のどのような歴史事象の分析と共通・相違しているかという歴史批評のトレーニングを、まさに日本と世界の諸地域を比較しながら重ねていったほうがよい。また第四に、歴史の中の「応答する主体」(agency)を考えることで、自分もまた「応答する主体」であることを意識することが大切になってくる。これまでの歴史教育が戦争の原因・経過・結果ばかり教えてきたことを反省し、回避する選択肢はあったのか、暴力に抵抗する方法はあったのかなどといったことについても考えてみたほうがよい。プラハの春の弾圧への非暴力抵抗やベトナム戦争に対する反戦平和運動など、テーマはいくらでもある(シャープ 二〇一六、油井 二〇一九)。こうした課題を念頭に置きながら、私の手元に届いた幾種類もの「歴史総合」の教科書を読んでみると、従来よりも「問い」が書かれているけれども、フレームの脱構築や世界史像の構築、歴史主体の選択肢の考察など、いずれも導入には程遠い。だからこそ歴史教育者自身が、「教科書の語り部」から「世界史を実践する主体」に転換しなければならないだろう。全国各地で繰り広げられてきた教員たちの「暗記する世界史」から「思考する世界史」への転換は、「形式」よりも「思考の深さ」へ照準を移していくべき段階にある。

現代歴史学の世界史実践⑤――記憶と歴史をめぐる問い

再び歴史研究の側に視点を移すと、歴史認識をめぐる対立が先鋭化し、研究とは異なる次元で様々な歴史解釈が溢れている現代社会において、「記憶」と「歴史」を区別しようとする提言がある。日本近現代史を研究するキャロル・グラック(Carol Gluck)は、学校の教科書や記念館、式典、映画、大衆文化などを媒介して多くの人々に伝達される「記憶」と、歴史家が歴史書に記述する「歴史」を区別する。その場合、「歴史」は「正確であろうとする」試みであり、「記憶」がもつ感情的もしくは主観的な作用を含まない。大切なことは、それぞれの「記憶」に「歴史」をもっと加えていくことによって、様々な「歴史」を尊重していくことだと、グラックは述べている(グラック 二〇一九:四、二八、一八五頁)。こうした「記憶」と「歴史」の区別について、フランスのアナール学派のピエール・ノラ(Pierre Nora)もまた、自ら編纂した一大論文集『記憶の場』全七巻(一九八四―九二)の総論のなかで論じている。ノラによれば、「記憶」とは個人や集団によって担われるもので、思い出を聖性の中でとらえて「記念する行為《コメモラシオン》」を伴うのに対し、「歴史」とは記憶を解体し、その聖性を剝ぎ取る営みである(ノラ 二〇〇二:一巻三一―三三頁)。こうしてノラは、一二〇名の研究者を動員して「三色旗」「ラ・マルセイエーズ」「アルザス」「ユダヤ人」「祖国のために死ぬこと」といったテーマ(それらは「死者の崇拝にかかわるもの」「文化遺産」「現在における過去の存在を管理するもの」といったカテゴリーによって選ばれている)をめぐって、「記憶」がどのように生成され、「歴史」と交錯しながら変容してきたのかを細密に分析したのである。かつては「記憶」と「歴史」は国民的アイデンティティを創出するという目的のもとで一体化していた。「国民的記憶」は学校教育などの諸制度によって管理されたものでもあった。しかし国民の命運を担うような神話としての「歴史」は、二〇世紀の度重なる戦争を経て、解体されていった。現代の「国民的記憶」は、国民として認知されようとする諸集団の「私的な記憶」の束として生成・再編されながら、もはや「歴史」と離れた内容になり、公共空間に溢れだしてメディアや観光産業に回収されてしまうようなものになっている。「記念する行為」もかつての特定の場所・決められた日時・慣例化された儀式によって行われていたものが、今では国民は空間のどこにでも自己のアイデンティティが潜在していると思うようになり、現在のあらゆる事象を過去の事柄で意味付けするようになる――こうノラは分析した(ノラ 二〇〇二：三巻四五四、四六四―四六九頁)。このことは、研究者の世界史実践の目的が「アイデンティティの共有」から「フレームの脱構築」へと展開してきたことと裏腹に、人々の間では「アイデンティティの共有」のための世界史実践がむしろ強まっていることを意味していよう。ノラ自身には、この論文集を、拡散する「国民的記憶」の一大パノラマとして編纂する意図があったと思われる。それゆえ『記憶の場』には何よりも植民地の歴史が欠落している。

これに対して『記憶の場』から三〇年が経過する中で、パトリック・ブシュロン(Patrick Boucheron)が一二二人の若手歴史家を集め、一四六の年号・事件をタイトルにした短い論文からなる一巻本の『世界の中のフランス史』(二〇一七)を編纂して、一〇万部を超えるベストセラーとなった。フランス史というナショナル・ヒストリーを外部世界との交流の相のもとに脱構築して描き出したもので、たとえば「一七八九年グローバル革命」という項では、まずフランス革命の起源がワシントンの傍らで戦った青年貴族たちの帰国に始まるトランスナショナルな性格をもっていたことから説き起こし、ベルギーやオランダ、そしてイタリアなどからの亡命者がいかに革命の輸出に力を傾けたかが描かれる。そして革命を裏切ったナポレオンの時代に、フランス革命の理想はナポレオンの支配が及ばなかったスペインのカディス憲法に受け継がれ、それがラテンアメリカの独立運動につながっていったと結ばれる(ブシュロンほか 二〇二一：二五―二九頁)。フランス人だけを主人公にせず、むしろ外との交流・つながりのなかでフランス史を再解釈していくわけである。この話題作にノラは「アイデンティティを擁護する者が防御の側に立たされて」しまうと激しく反発したが(ブシュロンほか 二〇二一：四二頁)、ブシュロンが「記憶」ではなく「歴史」の側の聖性を剥ぎ取ったことにノラが反発したようなものであり、「歴史」と「記憶」の関係が改めて前景化されたように思われる。ノラの「歴史」がとりあげることのなかった(ナショナル・ヒストリーの外にある)「記憶」に依拠して「歴史」の全面的な書き換えをやってみせたのが、ブシュロンたちだと思われるからである。

はたしてグラックやノラの言うように、「記憶」は不確かなもので、「歴史」こそが確かなものであると、両者を対比的にとらえることは妥当であろうか。むしろ視野を定めてナショナルな壁の中に籠ろうとする「歴史」に対して揺さぶりをかけるのが「記憶」なのではないだろうか。たとえば、ドイツ史の文脈における「記憶」とは、西ドイツの戦後復興のなかで封印されたユダヤ人大虐殺の犠牲者たちの「個人の語り」や、積極的あるいは傍観者的に大虐殺に加担した自分たちの過去、そしてアウシュヴィッツの存在自体を否定する歴史修正主義者などに向き合ったときに使われてきた言葉である。「記憶」の圧殺は「いのち」の尊厳を否定することだと考えられてきたのである。したがって「記憶」を「想起する」営みには相手への「尊敬」が根底に置かれ、さらに「個人の記憶」を「集団の記憶」に高めていくことで「倫理的な想起の文化」を創造していくことになると考えられる。その場合、人間には肯定的な自己像を構築したいという「根本的な欲求」があるために、記憶が形作る歴史像は視野の狭隘化に陥りがちになる。そこで「記憶」には「対話的な想起」が必要になり、どちらか一方が、あるいは双方が、相手の哀しみや苦しみに自分が関与していることを認めて、相手の苦しみを共感とともに自分の「記憶」に包み込む行為が大切になる(アスマン 二〇一九：二八、一六二頁)。

そうした「記憶」を対話によって守り、協働的に未来に伝えていく行為は、「歴史を書く」ことにとどまらず、「記憶」を書き換えていくこと(上書きすること)でもある。ゆえに、ドイツの事例が示すように、「いのち」へのリスペクトをもちながら過去の証言や記録に向き合うとき、過去の証言とそれを受け取った自分の歴史像を、ともに「記憶」と呼ぶのではないだろうか。「記憶」に「歴史」をもっと加えるべきというグラックの提言には一理あるが、「歴史」の方に「記憶」をもっと加えるべきだという面もあるのだ。いつも私たちが歴史解釈・歴史批評・歴史叙述を行うとき、その中に納まりきれない記憶の声・音・風景がある。それゆえに私たちは自分の歴史叙述を歴史対話に開いて、組み直していかねばならない。世界史実践とは、他者の「いのち」の記憶について歴史実証・歴史解釈・歴史批評を試み、そこから構築した歴史叙述(組み直した記憶)を、他者との歴史対話に開くことで、集団の記憶を未来に伝え、どう活かしていくかを模索する(歴史創造)一連のプロセスの総体なのであろう。そうであるからこそ、私たち世界史を実践する者は、実践の根底に他者の「いのち」へのリスペクトを置くべきであり、同時にそのリスペクトに基づいた歴史対話の空間づくりに努めるべきであろう。それは歴史研究の範疇《はんちゅう》ではないという見解があるかもしれない。しかし歴史教育に携わる者は、生徒のために対話空間を用意しなければならない。そして社会を生きる中で歴史を意識した行為の選択をする人々も、自分の思いを他者に言明する対話空間を意識せざるをえない。実は歴史研究者も自分の研究成果を広く世に問うていくとき、対話空間の創出に携わることになる。世界史実践とは、研究者だけのものではなく、社会に生きるすべての人々が、他者と協働しながら重ねていくものなのである。

このような私の問題関心は、近年注目されるようになってきた「パブリック・ヒストリー」(公共歴史学)という考え方と重なり合う。「パブリック・ヒストリー」とは、歴史家と読み手の間の「上下関係を打ち壊し、多様な人びとが多元的な価値を尊重すると共に、同じ立場で協働して民主的に歴史をめぐって交渉しあう」ために、「歴史学者が、公衆とともに公共空間で歴史を創造し、提示する歴史実践」のことである(菅《すが》・北條 二〇一九：八頁)。韓国や中国との歴史認識の対立の架橋になろうとする歴史実践や、東日本大震災の記憶を紡ぎ後世に伝える歴史実践、デジタル・アーカイヴズやＡＩ(人工知能)といった新たな方法を用いて歴史情報や記憶の継承を社会に開こうとする歴史実践などが、研究者と人々の協働や対話によって、多種多様に進められようとしているのである。

おわりに――〈私たち〉の世界史へ

以上のような世界史実践の過去と現在をふまえ、この第一巻では、さらにいくつかの観点から世界史のありようを考察する。「問題群」の部では、「人は歴史的時間をいかに構築してきたか」(佐藤正幸)、「世界史における空間とはどのようなものか」(西山暁義)、「現代歴史学はどのように展開(転回)してきたか」(長谷川貴彦)という三つの問いを考える。次いで「焦点」の部では、まず四つの新しい視点、すなわち「ジェンダー史」(三成美保)、「ポストコロニアル研究」(粟屋《あわや》利江)、「環境社会学」(金沢謙太郎)、「感染症の歴史学」(飯島渉)という視点からそれぞれ世界史を描き直す試みを行う。そして、現代世界の厳しい歴史認識対立の諸相と相互理解の努力について、「ヨーロッパの事例」(吉岡潤)と「東アジアの事例」(笠原十九司)を論じたい。最後に現在の「世界史教育改革」(勝山元照《もとあき》)を分析し、全編にわたってパブリック・ヒストリーなどの多彩な試みのコラムを配置した。

本稿では、世界史の方法論、人類にとっての世界史の軌跡、現代日本の世界史の特徴と課題を考察してきた。第三期の『岩波講座　世界歴史』の第一巻を大学の研究者ではない私が担っているのは、世界史を社会に開き、そのなかで世界史を鍛えていくことが必要であると考えているからである。それが〈私たち〉の世界認識を豊かにしていくのだ。世界史はもはや明確な「未来の希望」を語りうるものではないし、自明な「自分たちらしさ」を証明するものでもない。しかしそのかわりに世界史は人類がいかに相互依存・相互交流をしあって生きてきたかについて、そして人類が回避可能であるにもかかわらずいかに相手を傷つけてきたかについて考えようとする。世界史はもはや広い地域と国家からなる入れ子短冊形のフレームを唯一のものとはしない。それは私たちの便宜上の参照系ではあるけれども、個々の歴史叙述は短冊どうしを融解させ、世界年表の上に一つの直線ではなく、様々な形状の星座的なモンタージュを形作る。世界史はもはやどのような人々が先進的であるかといった判断に懐疑的になり、世界の多様な社会・文化の歴史と対話しながら〈私たち〉を問い直す。世界史は〈私たち〉という存在を、固定的にではなく、多面的で重層的なありようとして考える。何よりここで言う〈私たち〉とは、他者を我が物にしようとする試みは必ず失敗するという世界観(デリダ　二〇〇五：七五頁)を根底に置いた、つまり、あなたのことが最終的にはわからないけれどもあなたに手を伸ばしたいという関係性において他者へのリスペクトをもつような、〈私たち〉という言明である。

一方で世界史は今もなお、司馬遷が見つめたような、過去に生きた「いのちの尊厳の回復」という責任を背負っている。その場合、被害・加害の認識をめぐって世界史は対立する叙述に引き裂かれ、苦悩してきた。この対立を乗り越える作法として、日中の歴史対話は「基本的共通認識」の重要性を提示した。西川正雄が述べた「史観の「根拠」への着目を別の角度から表現し直したものとして「まず出来事レベルでの認識を共有し、解釈レベルでの対立が一定の範囲内に収まるようにする努力」が大切ではないかという提言がある(松沢 二〇一七：一八七―一八八頁)。その意義を認めたうえでなお、歴史実証と歴史解釈が重なり合っているがゆえに、野家啓一が言うような語り手の「立ち位置」の自覚が大切になってくる。近年の歴史家の表現を使うならば、相手と自分の歴史認識の拠って立つ「知的文脈」(黒沢 二〇二〇：二六〇頁)とか「フレームワーク」(恒木 二〇二〇：一三頁)の自覚である。しかし自覚だけでは敵意の確認にとどまってしまうかもしれない。これは私自身が高校で世界史の授業を実践する中で実感してきたことなのだが、相手の言説の奥にある歴史解釈・歴史批評・歴史創造のありようのなかに、相手の「いのち」の営みへのリスペクトにつながる何かを見出そうとする姿勢をもつことが、相互の対話を成り立たせていくように思われる。たとえ相手がヘイト思想の言説をふりかざしたとしても、何が相手の中でヘイト思想を生み出したのか、その理由自体に何かを学ぼうとする姿勢であると言えるかもしれない。それは、ヘイト思想と闘いながら、それでもなお自分の側に見直すべき何かがあるのではないかと、対話による新たな「気づき」をいつも期待する姿勢でもあるだろう。私たちの過去との対話においても同様である。たとえば、笠原十九司が南京事件を起こした日本兵たちの追いつめられた心理状態を考察したとき(笠原 一九九七)、あるいはラウル・ヒルバーグ(Raul Hilberg)がユダヤ人大虐殺を遂行した巨大なメカニズムに膨大な人々が積極的または消極的に加担していった様子を明らかにしたとき(ヒルバーグ 一九九七)、そのテキストを高校の教室で読んだ高校生と私の中に湧きおこったのは、加害者の非人間性を告発する憤りではなく、弱い自分が同じ状況に置かれたらどのような行動をとっただろうかという、強い痛みの感覚の発見であった。それは自分たちの祖父や曽祖父の世代の「いのちの尊厳の回復」につながる回路なのではないだろうか。そしてその痛みの自覚は日中歴史対話の「基本的共通認識」と両立するのである。

歴史認識対立が世界に跋扈《ばっこ》する現代において大切なのは、事実と論理に立脚した思考である以上に、他者への対話姿勢を失わないことであろう。世界史実践とは、〈私〉と過去との対話であり、過去をめぐる〈私たち〉どうしの対話である。そして、対話が成り立つような世界を未来に存続させていこうとする〈私たち〉と未来との対話でもある。多くの場合、気づかずに通り過ぎてしまう、「過去の人びとを包んでいた空気のそよぎ」「いまや黙して語らない人びとの声」(ベンヤミン 二〇一五:四六頁)に耳を澄ませながら、静かに温かく呼びかけたい――対話を重ねていこうと。

参考文献

荒松雄・板垣雄三・岩見宏・太田秀通・越智武臣・斉藤孝・佐伯有一・佐藤長・柴田三千雄・西嶋定生・堀米庸三・護雅夫・弓削達編(一九六九―七一)『岩波講座 世界歴史』全三一巻、岩波書店。

樺山紘一・川北稔・岸本美緒・斎藤修・杉山正明・鶴間和幸・福井憲彦・古田元夫・本村凌二・山内昌之編(一九九七―二〇〇〇)『岩波講座 世界歴史』全二九巻、岩波書店。

アウグスティヌス(二〇一四)『神の国』全二巻、泉治典・金子晴勇ほか訳、教文館。

秋田茂(二〇一七)『帝国から開発援助へ――東アジア国際秩序と工業化』名古屋大学出版会。

アスマン、アライダ(二〇一九)『想起の文化――忘却から対話へ』安川晴基訳、岩波書店。

網野善彦(一九九三)『日本論の視座――列島の社会と国家』小学館。

有井行夫(二〇一〇)『マルクスはいかに考えたか――資本の現象学』桜井書店。

アンダーソン、ベネディクト(二〇〇七)『定本 想像の共同体――ナショナリズムの起源と流行』白石さや・白石隆訳、書籍工房早山。

家永三郎(一九七三)『戦争と教育をめぐって』法政大学出版局。

板垣雄三(一九九二)『歴史の現在と地域学——現代中東への視角』岩波書店。

井上清(一九八二)『私の現代史論』大阪書籍。

茨木智志(二〇一八)「高等学校社会科『世界史』の授業はどのように始められたのか——当時の資料と回想・聞き取りからの考察」『歴史教育史研究』一六号。

上野千鶴子(一九九八)『ナショナリズムとジェンダー』青土社。

上原専禄編(一九六〇)『日本国民の世界史』岩波書店。

ヴェーラー、ハンス＝ウルリヒ(一九八三)『ドイツ帝国 一八七一—一九一八年』大野英二・肥前栄一訳、未來社。

江口朴郎(一九五四)『帝国主義と民族』東京大学出版会。

大串潤児(二〇一七)「歴史学と歴史教育」歴史科学協議会編『歴史学が挑んだ課題——継承と展開の五〇年』大月書店。

大阪大学歴史教育研究会編(二〇一四)『市民のための世界史』大阪大学出版会。

大塚修(二〇一七)『普遍史の変貌——ペルシア語文化圏における形成と展開』名古屋大学出版会。

大塚久雄(一九六六)『社会科学の方法』岩波新書。

大塚久雄(二〇〇一)『欧州経済史』岩波現代文庫。

岡崎勝世(二〇〇三)『世界史とヨーロッパ——ヘロドトスからウォーラーステインまで』講談社現代新書。

岡崎勝世(二〇一六)「日本における世界史教育の歴史(I-1)——「普遍史型万国史」の時代」『埼玉大学紀要(教養学部)』第五一巻第二号。

岡崎勝世(二〇一八)「日本における世界史教育の歴史(II-1)——三分科制の時代1」『埼玉大学紀要(教養学部)』第五三巻第二号。

岡田英弘(一九九九)『世界史の誕生——モンゴルの発展と伝統』ちくま文庫。

岡本充弘(二〇一八)『過去と歴史——「国家」と「近代」を遠く離れて』御茶の水書房。

小川幸司(二〇一一—一二)『世界史との対話——七〇時間の歴史批評』全三巻、地歴社。

小川幸司(二〇一七)「高校歴史教育における用語精選と思考力育成型授業への転換をデザインする」日本西洋史学会における報告。

小川幸司・成田龍一・長谷川貴彦（二〇二〇）「〈鼎談〉「世界史」をどう語るか」成田・長谷川編『〈世界史〉をいかに語るか——グローバル時代の歴史像』岩波書店。

海後宗臣（一九六九）『歴史教育の歴史』東京大学出版会。

解放出版社編（一九九三）『金学順さんの証言——「従軍慰安婦問題」を問う』解放出版社。

笠原十九司（一九九七）『南京事件』岩波新書。

笠原十九司編（二〇一〇）『戦争を知らない国民のための日中歴史認識——「日中歴史共同研究〈近現代史〉」を読む』勉誠出版。

鹿島徹（二〇一五）「日本社会における歴史基礎論の動向 二〇〇四—二〇一四」岡本充弘ほか編『歴史を射つ——言語論的転回・文化史・パブリックヒストリー・ナショナルヒストリー』御茶の水書房。

勝俣鎮夫（二〇一一）『中世社会の基層をさぐる』山川出版社。

加藤公明・和田悠編（二〇一二）『新しい歴史教育のパラダイムを拓く——徹底分析！ 加藤公明「考える日本史」授業』地歴社。

加藤隆（二〇一一）『旧約聖書の誕生』ちくま学芸文庫。

川北稔（一九九六）『砂糖の世界史』岩波ジュニア新書。

韓国挺身隊問題対策協議会・二〇〇〇年女性国際戦犯法廷証言チーム（二〇二〇）『記憶で書き直す歴史——「慰安婦」サバイバーの語りを聴く』金富子・古橋綾編訳、岩波書店。

ギデンズ、アンソニー（二〇〇〇）『社会学の新しい方法規準〔第二版〕——理解社会学の共感的批判』松尾精文・藤井達也・小幡正敏訳、而立書房。

貴堂嘉之（二〇一二）『アメリカ合衆国と中国人移民——歴史のなかの「移民国家」アメリカ』名古屋大学出版会。

木村幹（二〇一四）『日韓歴史認識問題とは何か——歴史教科書・「慰安婦」・ポピュリズム』ミネルヴァ書房。

喜安朗（一九八二）『パリの聖月曜日——一九世紀都市騒乱の舞台裏』平凡社。

グラック、キャロル（二〇一九）『戦争の記憶　コロンビア大学特別講義——学生との対話』講談社現代新書。

クリスチャン、デヴィッドほか（二〇一六）『ビッグヒストリー　われわれはどこから来て、どこへ行くのか——宇宙開闢から一三八億年の「人間」史』長沼毅監訳、明石書店。

栗原麻子（二〇一六）「ギリシアの世界像——ヘロドトスのジェンダー認識と異民族観を中心として」南塚信吾ほか編『「世界史」の

世界史』〈MINERNA 世界史叢書　総論〉、ミネルヴァ書房。

黒沢文貴(二〇二〇)『歴史に向きあう――未来につなぐ近現代の歴史』東京大学出版会。

クロスビー、アルフレッド・W(二〇一七)『ヨーロッパの帝国主義――生態学的視点から歴史を見る』佐々木昭夫訳、ちくま学芸文庫。

研究会「戦後派第一世代の歴史研究者は二一世紀に何をなすべきか」編(二〇一二)『二一世紀歴史学の創造・別巻1　われわれの歴史と歴史学』有志舎。

近藤和彦(一九九三)『民のモラル――近世イギリスの文化と社会』山川出版社。

近藤和彦(一九九八)『文明の表象　英国』山川出版社。

コンラート、ゼバスティアン(二〇二一)『グローバル・ヒストリー――批判的歴史叙述のために』小田原琳訳、岩波書店。

斉藤孝(一九八四)『昭和史学史ノート――歴史学の発想』小学館。

斎藤斐章(一九二六)『實業教育外国史』大日本図書。

佐藤正幸(二〇〇四)『歴史認識の時空』知泉書館。

蔀勇造(二〇〇四)『歴史意識の芽生えと歴史記述の始まり』〈世界史リブレット〉、山川出版社。

司馬遷(一九七五)『史記列伝』全五巻、小川環樹・今鷹真・福島吉彦訳、岩波文庫。

清水宏祐(一九九五)「十字軍とモンゴル――イスラーム世界における世界史像の変化」歴史学研究会編『講座世界史1　世界史とは何か――多元的世界の接触の転機』東京大学出版会。

シャープ、ジーン(二〇一六)『市民力による防衛――軍事力に頼らない社会へ』三石善吉訳、法政大学出版局。

シュワブ、クラウス、ティエリ・マルレ(二〇二〇)『グレート・リセット――ダボス会議で語られるアフターコロナの世界』藤田正美・チャールズ清水・安納令奈訳、日経ナショナルジオグラフィック社。

末木文美士(二〇一六)「日本の世界像」南塚信吾ほか編『「世界史」の世界史』〈MINERNA 世界史叢書　総論〉、ミネルヴァ書房。

菅豊・北條勝貴編(二〇一九)『パブリック・ヒストリー入門――開かれた歴史学への挑戦』勉誠出版。

杉原薫(一九九六)『アジア間貿易の形成と構造』ミネルヴァ書房。

スコット、ジョーン・W(一九九二/増補新版二〇〇四)『ジェンダーと歴史学』荻野美穂訳、平凡社。

鈴木成高（一九三九）『ランケと世界史学』弘文堂書房。

ダイアモンド、ジャレド（二〇〇〇）『銃・病原菌・鉄——一万三〇〇〇年にわたる人類史の謎』全二巻、倉骨彰訳、草思社。

高澤紀恵（二〇一一）「高橋・ルフェーヴル・二宮——「社会史誕生」の歴史的位相」『思想』一〇四八号。

田中彰・宮地正人校注（一九九一）『日本近代思想体系13 歴史認識』岩波書店。

遅塚忠躬（二〇一〇）『史学概論』東京大学出版会。

月本昭男（二〇〇二）「歴史と時間」上村忠男ほか編『歴史を問う2 歴史と時間』岩波書店。

恒木健太郎（二〇二〇）「「事実をして語らしめる」べからず——職業としての歴史学」恒木健太郎・左近幸村編『歴史学の縁取り方——フレームワークの史学史』東京大学出版会。

デリダ、ジャック（二〇〇五）ポール・ハットン、テリー・スミス編『デリダ、脱構築を語る——シドニー・セミナーの記録』谷徹・亀井大輔訳、岩波書店。

トゥキュディデス（二〇〇〇—〇三）『歴史』全二巻、藤縄謙三・城江良和訳、京都大学学術出版会。

東京大学教養学部歴史学部会編（二〇二〇）『東大連続講義 歴史学の思考法』岩波書店。

鳥越泰彦（二〇一五）『新しい世界史教育へ』飯田共同印刷株式会社。

鳥山孟郎（二〇〇八）『授業が変わる世界史教育法』青木書店。

中務哲郎（二〇一〇）『ヘロドトス「歴史」——世界の均衡を描く』岩波書店。

永原陽子（二〇〇九）「「植民地責任」論とは何か」永原陽子編『「植民地責任」論——脱植民地化の比較史』青木書店。

成田龍一・小沢弘明・戸邉秀明（二〇一一）「【座談会】戦後日本の歴史の流れ」『思想』一〇四八号。

成田龍一（二〇二一）『方法としての史学史——歴史論集1』岩波現代文庫。

西川正雄・小谷汪之編（一九八七）『現代歴史学入門』東京大学出版会。

西川正雄（一九九七）『現代史の読みかた』平凡社。

西川正雄（二〇一〇）『歴史学の醍醐味』日本経済評論社。

西嶋定生（二〇〇二）『東アジア史論集5 歴史学と東洋史学』岩波書店。

二宮宏之（一九八六）『全体を見る眼と歴史家たち』木鐸社。

二宮宏之（二〇一一）「歴史の作法」『二宮宏之著作集1　全体を見る眼と歴史学』岩波書店。

日本戦没学生記念会編（一九九五）『新版　きけ　わだつみのこえ――日本戦没学生の手記』岩波文庫。

野家啓一（二〇一六）『歴史を哲学する――七日間の集中講義』岩波現代文庫。

ノラ、ピエール編（二〇〇二）『記憶の場――フランス国民意識の文化＝社会史』全三巻、谷川稔監訳、岩波書店。

長谷川修一（二〇一三）『聖書考古学――遺跡が語る史実』中公新書。

長谷川貴彦（二〇一六）『現代歴史学への展望――言語論的転回を超えて』岩波書店。

羽仁五郎（一九三九）『クロォチェ』河出書房。

羽仁五郎（一九八六）『羽仁五郎歴史論抄』筑摩書房。

羽田正（二〇一八）『グローバル化と世界史』〈シリーズ・グローバルヒストリー〉1、東京大学出版会。

ハラリ、ユヴァル・ノア（二〇一六）『サピエンス全史――文明の構造と人類の幸福』全二巻、柴田裕之訳、河出書房新社。

ハント、リン（二〇一九）『なぜ歴史を学ぶのか』長谷川貴彦訳、岩波書店。

比較史・比較歴史教育研究会編（一九八五）『自国史と世界史――歴史教育の国際化をもとめて』未來社。

平勢隆郎（二〇〇二）「占い、予言、そして「歴史」」上村忠男ほか編『歴史を問う2　歴史と時間』岩波書店。

ヒルバーグ、ラウル（一九九七）『ヨーロッパ・ユダヤ人の絶滅』全二巻、望田幸男・原田一美・井上茂子訳、柏書房。

フェーヴル、リュシアン（一九九五）『歴史のための闘い』長谷川輝夫訳、平凡社ライブラリー。

藤岡俊博（二〇一四）『レヴィナスと「場所」の倫理』東京大学出版会。

藤田勝久（二〇〇一）『司馬遷とその時代』東京大学出版会。

ブシュロン、パトリック・高澤紀恵・三浦信孝ほか（二〇二二）「ナショナル・ヒストリー再考」『思想』一一六三号。

古谷大輔・近藤和彦編（二〇一六）『礫岩のようなヨーロッパ』山川出版社。

フレーフェルト、ウーテ（二〇一八）『歴史の中の感情――失われた名誉／創られた共感』櫻井文子訳、東京外国語大学出版会。

ブローデル、フェルナン（二〇〇四）『地中海〈普及版〉』全五巻、浜名優美訳、藤原書店。

ブローデル、フェルナン（二〇〇九）『歴史入門』金塚貞文訳、中公文庫。

ヘーゲル（一九九四）『歴史哲学講義』全二巻、長谷川宏訳、岩波文庫。

ヘーゲル（二〇一八）『世界史の哲学講義――ベルリン一八二二／二三年』全二巻、伊坂青司訳、講談社学術文庫。

ヘロドトス（一九七一―七二）『歴史』全三巻、松平千秋訳、岩波文庫。

ベンヤミン、ヴァルター（二〇一五）『新訳・評注 歴史の概念について』鹿島徹訳・評注、未來社。

保苅実（二〇一八）『ラディカル・オーラル・ヒストリー――オーストラリア先住民アボリジニの歴史実践』岩波現代文庫。

ボヌイユ、クリストフ、ジャン＝バティスト・フレソズ（二〇一八）『人新世とは何か――〈地球と人類の時代〉の思想史』野坂しおり訳、青土社。

ポメランツ、ケネス（二〇一五）『大分岐――中国、ヨーロッパ、そして近代世界経済の形成』川北稔監訳、名古屋大学出版会。

ポリュビオス（二〇〇四―一三）『歴史』全四巻、城江良和訳、京都大学学術出版会。

ホワイト、ヘイドン（二〇一七）『歴史の喩法――ホワイト主要論文集成』上村忠男訳、作品社。

マクニール、ウィリアム・H（二〇〇七）『疫病と世界史』全二巻、佐々木昭夫訳、中公文庫。

松沢裕作（二〇一七）「歴史認識」井出英策ほか『大人のための社会科――未来を語るために』有斐閣。

松本通孝（二〇二〇）『一世界史教師として伝えたかったこと――歴史教育の「現場」から見た五〇年』Mi&j 企画。

マルクス、カール（二〇〇五―〇八）『マルクス・コレクション』全六巻、今村仁司ほか訳、筑摩書房。

丸山茂徳・磯崎行雄（一九九八）『生命と地球の歴史』岩波新書。

水島司編（二〇〇八）『グローバル・ヒストリーの挑戦』山川出版社。

溝口雄三（一九八九）『方法としての中国』東京大学出版会。

三成美保・姫岡とし子・小浜正子編（二〇一四）『歴史を読み替える――ジェンダーから見た世界史』大月書店。

南塚信吾（二〇一六）「近代日本の『万国史』」、南塚信吾ほか編『「世界史」の世界史』〈MINERNA 世界史叢書 総論〉、ミネルヴァ書房。

南塚信吾・小谷汪之編（二〇一九）『歴史的に考えるとはどういうことか』ミネルヴァ書房。

桃木至朗（二〇二〇）「現代東アジア諸国の少子化を歴史的に理解する」秋田茂・桃木至朗編『グローバルヒストリーから考える新しい大学歴史教育――日本史と世界史のあいだで』大阪大学出版会。

安丸良夫（二〇一三）「戦後知の変貌」『安丸良夫集5 戦後知と歴史学』岩波書店。

山本太郎（二〇一一）『感染症と文明――共生への道』岩波新書。

山本義隆（二〇一一）『福島の原発事故をめぐって』みすず書房。

山本義隆（二〇一八）『近代日本一五〇年――科学技術総力戦体制の破綻』岩波新書。

油井大三郎（二〇一九）『平和を我らに――越境するベトナム反戦の声』岩波書店。

吉岡潤（二〇一八）「ポーランド現代史における被害と加害」剣持久木編『越境する歴史認識――ヨーロッパにおける「公共史」の試み』岩波書店。

吉田千亜（二〇二〇）『孤塁――双葉郡消防士たちの3・11』岩波書店。

吉見義明（一九九五）『従軍慰安婦』岩波新書。

米山宏史（二〇一六）『未来を切り拓く世界史教育の探求』花伝社。

良知力（一九八五）『青きドナウの乱痴気――ウィーン一八四八年』平凡社。

ラワース、ケイト（二〇一八）『ドーナツ経済学が世界を救う――人類と地球のためのパラダイムシフト』黒輪篤嗣訳、河出書房新社。

ランケ、レーオポルト・フォン（一九九八）『世界史の流れ――ヨーロッパの近・現代を考える』村岡哲訳、ちくま学芸文庫。

ルクセンブルク、ローザ（二〇一三）『資本蓄積論　第三篇　蓄積の歴史的諸条件』小林勝訳、御茶の水書房。

歴史学研究会・日本史研究会編（二〇一四）『「慰安婦」問題を／から考える――軍事性暴力と日常世界』岩波書店。

歴史学研究会編（一九七三）『歴史における民族と民主主義』青木書店。

歴史学研究会編（二〇一七）『第4次現代歴史学の成果と課題』全三巻、績文堂出版。

和歌森太郎（一九五七）「歴史教育の歴史」梅根悟編『現代教科教育講座7　歴史教育』河出書房。

White, Hayden (1973), *Metahistory: The Historical Imagination in Nineteenth-Century Europe*, Johns Hopkins University Press.（岩崎稔監訳『メタヒストリー――一九世紀ヨーロッパにおける歴史的想像力』作品社、二〇一七年）

コラム｜*Column*

デジタル技術を活用した歴史研究の展開

後藤 真

本コラムでは、情報技術がもたらす歴史学と歴史学者のあり方について述べる。情報技術が高速に進展する中、長期的な課題を語ることは困難な部分もあるが、二〇二〇年代前半の状況を踏まえ、歴史学の新たな形を考えてみたい。

情報技術応用の速さという点では、コンピュータがくずし字を「翻刻」する例が挙げられる。二〇〇〇年代においては、技術的にも極めて困難であると考えられていたが、ディープラーニング(いわゆるＡＩ)利用の有効性が発見されることで、文字・資料の種類等によって差があるものの、一定の精度の翻刻が可能となってきつつある。少なくとも二〇二〇年代前半段階では、「技術的にできるかできないか」を過ぎ「いつできるか」だけの問題になってきている。情報技術の変化は、これほどに大きなものである。また、コンピュータだけがこのような作業を行っているのではなく、研究を主たる職業としない人々(非職業研究者)が、古文書を翻刻し、それを蓄積するとともに、非職業研究者がくずし字を学ぶ機会にもなるというウェブサービス「みんなで翻刻」も展開されている。

また、ウェブの進展による研究成果と資料のデジタル化とその流通状況の改善は大きなものであった。資料・論文へのアクセスは国を超えて可能となり、一部の人しか見ることができなかった資料の情報や画像を、容易に閲覧することが可能となった。そしてそれは歴史学の内部のみならず外部においても、歴史資料を用いた研究を可能とした。情報学者がくずし字を解析し、翻刻を行うことができるようになるとともに、非職業研究者も、論文や資料にアクセスできる。歴史学者以外もデジタルデータを用いることで、研究をすることができるようになりつつあるのである。

この状況は、必然的に歴史学の内部にも大きな変化をもたらすことにもなる。それは、「歴史学がコンピュータにとって代わられる」ような、単純なものではない。歴史学の営みのあり方の一部を変え、歴史学者の役割を大きく変更しうるものとして考えることができるであろう。

そもそも、歴史学における専門性とは、研究史を踏まえ、資料をその背景も含めて適切に読み解きつつ、現在社会との問題とも切り結び新たな歴史像を生み出すことにある。この歴史的思考とでもいうべきものは、コンピュータがどのように関わろうと変わらず歴史学が常に問わなければならない課題である。そして、この歴史的思考をコンピュータ自身が持つことは原理的にも極めて難しいと言えよう。そうであるならば、コンピュータが翻刻に加え、資料の読解や資料と資料の連関性を導き出すような事態が将来起こったとしても、それはあくまでも人間が進める学問の営みの一部に過ぎないのである。また、歴史学としてのアウトプットを必要としない他分野の専門家、非職業研究者との協業においても、最終的に歴史学としての像を出すのは、歴史学者にほかならない。

　しかし、コンピュータによる解析の速度と力は歴史学の研究の大きな促進力ともなり、これまでと異なる新たな視点も提供しうる。またアクセス環境の改善がもたらした、多様な人々との研究という、学問的多様性をもつことも、学問の自由な発展にとってみれば極めて重要なことであろう。

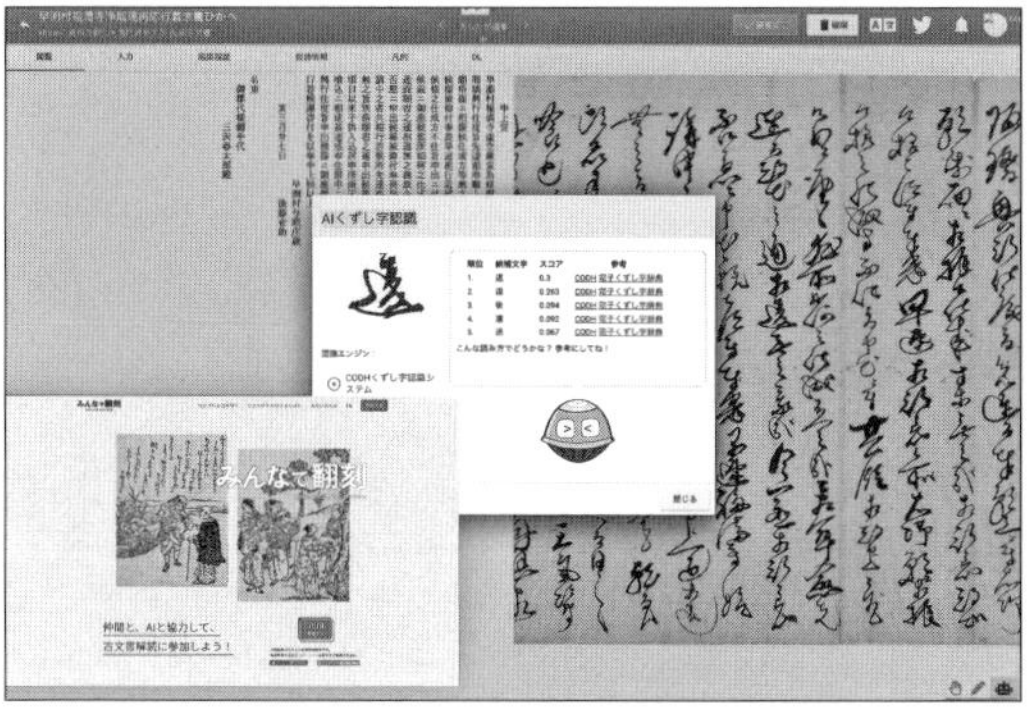

ウェブサービス「みんなで翻刻」

　それらを考え合わせるならば、歴史学者は、歴史学としての大きな問いを持ちつつも、コンピュータの技術を持つ情報学者や技術者と連携する、もしくは専門の違う研究者や非職業研究者と連携することによって成果を作り出すことが求められるのである。これは、これまでのような、歴史学者が自ら資料を探し、資料を読み、解析して歴史像を生み出してきた一人による学問に加え、複数によって実施する学問も含む形へと拡張されうることを意味する。ある歴史的な課題に対して、歴史学者は複数の分野の研究者・非研究者とコミュニケーションし、チームとして新たな課題に取り組むというスタイルが求められるのである。

　一方で、多くの人々や技術と関わる中で、歴史学者の専門性とはどの部分にあるのかを、改めて明示することが求められているともいえる。分野や属性を超えた研究推進のためには、歴史学者の思考とはどのようなもので、その思考が持つ学問的意義や社会的意義とはどのようなものなのかを、歴史学の側で可視化しなければならない。それをもとに歴史学の外部とコミュニケーションを重ねつつ、その歴史的思考と理解を共有することが、歴史学を新たな形で推進するために必要になるであろう。そしてそれは、歴史学の意義を社会全体で再び理解してもらうための、一つの重要な方法でもある。

　コンピュータが様々なことをでき、多様な人々をつなげるようになったからこそ、歴史学的な問いを立て、多様な手法による研究を促進する主宰者の役割という新たな歴史学者像が求められるようになってきている。広く社会の課題に向き合うために、多くの技術・人々を結び付けた新たな歴史学のあり方が今後は求められるのではないだろうか。

問題群 | *Inquiry*

問題群｜*Inquiry*

人は歴史的時間をいかに構築してきたか

佐藤正幸

はじめに

世界がまだ二〇〇歳若かった頃、世界という概念はこの地球上の陸地に生息する人類全てを指示する概念ではなかった。世界はいくつもの「エクメネ」(ecumene 人類居住圏)から形成されていたからだ。便宜上この「エクメネ」を「文化圏」と訳すと、各文化圏では、それぞれが年月日を数える独自の紀年法と暦法を使用していた。

年を数えることに焦点を当ててみると、それぞれの文化圏においては、多くの場合、複数の紀年法が併用・併記されていた。ヨーロッパ文化圏では、世界創造紀年・インディクティオ紀年・オリンピアード紀年・キリスト紀年・ユリウス通日、東アジア文化圏では年号と干支による紀年、イスラム文化圏では世界創造紀年・ヘジラ紀年[1]、インド文化圏では、ヴィクラマ紀年・サカ紀年等々がある。一方で、これ以外にヨーロッパ植民地であった南北アメリカ大陸及びオーストラリア大陸の国々では、宗主国の紀年法であるキリスト紀年が使用されていた。

この地球表面上に現在と同じ世界は物理的に存在したが、それらの世界で生起してきた出来事を過去にまで遡《さかのぼ》って共時的に叙述する「世界史」と呼べるものは、誕生すべくもなかった。なぜなら、世界史は、世界史上の出来事を共時的に整理する「世界共通紀年」「世界基軸紀年」が設定できて、初めて成立するものだからだ。

一例を挙げよう。ジェームズ・ベル『普遍史一瞥』(ロンドン、一八四二年)は、筆者がこれまで実見した年表の中では、キリスト紀年を単一の世界基軸紀年として作成した最初の世界史年表である(Bell 1842)[図1]。しかし、アラブ・トルコ・インド・中国・日本は、当時のイギリス人の世界史概念の範疇《はんちゅう》には入っておらず、自分たちとは関わりの無い土地での出来事として頁《ページ》を改め、別枠を設けて記載している。

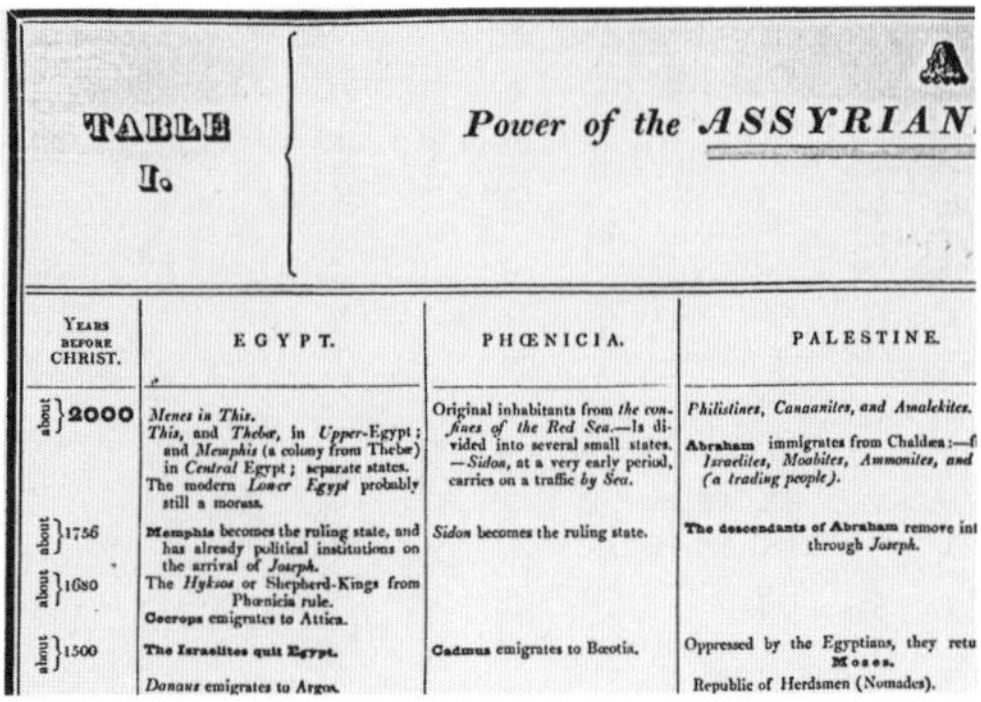
TABLE I.
Power of the ASSYRIAN
YEARS BEFORE CHRIST.
EGYPT.
PHŒNICIA.
PALESTINE.
about 2000
Menes in This.
This, and Thebæ, in Upper-Egypt; and Memphis (a colony from Thebæ) in Central Egypt; separate states. The modern Lower Egypt probably still a morass.
Original inhabitants from the confines of the Red Sea.—Is divided into several small states. —Sidon, at a very early period, carries on a traffic by Sea.
Philistines, Canaanites, and Amalekites.
Abraham immigrates from Chaldea
about 1756
Memphis becomes the ruling state, and has already political institutions on the arrival of Joseph.
Sidon becomes the ruling state.
The descendants of Abraham remove int through Joseph.
about 1680
The Hyksos or Shepherd-Kings from Phœnicia rule.
Cecrops emigrates to Attica.
about 1500
The Israelites quit Egypt.
Cadmus emigrates to Bœotia.
Oppressed by the Egyptians, they retu Moses.
Danaus emigrates to Argos.
Republic of Herdsmen (Nomades).

図1　ジェームズ・ベル『普遍史一瞥』．世界基軸紀年をキリスト紀年のみで記載した最初の世界史年表(筆者所蔵)．

事情は日本も同じである。幕末までの世界史は、天竺(インド)・唐《から》(中国)・本朝(日本)の三国の歴史が当時の日本人の「世界史」であった。この世界概念を軸に、幕末になると、ヨーロッパ・南北アメリカ・アフリカ等々が追加されることによって世界史概念は拡張・崩壊・断絶し、明治時代に入ると、現在の我々が有しているのと同じ、全く新しい世界と世界史概念にパラダイムシフトしてきた(Sato 1996)。

現在の世界史は、キリスト紀年を基軸紀年としてその叙述がなされている。これは、キリスト紀年が二〇世紀に入って以降、世界共通紀年となり、特に第二次世界大戦以降、この傾向が顕著になったからだ。イスラム文化圏・漢字文化圏等々の非キリスト教文化圏においても、キリスト紀年が使用されるようになった。それ以前も、「世界史」「普遍史」と自ら名乗る著述は数多く存在したが、今読み直してみると、それらは地域限定的な「世界史」にすぎなかった。しかし同時に、それらの著述は自己完結的に「これが世界史だ」という強烈な自負をもって書かれていた。我々の世界史とて例外ではない。

この背景には、一九九九年以降、インターネットが急速に普及し、WWW(World Wide Web)が充実し始めると、情報交換に関するかぎり世界はひとつとなり、これに伴って、共通の年月日を表記することが不可欠となったことがあげられる。このような状況下で、この通信技術を開発してきたローマ字文化圏が使用していたキリスト紀年とグレゴリオ暦とグリニッジ標準時(現在は精度を高めた協定世界時)を世界共通の年月日時分秒に用いることになった。世界基軸時間の成立ということも出来る。

筆者が最初に海外との通信にWWWで情報を取得し電子メールで連絡したのは、一九九七年のスイス・エラノス会議への講演受諾であった。しかし当時の電子メールは三〇〇〇語の講演テキストを送付するだけの容量が無いため、後日ファクシミリで送付した事を覚えている。

この頃を境にして、気がついてみると、年月日の表記に関する限り、キリスト紀年とグレゴリオ暦とグリニッジ標準時が世界の基軸時間になっていた。ISO(International Organization for Standardization 国際標準化機構)は、年月日の標準化を一九七〇年代以来頻繁に改訂しているが、大きな変更はない。

歴史家にとって興味があるのは、ISOではキリスト紀年(西暦)を共通紀年として使用するけれども、暦に関しては、一五八二年にグレゴリオ暦が導入された以前にはこの暦を適用しないと但し書きをしていることである。しかし、キリスト教文化圏以外における使用に関しては但し書きがない。

一、キリスト紀年の成立と紀元前という概念の発明

キリスト紀年は、正式にはキリスト教紀年法(Christian chronology)と表記され、イエス・キリストの生年を起算年(元

年）とする紀年法だ。この紀年法は、キリストが生まれたとされる二〇二一年前から使用されていたわけではない。キリストの死後五〇〇年以上たった紀元六世紀になって、当時ローマで活躍したキリスト教修道僧ディオニシウス・エクシグウス（Dionysius Exiguus 四七〇頃－五五〇年頃）によって創案された。

その理由は以下の通りである。当時キリスト教徒の間では、年を数えるのにローマ皇帝ディオクレティアヌス（在位二八四－三〇五年）の即位年を元年とする紀年法が使用されていた。この皇帝はキリスト教徒の大迫害者であった。そこで、キリスト教徒はこの迫害によって犠牲となった同僚信徒を忘れないために、「殉教者の紀年」（aera martyrum）という名の下に年を数えていたわけだ。

これに対してディオニシウス・エクシグウスは、大迫害皇帝の即位年から年を数えるより、神がこの世にイエス・キリストを人間の姿形（incarnatio）をして遣わされた年から、紀年を開始する方がキリスト教徒にとってはより相応《ふさわ》しいのではないかと提案した。つまりキリスト紀年法は、当時使用されていた数ある紀年法に加えて、その中の紀年法のひとつとして使われ始めたにすぎなかった。

その上、キリスト紀年は、キリストの生誕年を起算年として年を数えるので、ただ直近五〇〇年しか年を数えることが出来ない、むしろ不便な紀年法であった。そのため専らキリスト教会内部で使用されていたにすぎない。

キリスト紀年誕生前の紀年環境

キリスト紀年が提案される前の五世紀当時の、年を数える方法、つまり紀年方法の状況はどのようであったか。修道院に侵入したライオンのトゲを抜いてやったエピソードで有名なヒエロニムス（Eusebius Sophronius Hieronymus 三四七頃－四二〇年頃）が作成した『紀年表 *Chronicon*』を手掛かりに、当時の紀年環境を見てみよう［図2］。

この『紀年表』はエウセビオス（Eusebios Caesariensis 二六五頃－三三九年頃）が作成した歴史年表を、ヒエロニムスがギリシア語からラテン語に訳したものだと伝えられている。この頃使用されていた紀年法としては殉教者の紀年に加えて、次のようなものがある（フィネガン 一九六七）。

①オリンピアード紀年 Olympias：紀元前七七六年を起算年として四年に一度開催されるオリンピックを目安とする紀年法。紀元前七七〇年は、第二回オリンピックの三年目の年と表記する。この紀年法は、紀元前三世紀から使用されはじめ、古代オリンピックがキリスト紀年三六九年に終了するまで続いた（Blackburn 2000: 768-769）。ヨーロッパでは一八世紀まで、年表等に他の紀年と並列記載されていた。

②ローマ建国紀年 Ab Urbe Condita：ローマ建国の年とされる紀元前七五三年を起算年とする紀年法で、紀元前一世紀にワッロによって用いられてから広く使用された。古代ローマを論ずる時は一八世紀においても広く用いられていた。A. U. C. 或いは A. U. と略記される。

③世界創造紀年 Anno Mundi：ユダヤ教徒の紀年法であり、「世界の年」とよばれ、A. M. と略記される。世界創造から年を数える紀年法。世界創造がいつかに関しては諸説あるが、紀元前三七六一年説（ヨセ・ビン・ハラフタ）と、紀元前四〇〇四年説（ジェームズ・アッシャー）が広く使用された。

④インディクティオ紀年 Indictio：三世紀の、古代ローマ支配下のエジプトで開始された紀年法である。ラテン語で「インディクティオ」は「告示」を意味し、一五年に

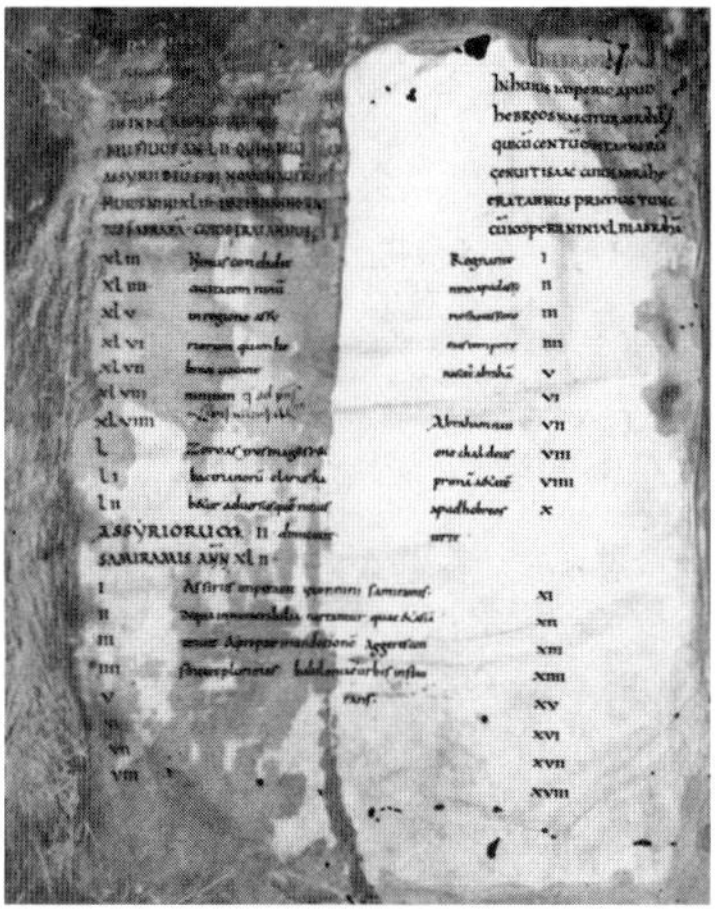

図２　西暦使用以前の紀年表記．エウセビオス作，ヒエロニムス訳の『紀年表』．5世紀に作成，9世紀の写本．ローマ数字を使用して，アッシリア紀年とヘブライ紀年を併記した頁（オックスフォード・マートンカレッジ所蔵．Merton College MS 315, fol.9v）．
https://digital.bodleian.ox.ac.uk/objects/6c2d7998-5b67-42ea-bfbd-8fd4c9bc4445/

一度の徴税年を指す。そして、この一五年周期の徴税を利用して年を数えたのが、インディクティオ紀年法である。ヨーロッパでは中世まで広く使用された。

これらの紀年法を参考にして、ディオニシウス・エクシグウスは、キリスト紀年の起算年(元年)をローマ建国紀元七五四年の一月一日とした。この年は、第一九四回オリンピック年の四年目と第一九五回オリンピックの第一年目に相当する。

以上からも分かるとおり、キリスト紀年はあまり役に立たない紀年法であった。その後、この紀年法がキリスト教会の中で広く使われ始めたのは、一〇世紀以降であり、一般の人が使い始めたのは、ヨーロッパでも一四世紀以降だ。そしてこれ以降、キリスト教が宗教として盛んになり、ヨーロッパ全域に拡大し始めると共に、キリスト紀年の使用も多少のタイムラグを伴いながら広まっていった。

興味を引く事実は、これらの紀年法の中で、オリンピアード紀年・ローマ建国紀年・世界創造紀年・インディクティオ紀年の四つの紀年法が、一八世紀までヨーロッパ世界で使用され続けてきたことである。古代オリンピックやインディクティオが四世紀に終了してからも、これらの紀年法は使われ続けた。文化の伝承については、様々な議論がなされているが、「紀年法」という試薬を使用して世界歴史を滴定してみると、錯綜した文化伝承の系統が浮かんできて興味がつきない。

紀元前という概念の発明

五世紀以降、キリスト教は宗教として大きな広がりを見せ、ヨーロッパ世界に広く行き渡る宗教になった。八世紀になると、ベーダ・ヴェネラビリス(Beda Venerabilis 六七三頃―七三五年)がキリスト紀年を拡張して、「キリストの生誕前」という表記法を考案した。この斬新な概念用語は、当時広く使われていたローマ建国紀年と併用して使われた。

ベーダが意図したのは、「世界創造年」と「キリスト生誕年」の間の年月である四〇〇四年間を、キリスト紀年を時間軸の中心において、その生誕前何年と表記することで過去に遡及《そきゅう》する、という意表を突く提案であった。ベーダは著書『イギリス教会史 *Historia ecclesiastica gentis Anglorum*』(七三一年)の第一巻第二章の中で「主のまことの生誕より以前の年」(ante uero incarnationis dominicae tempus)という表現を初めて用いた。紀元前という概念の最初の考案者は、ベーダに帰せられる。ところが、この遡及的紀年表記はその後すぐに使用されたわけではない。

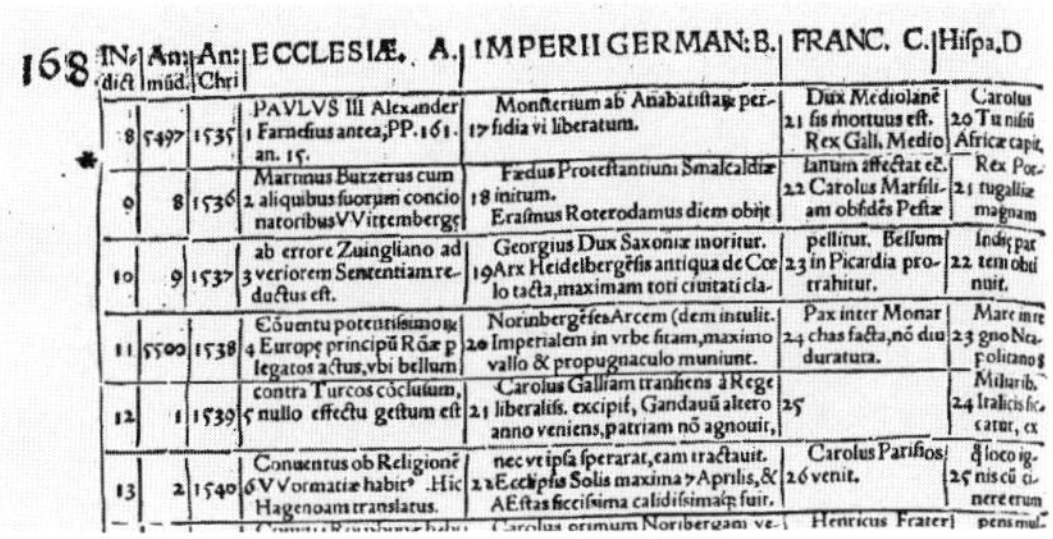

168 IN dict	An: mūd.	An: Chri	ECCLESIÆ. A.	IMPERII GERMAN: B.	FRANC. C.	Hispa. D
8	5497	1535	1 PAVLVS III Alexander Farnesius antea, PP. 161. an. 15.	17 Monsterium ab Anabatistaꝝ perfidia vi liberatum.	21 Dux Mediolanē sis mortuus est. Rex Gall. Medio	20 Carolus Tunisiū Africæ capit.
9	8	1536	2 Martinus Buzerus cum aliquibus suorum concionatoribus VVittembergę	18 Fædus Protestantium Smalcaldiæ initum. Erasmus Roterodamus diem obijt	22 lanum affectat eč. Carolus Marsiliam obsidēs Pestæ	21 Rex Portugalliæ magnam
10	9	1537	3 ab errore Zuingliano ad veriorem Sententiam reductus est.	19 Georgius Dux Saxoniæ moritur. Arx Heidelbergēsis antiqua de Cœlo tacta, maximam toti ciuitati cla-	23 pellitur. Bellum in Picardia protrahitur.	22 Indię partem obtinuit.
11	5500	1538	4 Cōuentu potentissimoꝝ Europę principū Rōæ p legatos actus, vbi bellum	20 Norinbergēses Arcem (dem intulit. Imperialem in vrbe sitam, maximo vallo & propugnaculo muniunt.	24 Pax inter Monarchas facta, nō diu duratura.	23 Mare in regno Neapolitano
12	1	1539	5 contra Turcos cōclusum, nullo effectu gestum est	21 Carolus Galliam transiens à Rege liberaliss. excipit, Gandauū altero anno veniens, patriam nō agnouit,	25	24 Miliarib. Italicis siccatur, ex
13	2	1540	6 Conuentus ob Religionē VVormatiæ habit. Hic Hagenoam translatus.	22 nec vt ipsa sperarat, eam tractauit. Ecclipsis Solis maxima 7 Aprilis, & AEstas siccissima calidissimaꝗ fuit.	26 Carolus Parisios venit.	25 ꝗ loco ignis cū cinere erum

図3　ヨハン・フンク『歴史年表』. 本書はフォリオ判の大型書籍で, 革の装丁を施し金箔で表題を刻印し, 頻繁な使用に耐えるよう堅牢な製本になっている(ポーランド・ポズナン大学図書館所蔵, 筆者撮影).

一四五〇年頃にグーテンベルクによる活版印刷術が開始されて以降、ヨーロッパにおいては歴史年表が数多く印刷製本され、各地の王侯貴族の図書室に常備されるようになった。それらの歴史年表のひとつに、ヨハン・フンク(Johann Funck 一五一八—一五六六年)の作成した『歴史年表』(一五五二年)[2]がある。

図3に示したのは、この『歴史年表』の一六八頁、つまりヨハン・フンクの同時代史である一六世紀の出来事を扱った最終頁の紀年表記部分だ。左端欄一列目にはインディクティオ紀年、二列目には世界創造紀年、三列目になってやっとキリスト紀年が記載される。年の共時化に関して正確を期すために紀年表記は常に複数であるべきだ、というのがヨハン・フンクをはじめ多くの年表制作者が過去から学んだ英知であった。

二、キリスト紀年の変容と基軸紀年への道

一七世紀の科学革命はキリスト紀年に多くの変革を迫った。地質学の発展の結果、この地球は世界が創造された年より以前に存在していたことが証明されたからだ。

例えば、スコットランドの地質学者ジェームズ・ハットン(James Hutton 一七二六―九七年)は以下のような研究成果を発表した。彼によると、この地球は全体が熱機関であり、内部の熱のため地球表面が上下に動き、種々の地質学的作用が起こって現在の地球となった。そして、スコットランドのシッカー岬の地層を調査した結果、それは六〇〇〇年以上前に遡るとした。

これは「紀元前四〇〇四年の神による無からの世界創造」というキリスト教の根幹を揺るがす事実を発見したことになる。しかし彼は、『地球の理論 *Theory of the Earth*』(一七九五年)という著書の中で、「この調査研究の結果は、それ故に、(地球の)創造の痕跡を発見することは出来なかったし、(地球の)終末の予測も出来なかった」(The result, therefore, of our present enquiry is, that we find no vestige of a beginning, no prospect of an end.)と述べている(3)。

この研究報告は、実に慎重な言い回しにもかかわらず、それまでの歴史観・世界観・地球観を一変させる報告であった。この時代のヨーロッパにおけるキリスト教の力は強大であり、聖書に書かれていることと異なる発見の公表に関しては、細心の注意が必要であった。

世界創造以前の年代をどのようにして表記したらよいのかは、深刻な問題であった。結果として、ベーダ・ヴェネラビリスが考案した、世界創造年とキリスト生誕年の間をキリスト生誕年から遡及して年を数える紀元前という考え方を、世界創造以前より古い過去に延長して使用することで、近代科学の発展に堪えうる紀年法としてキリスト教紀

年法が脚光を浴びることとなった。

これまで世界では、何十という数の紀年法が使用されてきたが、キリスト紀年以外に、起算年以前に遡及して年を数えるという発想はひとつも生まれなかった。

筆者は、「キリストは神の子・神の一部・神と同じ」というイエス・キリストの位置づけが、世界創造を超えて、この過去を無限に遡って年を数えることの出来る紀年方式を作り上げたのだと考えている。むしろ偶然の産物といってもよい。

三二五年に開催された第一回ニカイア公会議で、キリストの位置づけを巡って、神とキリストは「同質」(ホモウーシオス ὁμοούσιος)であり「本質は同じ」というニカイア信条が採択された。この神(デウス)とキリストを巡る関係については、同じ神(ヤハウェ)を信ずるユダヤ教徒は、「キリストはユダヤ教徒として生まれユダヤ教徒として死んだ」としており、同様に同じ神(アッラー)を信ずるイスラーム教徒は、「キリストは預言者の一人にすぎない」としている。デウスとヤハウェとアッラーは、この三つの宗教それぞれによって呼称こそ違え、同じ神を指示している。

世界に多く存在する紀年法では、起算年はその文化において最も重要な出来事が選ばれてきた。このキリストは神の子という強烈なインパクトを持った発想が、キリスト紀年法において、二つの起算年を可能ならしめたのではないかと考える。ユダヤ教徒もイスラーム教徒も、どちらも預言者はあくまで人間である。ところがキリスト教だけ、キリストは預言者ではなく、人間のかたちをした神そのものだとする。

この発想が、紀年法において、二つの起算年を持つことを可能にした。ベーダが最初に考案したように、世界創造とキリスト生誕の間を、逆算して年数を数えるという意表を突く考えが、それを突き破って、過去に無限に延びることになったと言える。

過去と未来の双方向に向かって無限に延びる紀年法の誕生

キリスト紀年の双方向性のユニークさを説明するために、これまで世界で使用されてきた紀年法を、線分の形態によって分類してみたい。線分には、直線・線分・半直線の三種類がある。紀年法の分類は、ユークリッド幾何学における直線の定義を援用して整理すると、次のようになる。[4]

① 直線：「直線とは、幅はもたず、両側の方向に無限に延びたまっすぐな線である」。

② 線分：「線分とは、両端をもち、長さが有限なまっすぐな線である」。

③ 半直線：「半直線とは、一つの端点から一方向に無限に延びたまっすぐな線である」。

このように三つに分類してみると、直線型に相当する紀年法は、現在のところ、筆者が調査した二五種類の紀年法の中ではキリスト教紀年法のみである。キリスト教紀年法は、キリスト生誕年を起算年として、世界創造年を超えてより古い過去(上方向)に向かって無限に延びる時間線と、未来(下方向)に向かって無限に延びる時間線である。

線分型に相当する紀年法は、年号・元号・即位紀年である。干支紀年(三元甲子)もこの線分型とすることは可能だ。[5]

半直線型に相当する紀年法は、ディオクレティアヌス紀年・インディクティオ紀年・ヴィクラマ紀年・孔子紀年・黄帝紀年・神武天皇即位紀年・創世紀年・檀君紀年・主体紀年・中華民国紀年・ローマ建国紀年・ユリウス通日等々がある。つまり、これまで世界で使用されてきたほとんどの通年紀年法は、この半直線型である。

基軸紀年としてのキリスト紀年の出現

ここでユリウス通日という紀年法について説明しておきたい。ユリウス通日はフランスのスカリゲル(Joseph Justus Scaliger 一五四〇—一六〇九年)によって提案された紀年法である。彼は一五八二年の新暦(グレゴリオ暦)改暦によっても、正確な年月日表記は煩雑《はんざつ》さを免れないと考えた。そこで起算年をすべての歴史的記録の前におけば、紀年問題は解決出来るのではないかと考え、メトン周期(一九年周期)・インディクティオ周期(一五年周期)・太陽章(二八年周期)と呼ばれる当時知られていた三つの紀年法の第一年目が同じになる年を計算し、それを紀元前四七一三年と算出した。これは世界創造元年に先立つ年であるので、すべての人類の歴史的出来事を包摂可能だと考えたからだ。

つぎに、スカリゲルは、年月日の中でこれまで使用されていないが最も信頼できるのは年でも月でもなく「日」であると考えた。日没から翌日の日没までの長さは、この地球上においては、場所と季節を問わず同じ時間間隔(約二四時間)であり、これは最も信頼できる時間単位だ。したがってこの紀元前四七一三年一月一日を起算日としてそこから日数を数えるのが最も正確な歴史的時間の表記であると考えた。これで計算すると、二〇二二年一月一日は二四五万九五八〇日となる。[6] これをスカリゲルはユリウス通日(Julian day)と命名した。

筆者がこれまで調査した中で、ユリウス通日とキリスト紀年を併記した最初の歴史年表は、ジョン・ブレアの『紀年法と歴史』(ロンドン、一七五四年)[7]である。

ブレアは、紀元前を使用して世界創造紀元前四〇〇四年説に則り、年表の最初を「キリストより四〇〇四年前」(4004 Years before Christ)で開始する。創世紀年は使用されていないものの、紀元前四〇〇四年から年表を始めるのは、当時はまだ人々が世界創造という呪縛の影響下にあったことを意味している。

しかし、左隣の紀年欄には、基軸紀年としてユリウス通日が位置づけられ、その左隣に紀元前と記したキリスト紀年が置かれている。キリスト紀年と併記されたのがユリウス通日であるという事実は、重要なことを示唆している。つまり、ユリウス通日への圧倒的信頼である。そしてこれは、現在のキリスト紀年単独方式へ移行する直前の紀年表記ともいうべき興味ある形式といえる。

キリスト紀年の単独基軸紀年化とその背景

このユリウス通日は考えてみれば確かに正確で科学的だが、実用という点から見れば、紀元前一九七五年にはすでに五ケタの数字になってしまっていておよそ不向きである。しかし、キリスト紀年と並列して、一番左側にユリウス通日を記しておくと、当該の歴史年表の正確さと権威をアピール出来たことは確かだ。

ところが、一八世紀後半頃から、このユリウス紀年は、歴史年表の紀年表記から消え、キリスト紀年に一本化されてゆく。紀年上の起算年を設定し、それを境にして「それ以前」と「それ以後」に年を数えてゆくという一〇〇〇年かけて形成されてきた考え方が、近世フランスの誇る稀有の天才スカリゲルの発想に打ち勝った瞬間である。明晰判明・単純明快な紀年法や暦法が必ずしも人々に受け入れられるわけではない。

冒頭で紹介したように、ジェームズ・ベル『普遍史一瞥』は、管見の限りでは、キリスト紀年を単一の世界基軸紀年として作成した最初の世界史年表である(Bell 1842)[図1]。

三、キリスト紀年はなぜ世界的普及が可能だったか

ヨーロッパ諸国は、一八世紀以降になると、本格的な世界制覇に乗り出す。この世界への発展と共に、キリスト紀

年も世界各地に持ち込まれ、植民地となった多くの国では、キリスト紀年が使われるようになった。その二〇〇年後、今現在においては、キリスト教紀年法が非キリスト教世界の中でも現実に共通紀年として使用されている。その理由を考えてみたい。

宗教性の希薄化

キリスト紀年が世界に広まった理由は、その紀年法から宗教色を排除したからだ。或いは、宗教色が希薄にならざるを得ない状況が生じてきたからだ。

宗教色が希薄にならざるを得なかった理由は、その起算年であるキリストの生年に関してだ。キリスト紀年元年つまりキリストの生誕年が、二〇世紀に入ってからの研究によって、紀元元年より前ではないかという疑義が出てきた。実は、同時代の史料で、キリストの生年について直接言及しているものは現時点では残存していない。多くの研究者の説を集めてみると、キリストの生年は、紀元前七ー紀元前二年の間のようである。これは、ディオニシウス・エクシグウスがキリスト紀年を考案した六世紀において考えられていたキリストの生年とは数年のズレがある。(8)

キリスト教徒の聖書は、旧約聖書と新約聖書からなる。旧約聖書は本来「タナハ」(Tanakh)と呼ばれているユダヤ教徒の聖書だ。新約聖書はキリスト教徒のみの聖書である。キリスト教徒は旧約聖書と新約聖書を共に聖書として信仰の糧としている。この二つの聖書を読み進めてゆくと興味を引かれるのは、年月日記述だ。

旧約聖書は多くの個所で年月日に言及していて、さながら歴史書のようだ。それに反して新約聖書は、年月日、特に年に関する言及が極めて少ない。(9) ストーリーに重点を置いて物語性に富む内容だが、紀年表記という記録性への関心は少ない。

キリスト教国においては、キリスト生誕年が紀元元年より前であるにもかかわらず、このキリスト紀年は、既に一六〇〇年以上にわたって使用され続けている、という歴史的事実がある。つまり、この紀年が記された歴史文書や古文書の年月日は、今となっては書き換えようがない。

筆者は、この生誕年不確定により、キリスト紀年はその宗教性をそがれたが、だからこそ、非キリスト教国を含めた多くの国で、紀年法として使用され続けていると考えている。それに加えて、先に述べたように、この紀年法が、過去と未来に向かって無限に延びてゆく、本来のキリスト教聖書に全く相反する自己否定的な紀年軸を提供してきた唯一の紀年法だという、別の特徴を有しているからだ。

キリスト紀年は年初を一月一日に固定したこと

年初について見てゆこう。古代ローマでは、ユリウス暦が採用されていた。この暦は古代ローマの執政官であったガイウス・ユリウス・カエサル(Gaius Iulius Caesar 紀元前一〇〇—紀元前四四年)によって、紀元前四五年一月一日より開始された暦である。一年を三六五日とし、四年に一回閏《うるう》年を入れて三六六日とした。当時としては大変精度の高い暦であった。しかし一六世紀になると、実施から既に一六〇〇年以上たっており、一〇日のずれが生じていた。

これは、春分の日がいつかを見れば一目瞭然である。そこでキリスト教会内部で改暦論議が起こった。その理由は、キリスト教最大の祝祭である復活祭が基本的には春分の日をもとにして決められていたため、この時日のズレが由々しき問題となったからだ。

そこでグレゴリオ一三世(在位一五七二—八五年)のもとに改暦委員会が設けられ、討議の結果、ユリウス暦一五八二年一〇月四日木曜日の翌日をグレゴリオ暦一五八二年一〇月一五日金曜日とする改暦が行われた。グレゴリオ暦は一年を三六五日とし、四年に一回閏年を入れて三六六日とする、但しキリスト紀年の年号が一〇〇で割り切れて四〇〇で割り切れない年は平年とする、というユリウス暦よりも精緻な暦となった。

グレゴリオ暦への改暦は、歴史上大きく取り上げられがちだが、実は、ユリウス暦もグレゴリオ暦も太陽暦であり、月の割り振りがより精緻になったのがグレゴリオ暦であるというだけだ。

その上、グレゴリオ暦は、基本的にユリウス暦を踏襲しており、当時既にヨーロッパに広まっていた一月一日を年初とする点でもユリウス暦を踏襲していた。年初は、古代ローマ暦以降、ユリウス暦もグレゴリオ暦も「ヤヌス(神)の月」(Mensis Ianuarius)の第一日とする。ヤヌアリウス(Ianuarius〔Janus〕)は神名に由来し、英語のジャニュアリー(January〔一月〕)の語源となって現在に伝わる。ヤヌス神は、始点・双極性といった意味を持つ神で、顔が二つあり、その顔は後頭部を合わせて反対を向くように作成された彫像や図像として伝えられている。つまり、一年の区切りとしての象徴性は、古代ローマの伝統を引き継いでいるというわけだ[図4]。

図4 ヤヌス神の彫像. 古代ローマ神話に出てくる神で, 二つの顔と頭を背中合わせに持つ神. 年初めの1月のシンボルとして知られる(バチカン美術館所蔵).
https://lorenzocafebar.com/#vatican-museum-sculptures-bust-of-the-god-janus-vatican-museums-others

ヨーロッパ文化は、古代ギリシア・ローマ文化とヘブライ文化の二つのルーツを持つ文化である。時間を計測する方法に関する限り、古代ローマの伝統を持ったユリウス暦が、ヘブライ文化の伝統を持つキリスト教徒の祝祭の必要性によって、ローマ教皇の名を冠してグレゴリオ暦という名前で呼ばれる改訂暦へと移行したにすぎない。

但し、月名は古代ローマの命名に則り、年初も古代ローマの伝統であるヤヌス月の一日とすることや、他の月名にも古代ローマの月名を残した。まさにこの年月日の表現法自体が、ヨーロッパ文化の二つのルーツの錯綜した姿を如実に示している。

年初を固定することの意義

年初は、キリスト生誕日の一二月二五日、受胎告知日の三月二五日、春分の日直後の復活祭という三つの宗教上重要な日が使用されてきた。これらの中でも復活祭は、ちょうど日本の正月のように静謐に厳かに行われる宗教上重要な日々である。しかし、この復活祭は、移動祝祭日であり、三月二二日から四月二五日までの間を移動する。これは中国の春節と類似している。中国では春節が伝統的に新年であり、この日は雨水(二月一九日頃)の直前の朔日(新月の日)と決められている。一月二一日から二月一九日までを動く移動祝祭日なのである。

この移動祝祭日を年初にすると世界的な紀年法にはなれない。なぜなら、自文化そのものをあまりにも相手に強制させることになるからだ。そのためにも年初は、宗教的行事とは関係ない日に固定した方が良いのだ。

四、アラビア数字がキリスト紀年の世界普及に果たした役割

世界の歴史叙述は、種々の言語を介して著述されてきた。今現在世界で使用されている五一種類の異なる言語表記について調べたが、全ての言語に共通する文字は、言語文字ではなく、アラビア数字である。少なくとも年月日の表記に関しては、年月日は異なるがアラビア数字が全世界で例外なく使用されている。

世界の歴史がひとつの紀年表記によって表されることが、世界史成立の必須条件のひとつと冒頭で書いたが、その紀年表記も、実はアラビア数字という共通の数表記法のおかげによるところが大きい。

世界共通文字は、ABCで表記されるラテンアルファベット(日本ではローマ字と呼び習わされている)だ。世界の多様な文字はローマ字で表記されることで誰もが発音できるようになる。イスラム諸国でも、中国でも韓国でも、その国の文字が読めなくても、ローマ字でルビが振ってあると一安心だ。ローマ字は共通表音文字として世界中に広がって

いる。

ローマ字とセットになって、古代ローマで使用が開始されたのが、ローマ数字である。この数表記で使用する記号は、紀年表記等に関する限りでは、I, V, X, L, C, D, M がすべてであり、これらを組み合わせることですべての数字を表記する方法である。これらはそれぞれ 1, 5, 10, 50, 100, 500, 1000 に相当する。

1はI、2はII、3はIII、4は(5-1)でIVと表記し、マイナスは記号の左に書き加える。5はV、6は(5+1)でVIと表記し、プラスは記号の右に書き加える。7はVII、8はVIII、9は(10-1)でIXと表記し、10はX、11は(10+1)でXI、12は(10+2)でXIIといった具合に表記する。2021はどのように表記するかというと、1000×2+10×2+1なので、MMXXIとなる。

ローマ字は世界中で現在最も広範に使用されているのに、ローマ数字はなぜ使用されなくなってしまったのか。同じ問いは、漢数字についても言える。漢字と漢数字は、セットで使用され、東アジア文化圏の基盤を形成してきた。しかし、日本においては、明治五(一八七二)年頃の算数教科書以来、漢数字からアラビア数字に主役が入れ替わってしまった。漢数字でもローマ数字でも数表記は完璧に出来るのに、なぜ入れ替わってしまったのか。

その理由は、アラビア数字がローマ数字より数表記において優れていたからである。それは、ゼロという表記と位取りの原理を持っていたからだ。これは、アラビア数字とローマ数字を比較することで明らかとなる。

アラビア数字は、1から9までの九個の記号を数字として考案し、これに0を組み合わせた一〇個の記号だけで全ての数を表記できるという画期的で効率的な数表記の方法だ。0があるおかげで、数字を左からただ羅列表記するだけで位取りが可能となり、この表記のままで加減乗除が可能となった。これが、アラビア数字が世界に広まった大きな要因である。

我々が小学校で習った算数を思い起こしてみよう。清朝は何年間存続したかと問われると、1616年が清朝の建国、

1912年が清朝の滅亡なので、1912-1616＝という数式をたてて計算し、紙の上で296年と即座に答えることが出来る。しかし、これをローマ数字で表記して計算するとなると、算盤《そろばん》が必要となる。これは、漢数字で書いた場合も同様だ。ゼロがないので位取りが出来る特別な計算道具、つまり算盤か算木が必要となる。

アラビア数字は科学革命の隠れた主役

ここでアラビア数字のルーツを説明しておきたい。アラビア数字が欧米を経由して日本に入ってきたのは幕末である。明治五年の学制発布では、これを算用数字と呼んでいたが、欧米ではアラビア数字と呼ばれていたため、現在でも日本ではそれを踏襲してアラビア数字と呼ぶのが一般的だ。

このアラビア数字は、当のアラビア諸国ではインド数字と呼ばれている。なぜならこの数表記法は、インドから伝来したものだからだ。そして当のインドではこの数字をインド数字と呼ぶ。

このインド数字がアラビアを経由してヨーロッパに伝わったのは、遅くとも一〇世紀である。一二世紀頃になってから徐々にヨーロッパで使用されるようになり、一六世紀には活版印刷の普及と共にヨーロッパ全域に拡大した。ヨーロッパで広く受け入れられた理由のもう一つは、アラビア語は右から左へと書くが、アラビア数字は左から右へと書くので、同じく左から右へと文字を書くローマ字表記にはなじみやすかったことがあげられる。

筆者のケンブリッジ大学大学院での指導教授はジョセフ・ニーダム（一九〇〇―一九九五年）であった。彼は、「古代中国は科学技術で世界をリードしていたのに、なぜヨーロッパで起きたような一七世紀科学革命が起こらなかったのか」を生涯の研究テーゼとした。筆者は、一九九八年にロンドンでアイザック・ニュートン（Isaac Newton 一六四二―一七二七年）の自筆ノートを見る機会があった時、ニュートンがアラビア数字を使用していたことに興味を持った。ノートを精査してゆくと、現在の我々と同じように筆算で計算をしていた。(10) この時ニーダム・テーゼを思い出して、アラビア数字という「魔法の数表記」が一七世紀ヨーロッパで起こった科学革命の隠れた主役であったのではないかと考えるようになった。

ヨーロッパ的土着性をもった科学が、普遍的な近代科学として世界を席巻することが出来たのは、この一〇個の記号を並べるだけでほとんどの数を表現できるアラビア数字の使用によるところが大である。もしアラビア数字がなかったならば、科学革命が起こったかどうかも怪しくなる。これに気づいたが時遅しで、このアイデアを伝えるべきニーダム先生は既に亡くなっていたのが残念だ。

五、キリスト紀年の世界普及と脱宗教化の諸相

最後に、キリスト紀年が共通紀年として世界に普及したのは、キリスト教という宗教性を除くために別の表記法が考案されたからだ。ここでは四つのケースを紹介する。

西暦——日本におけるキリスト紀年の脱宗教化法

日本では、明治初年段階では基督紀元、耶蘇前、西洋紀元、紀元等様々な表記が行われていたがその後淘汰され、明治一〇(一八七七)年以降は西洋紀元、紀元といった表現だけが使われるようになった。

本来なら西暦と訳すのに適切なのはグレゴリオ暦のはずである。ところが、明治五(一八七二)年一一月九日から日本で使用が開始されたこの暦は、太陽暦という表現を使うことで、やはり宗教的色彩を取り除いて導入されている。

その後キリスト紀年を表す表記法が徐々に絞られてきて、西紀と西暦が使用されるようになった。しかし、筆者が調べた限り、書籍で使用された西紀使用の最後は坂本太郎『日本の修史と史学』(至文堂、一九五八年)である。これと

は対照的に明治一六(一八八三)年頃から西暦もキリスト紀年を指示する用語として使用され始めている。興味あるのは、国会図書館デジタルライブラリーで明治以降の出版物における西暦の使用法を調べてみると、例外なしにキリスト紀年の意味で使用されており、月日を指す本来の「暦」の意味での使用はなかった。

第二次世界大戦後になると、西暦がキリスト紀年の意味で専ら使用された。「今年は西暦二〇二一年です」と言って誰も不思議がらないのは、実に奇妙な現象と言える。西暦については、日本語による世界史の学習・教育・研究の際には注意が必要である。(11) 尚、この西暦は、当時の朝鮮に伝わり、現在も韓国では서기(ソギ・西暦)としてキリスト紀年の意味で使用されている。

B. C. E. とC. E. ――ユダヤ教徒の脱宗教化方法

ユダヤ教徒の間で一九世紀後半には使われはじめ、第二次世界大戦後からしばしば使われるようになった紀年表記に、B. C. E. とC. E. がある。これはそれぞれにBefore Common Era(共通紀年以前)とCommon Era(共通紀年)の略記で、B. C. の代わりにB. C. E. を、A. D. の代わりにC. E. を使用する提案である。現在では、欧米の学術出版物には、この表記が多くなってきている。これはキリスト紀年の脱宗教化の一方向だ。

これは、日常生活で英語を使わず、日本語でものを考え日本語で文章を書く日本人にはなかなか理解しにくい感覚である。日本人は西暦・紀元前・紀元後という宗教的色彩を持たない表記法を採用しており、A. D. やB. C. というローマ字表記にしても、その原義を問うのではなく、A. D. は紀元後、B. C. は紀元前の略語と歴史の授業で暗記する場合がほとんどなので、実感として伝わってこない問題である。

ところが、例えばローマ字文化圏においては、常に繰り返すB. C. (Before Christ=キリスト以前)に疑問を感じ、A. D. (Anno Domini Nostri Jesu Christi=我が主なるイエス・キリストの年)という表記法に違和感を覚える非キリスト教徒がいる。

そこで、A. D. やB. C. に替えてC. E. やB. C. E. を使うケースが増えてきているのだ。(12)

しかしこれは、B. C. とA. D. という用語を置き換えただけでそのまま使用し続けるという方法にすぎない。既に宗教性を喪失しているキリスト紀年をキリスト紀年として使用し続ける方が、むしろこの紀年の歴史的な概念変遷の背景を正しく理解できるのではないだろうか。

ナシェイ・エリィ(我らの時代)——共産主義国家による脱宗教化の方法

共産主義国家における紀年表記は、キリスト教との関係で独自の便法が考案された。共産主義はキリスト教に対して徹底して否定的な態度をとった。キリスト紀年法を使うことはそのイデオロギーの根幹と矛盾するからだ。そこで宗教色を抜くために様々な便法が考案された。

ソヴィエト連邦では、キリスト紀年のA. D. とB. C. に代わって、「我らの時代」と「我らの時代以前」という表記が使用されるようになった。「我らの時代」とは、ナシェイ・エリィ nashey eri (**нашей эры**) であり、「我らの時代以前」とは、ダ・ナシェイ・エリィ do nashey eri (**до нашей эры**) である。

一九九一年のソヴィエト連邦の崩壊以後は、再度キリスト紀年の表現に戻った。しかし、実際の年表記には四ケタのアラビア数字だけの表記を使っているので、政治・経済・社会に限らず実生活の上でも多くの人々がこの変更を明確に意識するところとはならなかったようだ。ずいぶん調査してみたが、このことに関しては何らの公式表明もなかったようである。

この紀年認識の考え方は、ソヴィエト連邦の衛星国である旧共産主義国家においても採用された。ポーランドの場合を紹介しよう。一九八九年までポーランドは共産主義国であった。したがって、年表記においても、ソヴィエトに倣って紀年名称を変えた。ポーランド語による省略形・紀年表記・日本語訳の順に紹介する。「n. e. = naszej ery =

ナッシャイ・エリ＝我らの時代」、「p. n. e.＝przed naszą erą＝プシェド・ナッション・エロウ＝我らの時代の前」。この二例が示すような表現で脱宗教化が行われた(13)。

いま振り返ってみると、ソヴィエト共産主義が世界を席巻したのは一〇〇年にも満たない期間であった。そして、共産主義国家が採用したキリスト紀年の名称変更による継続受容は、正教会に戻った今ではキリスト紀年として意識され、受け入れられている。名称は異なっても、同じ四ケタの数字のみを使用しているので、表面上は何の変化もなく、紀年文化は継承されている。

公元——中国におけるキリスト紀年の導入

中央人民政府法制委員会編『中央人民政府法令彙編一九四九—一九五〇』(北京、一九五二年)によると、一九四九年九月二七日、中國人民政治協商會議第一届全體會議決議として、「中華人民共和國的紀年採用公元。今年爲一九四九年」(中華人民共和国の紀年として公元を採用する。今年を一九四九年とする)として、キリスト紀年を「公元」という名称で導入することを宣言した。

ソヴィエト＝ロシアを中心とする共産主義国家群は、キリスト紀年を廃止せずに脱宗教化して継続使用することに腐心した。そこで、「我らの時代」とか「我々の紀年」という表現を考案した。共産党による支配がはじまった一九四九年の中華人民共和国成立時に宣言された「公元」という紀年名称は、東欧の共産主義国家と共通する。つまり、この紀年表現は、コミンテルン(インターナショナル)を通じて、ロシアから中国にもたらされ、それを漢字に変えて公元と表記したようだ。

筆者は中国で開催される研究会や講演に招聘されるたびに、公元とは何かについて質問してみるのだが、中国の歴史家や学生は、紀年法に関心が薄いようである。公元の由来について、もともとはキリスト紀年であるという事実を知っていた人はいなかった。公元の由来はナシェイ・エリィ(我らの時代)であり、その前はキリスト紀年であるという意識は希薄であった。但し、二〇二一年に入って、公元を中国語の検索サイト「百度」で調べると、公元前と公元后の説明でキリスト教に言及しているページが出てきている。

紀元前は公元前と表記される。北京や上海の博物館に行くと、古い歴史を持つ中国は紀元後の期間より紀元前の期間の方が長い国なのだから、公元前という表記が展示品の至る所で目にはいる。

実は、中国においてはすでに辛亥革命勃発の翌年(一九一二年)から公历紀元(公元)が使われており、同時に中華民国紀年という年号紀年も使われていた。また、一九一二年一月一日(旧暦では前年の一一月一三日)には太陽暦が採用されている。

明治日本においては、キリスト紀年は西暦、グレゴリオ暦は太陽暦と意訳することで、キリスト教的色彩を除いた。同じ東アジアに位置していても、キリスト紀年を指示する漢字表記が全く異なるのは、西洋からの導入ルートの違いによるといえる。

世界共通紀年・世界基軸紀年という表現の意味すること

紀元前の昔から世界各地で生まれた多くの紀年法の中で、六世紀に生まれたキリスト紀年が、二〇世紀になると世界共通紀年となった。世界史認識においては、一つの時間軸に世界各地で生起してきた歴史上の出来事を共時化して再整理することで、初めて世界史が成立する。この一つの時間軸として、多くの国がキリスト紀年を採用するようになり、個々の文化が培ってきた固有の紀年法に加えて、キリスト紀年が世界共通紀年として採用された。

その理由は、キリスト紀年が過去と未来の双方向に向かって無限に延びる時間軸を設定できた世界で唯一の紀年法だからである。多くの文化圏では、キリスト紀年を世界共通紀年として使用するために、その宗教性を消し去る手法を様々に考案してきた。それに加えて、この紀年の世界的普及は、アラビア数字（インド数字）のおかげによるところが大きいことを考えると、キリスト紀年という名称ではあるが、世界の叡智の結晶だということができる。

世界共通紀年・世界基軸紀年という表現自体が、世界の各地域・各国家・各民族が独自の紀年法を持ち続けているという前提のもとに使用されている表現であることに留意しなければならない。この前提があってこそ、今現在、我々が生きている年は「二〇二一」だという四ケタ数字の紀年に対して、バランスのとれた歴史感覚を保つことが出来るのではないか。

そして、この歴史感覚こそが、多様で豊かな歴史意識・歴史認識の可能性を我々に保証してくれるのだ。今現在、古い文化を持つ国では、伝統的な紀年法と「世界共通紀年としてのキリスト紀年」を併用しているという事実を忘れてはならない。インド・中国・日本・イスラム諸国等々、皆、自文化の紀年法を堅持している。(14)

おわりに

一九二七年に創設された国際歴史学会議(International Committee of Historical Sciences)は世界中の歴史学会を統括する国際学術機構で、歴史家のオリンピックともいわれる国際歴史学会議(International Congress of Historical Sciences)を五年おきに開催している。二〇〇〇年八月には、第二千年紀(The Second Millennium)を記念してオスロ大学で第一九回国際歴史学会議が開催された。この会議で筆者は、「時間の構築と分割」(The Construction and Division of Time)と題する全体会で基調講演を行い、キリスト紀年の比較歴史学に関する本会議を主宰した。(15)

西暦二〇〇〇年という、まさに節目に当たるその年に、世界中から参集した数千人の歴史家を前にして、キリスト教徒ではない日本人の筆者が、キリスト教紀年法の比較歴史学的意味に関する基調講演を行うことが出来たのは、キリスト教圏の内からではなく、外側からこの紀年法を学問的に研究することが出来たからだ。

この「キリスト紀年が過去と未来の双方向に向かって無限に延びる時間軸を設定できた世界で唯一の紀年法である」という筆者の視点がどのようにして形成されたかを最後に書き記しておきたい。

最初のアイデアは「絶対温度と相対温度」という高校の物理に出てくる温度測定方法から得た。今我々が日常使用しているのは、一八世紀中頃に始まる摂氏(Celsius)という温度表記である。これは、一気圧のもとで、水が凍る温度を摂氏零度とし、水が沸騰する温度を摂氏一〇〇度とする。やはり一八世紀中頃に使用され始めた温度表記に、華氏(Fahrenheit)がある。これは、水が凍る温度を華氏三二度とし、水が沸騰する温度を華氏二一二度として、この間を一八〇に分割する。しかし、現在華氏はアメリカ以外ではほとんど使用されていない。

摂氏も華氏も、水の凍る温度と沸騰する温度という二つを起点として、それより低い温度・それより高い温度を無限にカウントできる考え方だ。

これに対して、一九世紀後半に絶対温度という「科学的」温度表記が出現する。この絶対温度は熱力学に基づいたもので、熱振動がなくなり分子・原子が動きを止める温度を絶対零度とし、これ以下の温度は存在し得ないとして、その温度を摂氏マイナス二七三・一五度とした。絶対零度を相対温度で定義していることに注目していただきたい。究極の起点を設定し、そこから一方向にだけ計測してゆくという「科学的」思考法と並んで、摂氏・華氏という双方向に計測してゆくという思考法が依然として存在していることは、とても興味を引く。その上、一般には、摂氏を使用した温度で記するのが普通だ。なぜそうなのかというと、我々人間は自己を軸にして上下左右、過去未来等々を相対的に表現して理解しようとするからだ。

この人間の自己中心的発想は、紀年法でも同じだ。世界創造とキリスト生誕という二つの焦点を軸にして過去と未来に向かって無限に延びる数直線を構築することで歴史を認識するからだ。

これまで筆者は、友人の物理学者たちに「絶対零度より低い温度は本当に存在し得ないのか」と尋ねてきたが、筆者の質問には皆笑って取り合ってくれなかった。

しかし、最近興味深い論文を見つけた。二〇一三年にアメリカの科学雑誌『サイエンス *Science*』に掲載された「負の絶対温度下における運動の自由度」(S. Braun, et al., "Negative Absolute Temperature for Motional Degrees of Freedom," *Science* 339, 52, 2013)だ。この論文は絶対零度より低い温度が存在するという研究結果を発表したのだ。後続の研究が将来必ず出てくると期待している。[16]

独創的な研究は、通説を鵜呑みにせず、疑ってみることから始まる。紀年法研究に関して言えば、日本人は実に有利な立場にある。年号と干支による紀年法という独自の視点から、他の紀年法を研究できるからだ。全ての学問的研究は比較することから始まる。

注

(1) イスラム文化圏で使用されているヘジラ紀年法は、暦法が純粋太陰暦のため一二カ月をもって一年とする。つまり一年は三五四日である。
(2) Johann Funck, *Chronologia Hoc Est Omnium Temporum Et Annorum Ab Initio Mundi*, 1552.
(3) The Project Gutenberg eBook of Theory of the Earth, Volume 1 of 4, by James Hutton.
(4) ブリタニカ国際百科事典「直線」の項(https://kotobank.jp/word/%E7%9B%B4%E7%B7%9A-98315)、最終閲覧日二〇二一年四月三日。
(5) 『御纂暦代三元甲子編年萬年書』一八二〇年、東北大学付属図書館蔵。
(6) 国立天文台暦研究室のユリウス通日換算表による。
(7) John Blair, *The Chronology and History*, London, 1754.
(8) 日本語による関連研究に関しては、以下の国会図書館データベースを参照のこと(https://crd.ndl.go.jp/reference/modules/d3ndlcrdentry

/index.php?page=ref_view&id=1000233778)、最終閲覧日二〇二一年四月三日。

(9) 『新訳聖書』では、「ルカによる福音書」第三章第一節に「皇帝ティベリウスの治世の第十五年」とあるのが唯一の紀年表記である。

(10) 現在ではインターネット公開されている(http://cudl.lib.cam.ac.uk/collections/newton/1)、最終閲覧日二〇二一年四月三日。

(11) 佐藤正幸「ホモ・ヒストリクスは年を数える」(11)~キリスト紀年を表す造語『西暦』~脱宗教化による文化移入こそ明治日本の英知」(https://news.yahoo.co.jp/articles/c7ef923b5c9b32d859eb8d11f72d52344adcd58e?page=2)(2019年5月27日)、最終閲覧日二〇二一年四月三日。

(12) 天文学者のヨハネス・ケプラー(Johannes Kepler 一五七一—一六三〇年)は共通紀年に相当するラテン語表記「世俗紀年」(anno aerae nostrae vulgaris)の使用を主張した。

(13) 共産主義下におけるポーランドの紀年表記に関しては、ポズナン大学のケイト・クラーク博士とティム・クラーク教授に御教示頂いた。

(14) 二〇一六年一二月一七日付けの *The Economist* によると、サウジアラビアのサルマン皇太子が、国家の将来計画書のタイトルを"Vision 2030"としたとして話題になっている。サウジアラビアではヘジラ暦が使用されており、この暦を使用すると"Vision 1451"になるはずだ。あえて西暦をタイトルに持ってきた理由については多くの憶測がなされている。

(15) この講演は翌年オスロ大学から出版された"The Construction and Division of Time: Periodization and Chronology," *Making Sense of Global History*, Universitetsforlaget, Oslo, pp. 85–102.

(16) 『Natureダイジェスト』(Vol. 10, No. 3, 2013)インターネット版に、「絶対零度より低温の量子気体」と題する本論文紹介記事の日本語訳が掲載されていることを、山梨大学工学部助教の佐藤玄博士より御教示頂いた。

参考文献

イフラー、ジョルジュ(一九八八)『数字の歴史——人類は数をどのようにかぞえてきたか』彌永みち代・丸山正義・後平隆訳、平凡社。

エラノス会議編、H=Ch・ピュエシュ、H・コルバン(一九九〇—九一)『時の現象学』全二巻、井筒俊彦監修、神谷幹夫訳、平凡社。

岡崎勝世（二〇〇〇）『キリスト教的世界史から科学的世界史へ――ドイツ啓蒙主義歴史学研究』勁草書房。
佐藤正幸（二〇〇四）『歴史認識の時空』知泉書館。
佐藤正幸（二〇〇九／二〇一四）『世界史における時間』〈世界史リブレット〉、山川出版社。
蔀勇造（二〇〇四）『歴史意識の芽生えと歴史記述の始まり』〈世界史リブレット〉、山川出版社。
フィネガン、ジャック（一九六七）『聖書年代学――古代における時の計測法ならびに聖書に現われた年代の諸問題』三笠宮崇仁訳、岩波書店。
ベーダ（一九六五）『イギリス教会史』長友栄三郎訳、創文社。
前川貞次郎（一九八八）『歴史を考える』ミネルヴァ書房。
藪内清（一九八〇）『歴史はいつ始まったか――年代学入門』中公新書。
佐藤正幸（二〇一九）『历史认识的时空』郭海良訳、上海三联书店。
張璜（一九〇四）『歐亜紀元合表』上海・慈母堂。
陳垣（一九二五）『中西回史日暦』勵耘書屋。
Bell, James (1842), *A View of Universal History*, London.
Blackburn, B. and L. Holford-Strevens (1999), *The Oxford Companion to the Year*, Oxford University Press.
Kelley, Donald R. (1970), *Foundations of Modern Historical Scholarship*, New York.
Needham, Joseph (1966), "Time and Knowledge in China and the West", in J. Frazer (ed), *The Voices of Time*, Amherst.
Porter, Roy (1977), *The Making of Geology*, Cambridge University Press.
Prusek, Jaroslav (1963), "History and Epics in China and in the West", *Diogenes*, 42.
Sato, Masayuki (1991), "Comparative Ideas of Chronology", *History & Theory*, 33.
Sato, Masayuki (1996), "Périphéries imaginées", *Diogène*, 173.
Sato, Masayuki (2015), "Time, Chronology and Periodization in History", *International Encyclopedia of the Social and Behavioral Sciences*, Vol. 24 2nd ed., Elsevier.

問題群｜*Inquiry*

世界史のなかで変動する地域と生活世界

西山暁義

一、「地域」と「地域史」

歴史学は何よりも時間を主題とする学問である。とはいえ、何らかの空間概念や単位を設定することなく歴史を叙述することはできない。それは村や共同体などを舞台とするミクロなレベルの歴史であっても、「世界史」や「グローバル・ヒストリー」などといったマクロな全体史を志向する場合でも同様である。そこには、主語や述語において何らかの空間的単位として「地域」の名称が不可避的に登場する。しかし、時間的区分(時代)については研究のなかでさまざまな提案と論争が行われてきた一方で、空間的区分(地域)として使用される概念、その歴史性については十分な注意が払われてきたとは言い難い。たとえば、岡本充弘も指摘するように、歴史教科書や概説を開いてみると、そこには現代の国民国家との連続性を示唆《しさ》するように、「一二世紀のイギリス」、「一六世紀のイタリア」、「前三世紀の中国」などといった表現がふつうに使われている一方、「東ヨーロッパ」のウクライナなどのように、広域的な地理概念のなかに埋没する事例もある(岡本 二〇一三：三五―三六頁)。このことは、日本特有の「メンタルマップ」を反映しているともいえるが、同時にそうした現象自体は日本に限られた話でもない。

ヨーロッパに目を向けると、一九八九年に冷戦の終結が宣言されたのち、一九九〇年代に入るとヨーロッパ共同体（EC）からヨーロッパ連合（EU）へと制度的統合が進み、ヒトとモノの流動化を促進するシェンゲン協定の締結、さらに共通通貨ユーロの導入などによって、国境の役割は大きく低減した。また、ヨーロッパ統合の枠内で進められていた「地域 region」を単位とした国境を越える協力関係、ネットワーク（ユーロリージョン）の構築や各国における地方分権の推進は、国家主権が上下へと分散され、国民国家はまさにその形成の先駆となった地域において克服も先駆的になされるかのように見えた――あるいは人々はそのように見ようとした。しかし、約三〇年が経った現在、ヨーロッパの政治統合について当時の楽観論は後景に退いているといってよいであろう。二〇〇四年以降の東ヨーロッパへの拡大後の不協和音の増大、ユーロ危機、難民危機、そしてブレクジットと相次ぐ危機に見舞われ、二〇二〇年来の新型コロナウイルス感染症の問題においても、その対策にはEUよりもむしろ構成国たる各国家が前面に出ていたことも記憶に新しい。こうしたなかでEUに対する見方は悲観論に反転した感がある。しかし、遠藤乾は「統合は死んだ。しかしながら、EUはしぶとく生きて」おり、「今後も行く末を注視するに値する存在なのである」と指摘しつつ、同時にそれに立ちはだかる問題として、根強い「方法論的ナショナリズム」の存在を指摘している。遠藤は、それを「（1）世界は一定数の国家に領域的に分割され、（2）それぞれの国家は、対内的には〈国家＝国民＝民主制＝主権＝憲法＝市民権ないし市民社会〉といった一連の聖なる「異本合成」のなかで成立しており、あるいは成立するはずであり、（3）対外的には、同様のセットの中で成立している（はず）の他の国家と差異化され並置・対峙される」、と整理している（遠藤 二〇一三：三六〇、三六八頁）。

歴史研究においても、国民国家史観の相対化の追求から、グローバル・ヒストリーやトランスナショナル・ヒストリーといった国境横断的なアプローチが提起されるようになっているが、同時に「イギリス史」や「フランス史」、「ドイツ史」といった一国史の枠組みも依然として強固である。ただし、注意が必要なのは、近年では一国史をトランスナショナル、あるいはグローバルな連関のなかで再解釈しようとする試みも増えてきているという点である。このことはイギリス史研究の場合、帝国史というサブ領域において部分的に織り込まれているともいえるが、同じことがフランス史やドイツ史に当てはまるわけではない。しかし、紀元前三万四〇〇〇年のクロマニョン人から二〇一五年のパリ同時多発テロにいたる一四六の年号・事件を取り上げた、パトリック・ブシュロン編『フランスの世界史』(二〇一七年)が大きな反響を呼び(Boucheron 2017)、同様の著作はイタリア史やオランダ史、スペイン史、ドイツ史、ポルトガル史についても相次いで刊行されている。

本稿の中心概念となる「地域」、あるいは「地域史」についても、こうした近年のグローバル・ヒストリー、トランスナショナル・ヒストリーの文脈において、その意味と方法が問い直されてきた。『パルグレイヴ・トランスナショナル・ヒストリー辞典』の「地域 Regions」の項目には、「トランスナショナル・ヒストリーは、国民を無視するのではなく、むしろ国民を歴史化し、国民が常に最重要の分析単位であることを前提としないよう働きかけるものである」と述べられ、その一つのアプローチとして地域史の意義が見出されている。と同時に、「地域」とは何かということについては、「自然的、文化的特徴をめぐり凝集性を有する政治的共同体あるいは地理的空間」とされつつ、「ある地域を構成するものは何かについて、明確な定義があるわけではない」とも述べられ、アメリカ合衆国における「バイブル」、「サン」、「ラスト」の「ベルト地帯」などといった国家の下位に位置する地域から、地中海、サハラ・アフリカ、東アジアなどメガ地域まで挙げられている(Young 2009: 882)。なお、一般に空間的スケールの序列として、Global-Regional-National-Local とされることが多いが、とくにヨーロッパの文脈では Global/Europe-National-Regional-Local とされることも少なくない。実際、イギリスのニュー・レフトの文化理論家であるレイモンド・ウィリアムズの『キーワード辞典』には、この四つの概念のなかで Region (al) のみが取り上げられているが、そこには、region は「地球上のそれぞれの地域をいうときに用いられる用法であ」るが、「皇帝や教会の支配下では、またのちに中央集権的な国民国家が力を伸ばしてくると、regionはより大きな政治単位の一部であるだけではなく、それに従属して支配される部分にもなっている」とされ、「方言」の項目の参照が指示されている(ウィリアムズ 二〇〇二：二六六―二六七頁)。ここには、一九七〇年代に台頭する地域主義regionalism、各国民国家における「中央」に対する「辺境」の異議申し立てが念頭におかれている。ウィリアムズ自身ウェールズ出身であったが、ちょうどこの時期歴史研究においても、「世界システム論」のイマニュエル・ウォーラーステインのもとで学んだマイケル・ヘクターが、ウェールズなどを事例とした『国内植民地主義』を発表し、帝国史と国内史の接合を試みた時期でもあった(Hechter 1975)。

「地域」の多義性については、日本においても以前から指摘されているところである。たとえば、やはり一九七〇年代に「n地域論」を提起した板垣雄三は、「一小村落あるいはより小規模の地域(論理上、最小の地域は個人)から、大きくとれば人類的・地球大的規模の地域まで」が対象となりうると指摘している(板垣 一九九二：二七頁)。「n地域論」は本来、帝国主義における支配・抑圧を重層的に把握するための「操作概念」であり、それをどのように設定するかという点については研究者自身の問題関心が問われるきわめて構築性の高いものである。そのため、この概念の伸縮自在性はたんなる多義性や多形性を意味しているのではなく、さまざまなアプローチによる実践可能性を意味するものでもあった。

「グローバル化」が進む一九九〇年代末になると、地域史に対する関心の増大が世界的に観察されるようになった。アメリカでは一九九九年の『アメリカン・ヒストリカル・レビュー』誌に地域史、地域運動史にかんするフォーラムが開かれ、ヨーロッパ、東アジア、アメリカにかんする論考が並んだ(Applegate 1999; Wigen 1999; O'Brien 1999; Rafael 1999)。また、それまで地政学の政治への関与、とりわけナチ時代の「生存圏」構想が果たした役割から、第二次世界大戦後、領域や空間に対して歴史学が禁欲的であったドイツでも、「空間の復権」(Osterhammel 1998)が語られるようになった(この点、日本とドイツにおける一定の共通点がみられるが、戦後直後の両国における歴史学を比較したゼバスティアン・

コンラートは、日本の歴史学が国民の階級性＝人民に重点を置いていたのに対し、(西)ドイツのそれでは民族の地域性が問われていたことを指摘している(Conrad 1999))。日本では衣食住、病気・感染症、時間、環境・生態系など、さまざまな――国民国家単位だけでは把握できない――テーマを中心に扱う全一二巻からなる『地域の世界史』(山川出版社)が刊行された。編者の一人である濱下武志は、その第一巻において以下のように述べている。「一見融通無碍な「地域」は、それを認識する認識主体の視角によって形態化され可視化される対象となり、確たる歴史空間として登場することになる。さらにこの空間認識が地理的な実在と結びつき、政治地理的な空間が構成される。こうして、地域研究では、国家論にみられる領土的、領域的な空間認識にとどまらず、問題視角によってあらわされる空間をさまざまに論議することを可能にしている。けっして、まず地域があるのではない。むしろ歴史対象を『空間』という視点から取り上げ、地域の文脈をたぐりだしてゆく試みである」(濱下 一九九七：一七頁)。ここには、板垣と通じる社会構築的観点が示されると同時に、歴史的アクターや研究者の認識を通して地域が実態化すること、そして「空間」と「領土・領域」の区分の必要性が指摘されている。

ここで想起されるのが、さまざまな「文化論的転回」のなかの一つである「空間論的転回 spatial turn」である(Bachmann-Medick 2006: 284-328)。他の「転回」と同様、参加する論者たちの具体的主張は一様ではないが、次の二つの点において共通しているといってよいであろう。一つは、一九世紀の鉄道や電信に代表される近現代の移動・伝達技術の革命的な加速は、けっして「空間の抹殺」や「時間に対する空間の従属」を生み出したのではなく、空間はその形態や機能を変化させつつ存在し続けているということ。そしてもう一つは、領土を空間と同一視し、その構成単位――近現代でいえば国民国家――をコンテナ、すなわち容器として他とは並存しつつも切り離された、自律的な構成単位とみなす考え方に対する批判である。この「領土＝コンテナ」の見方では、ある社会の変化はその領域内在の要因によって規定されることになり、先進・後進という発展史観にも結びつく。これに対し、「空間論的転回」の立場は、通時性よりも共時性、そしてそこにおける接触の有無やあり方が問われることになる。この点、「空間論的転回」にも影響を与えたミシェル・フーコーの以下の発言は示唆的である。「私たちは同時代性の時代を生きている。私たちは並置の時代、すなわち近くと遠く、横並び、そして散在の時代を生きている。私たちが生きる時代は、私たちの世界の経験が時間を通しての長い生の発展というよりも、むしろそれ自体に錯綜がある点や交差点を結びつけるネットワークの時代である」(Middell and Naumann 2010: 155から引用)。そして、政治地理学の観点から「主権」概念の分節化を唱えるジョン・アグニューの指摘である「領土の罠 Territorial Trap」――①国家が明確に確定された領土に対し排他的な主権を行使できるという思い込み、②国家の内外は分離されており、別個の領域を形成しているという思い込み、そして③国家の境界と社会の境界は一致するという思い込み――もまた、前述の「方法論的ナショナリズム」を批判するものである(山﨑 二〇一三)。

こうした「空間論的転回」の議論に歴史学は最初から関与していたわけではなく、ヨーロッパの場合でいえば、リュシアン・フェーヴルらアナール学派などが引き継ぎ、発展させ、また日本においても「方法としての地域史」が議論されてきた。しかし、二一世紀にはいり、グローバル・ヒストリーやトランスナショナル・ヒストリーが台頭するなかで学際性も強まり、歴史学においても「空間論的転回」が受容、議論されるようになってきた。このことをふまえつつ、以下では三つの点について考えることにしたい。第一に、領域の外面を縁取る「境界」の歴史。そして第二に、均質的と想定されるその内部の構造の重層性。そして第三に、複数の地域の結びつき方と結びつけ方である。取り上げる例はヨーロッパ、そして近現代が中心となり、このことはヨーロッパ中心主義的、近代偏重的印象を与えるかもしれない。しかし、たとえばチャールズ・S・メイヤーは、国家を「ある一定の領域内部における正当な物理的暴力行使の独占」とするマックス・ヴェーバーの古典的定義を歴史化し、一七世紀半ばから二〇世紀半ばまでを、その前後の「帝国」、「ポスト領域」の時代と区別して、「領域性の時代」と呼んでいる(Maier 2006)。次節以降では、こうしたマクロの見取り図に対し、地域がどのような意味をもちうるのかについての、一つの具体例を提示することにしたい。

二、領域の境界

「日本固有の領土」――「北方領土」や竹島（独島《トクト》）、尖閣諸島をめぐる政府見解で繰り返されるこの常套句《じょうとうく》に対し、日本における「境界研究」（ボーダースタディーズ）をけん引してきた岩下明裕は、「「固有の領土」など本来、存在しない。境界はいつでも変わる。境界付けられた空間、つまり領土は広がることもある。そして縮むことも」と述べている（岩下 二〇一六：x頁）。現代世界や歴史を見渡せば一見当たり前であることのように思われるが、ここで変わる境界とは、たんにその引き直しだけを意味しているのではなく、境界の役割、機能とその変化としても理解すべきであり、岩下も主権概念の分節化をふまえた北方領土問題について実践的な解決案を提言している。また、岩下の解説が付されたボーダースタディーズ入門書の著者ディーナーとヘーガンは、「境界は、人間の活動やその組織にとって必要不可欠な構成要素である。われわれは、機会と不安の領域、接触と対立のゾーン、協力と競合の場、両義的なアイデンティティや差異にともなう攻撃的な主張が行われる場という、境界それ自体のもつ役割を深く理解せざるを得ないのである」と指摘している（ディーナー／ヘーガン 二〇一五：一三頁）。ここでは二つの点に注目したい。一つは、境界付けるという行為自体は人間社会に内在するという点であり、一つの境界（たとえば国民国家や城壁で囲まれた中世都市など）の衰退・消滅は別の境界（たとえばEUや居住区の「空間分離」（セグリゲーション）、「要塞住宅街」（ゲーティド・コミュニティ）など）を生み出したり、あるいは形を変えて現れうる、ということである。もう一つは、ここで対として挙げられているように、境界は開くこと（橋）と閉じること（壁）の両面の機能があり、それらは表裏の関係にあるということである。ヨーロッパの場合でも、そのせめぎ合いの事例として、二〇一五年の難民危機をめぐる問題や、さかのぼれば、シェンゲン協定が掲げる「開放国境」という観念が諸国において移民流入の不安を高め、その発効までの逡巡《しゅん》《じゅん》のなかで、協定国間で犯罪者データの交換や国境周辺での不法取締りをめぐる連携を強化させたことなどが想起される(Siebold 2013)。グローバル化をめぐる「脱領域化」と「再領域化」のプロセスを観察するうえで、境界は重要な場であり、それは歴史研究にも当てはまる。

「境界研究」の蓄積のなかで、これまで比較を可能とするためのいくつかの類型論がすでに提唱されている。たとえば、アメリカ・メキシコ国境の研究者であるオスカー・マルチネスは、フィルタリングの機能の観点から境界を「疎外」、「共存」、「相互依存」、「統合」の四つに分類している(岩下 二〇一五：六五—六六頁)。他方、東南アジアにおける国家主権の統制から逃れる高地住民「ゾミア」(のちに人類学者ジェームズ・スコットが研究をおこなった(スコット 二〇一三))の提唱者でもあるウィレム・ファン・スケンデルらは、国境のライフサイクル論を提唱し、「胚胎」、「幼少」、「青年」、「壮年」、「衰退」、「消滅」という六つの境界の時期的段階を設定している(Baud and Van Schendel 1997)。マルチネスの場合にしてもファン・スケンデルの場合にしても、こうした類型論には発展史観的図式が前提となっているが、ファン・スケンデル自身、実際の推移は不可逆的ではないこと、そして同一の国境であっても、その地域社会のかかわりによって、局地的にその性格は異なりうることを認めている。そうした留保や「境界研究」のグローバルな比較については発展途上的であることをふまえつつも、学際的な「境界研究」は歴史研究にとって参考となる点が多く含まれている。

境界、国境をめぐる歴史研究において、対象となる地域によって問題関心は微妙に異なっていた。ヨーロッパからの植民による帝国支配と先住民との関係や、フレデリック・ジャクソン・ターナーの「フロンティア学説」の批判的検証が中心的課題とされたアメリカに対し、ヨーロッパにおいて見直しの対象となったのは、「ウェストファリア体制」にもとづく主権国家間の外交や戦争による国境の画定、すなわち中央の辺境に対する一方的な権力行使の図式であった。後者の嚆矢《こうし》となったのが、アメリカの歴史家ピーター・サーリンズによるピレネー山脈南東部、セルダーニャ峡谷についての研究である(Sahlins 1989)。サーリンズによれば、ピレネー条約(一六六〇年)によってフランスとスペインに分割された峡谷の住民たちは、カタルーニャ文化を共有し、祝祭にともに参加しつつも、用水権などをめぐる村落共同体の利害の対立のなかで「国民」の言説を自発的に使用していくようになる。ピレネー条約から約二〇〇年後、境界線を最終的に画定させたバイヨンヌ条約(一八六六年)へのプロセスにおいて、「国家ではなく、共同体が国際的な境界線を定義したのである。そしてフランスとスペインの国境を構築しつつ、彼らは自身のためにフランス人とスペイン人という新たなアイデンティティを創り出したのである」とサーリンズは述べている。ここには、近代化論が措定する中央から辺境への「普及論」、フランス史の文脈でいえば、学校教育、徴兵、鉄道、情報伝達などによって「農民たちがフランス人になる」のは第三共和政の初期(一八七一―一九一四年)のことであるというユージン・ウェーバーの議論に(Weber 1976)、それ以前において自ら国民意識を戦略的に選び取っていった辺境の民の主体性が対置されることになる。

このような地域社会とその住民による「したたかな主体性」が国境の形成、機能に重要な役割を果たしたということは、現存するヨーロッパの国境で「最古」とされるスペイン・ポルトガル国境など、他の事例においても確認される(François et al. 2007; Di Fiore 2017)。さらに、第二次世界大戦後の「鉄のカーテン」の最前線として、軍事的監視などによる国家の関与、日常的存在がきわめて強い地域であった東西ドイツ国境地域についてみてみよう。私たちの記憶を規定するのは、都市を二つに分断する高くて厚いベルリンの壁であり(ヴォルフルム 二〇一二)、そこでは地域社会の関与の余地はなかったかのように思われる。そうであるがゆえに、一九八九年の崩壊が壁によじ登ったり、ハンマーで壁を壊そうとする若者たちの写真によって象徴されることになる。しかし、東西ドイツ(あるいは西ドイツ・チェコスロヴァキアを含め、西ドイツの対東欧）国境全体のなかで、飛び地西ベルリンを囲む壁はごく一部に過ぎなかった。これに対し、中部ドイツの農村地域を分断した国境線については、ベルリンよりも早く、新たな、きわめてイデオロギー的な国境統制が行われ、一部の地域住民が強制移住などの対象になった。しかし、その後国境線が「安定化」していくなかで、補償の要求や助成金の獲得、地域経済における企業間の競合、そして西側における国境の観光資源化や安全保障上の観点などから、住民たちはときに政府の思惑を超えて冷戦の論理を内面化、活用する状況がみられたという（Sheffer 2011; Schaefer 2014）。

サーリンズ以降のヨーロッパの国境地域にかんする社会史は、（それ自体が決して一枚岩ではない）地域社会の主体性を重視することによって、中央・周縁の枠組みの批判的な見直しを促している。ただし、ここまで取り上げた論点からは、むしろ地域社会の主体性は国民統合にこそ発揮され、場合によっては国家を先取りしたり、その期待を超える形で推進されるのが一般的であるかのような印象を与えるかもしれない。この点、とくに二宮宏之が政治的イデオロギーにもとづく近代国民国家に対置した「エトノス」――「人と人の日常的な関わり合いのなかから、自然発生的に生まれる結合」（二宮・近藤 一九九〇：四〇八―四〇九頁）――のイメージには適合しがたいように思われる。しかし、その「したたかさ」は決して国民形成を推進する方向であったばかりではないという点には注意が必要である。たとえばサーリンズが扱ったピレネー山脈の西北側のバスク地方においては、セルダーニャの住民が使ったナショナルなロジックは見られず、むしろ仏西両国が戦時にあってもなお、国境の両側の共同体間による牧草地の使用に関する慣習的な取り決めが有効であったことや、先に述べた東西ドイツ国境地域の場合でも、東ドイツ側の農民が国境の反対側に保有していた農地の管理をそちらに住む親族らに委ねるといった、越境的なネットワークが機能していた事例も多くみられる。すなわち、国境における地域社会の主体性は、結果として国民国家形成のプロセスを「下から」後押しする可能性もあれば、その多孔性を利用して、国境をまたぐトランスナショナルな地域・地帯を形成することもありうるということである。

この点、中東欧は国境線の短期的な変動において特徴的であり、重要な視点を提供する。一般的な説明では、一九世紀の進行とともにこの地域においてもナショナリズムが高揚し、多民族居住地域は民族闘争の場と化していったとされる。しかし、ハプスブルク帝国についての近年の研究は、そうした図式を批判し、「国民(観念)に対する無関心」という現象を指摘している。この議論の主導者の一人タラ・ザーラによれば、彼女が実証研究の対象としたボヘミア(チェコ)を含め、中東欧には国民・民族よりも宗教や地域、職業、階層など他の共同体により強い愛着をもつ人々が多く存在し、国民・民族意識の不在とも呼べるタイプが存在するという。ただし、これは第一次世界大戦後、多民族帝国が民族国家へと分解していくなかで例外的となり、かわりに状況に応じてナショナルなアイデンティティを使い分ける、(教育や社会福祉などにおける)功利的な柔軟性や流動性がより前面に出てくることになる。さらに、ナショナリストたちが糾弾する二言語使用や民族間の「通婚」も継続的に存在していた(Zahra 2010)。このことは、オーストリア・ハンガリーに限らず、たとえばプロイセンがポーランド分割等で獲得した東部領においても確認することができる(割田 二〇一二)。一八七一年に同国を中心とするドイツ統一が実現したのち、ナショナリズムの高まりのなかで、とくに民族対立が激しかったとされるポーゼン州、西プロイセン州では、「ドイツ人」と「ポーランド人」の「通婚」の割合は五―一〇%であり、民族対立が本格化するとされる世紀転換期においても――ナショナリスト団体によるプロパガンダにもかかわらず――安定・増加の傾向にあった(Tilse 2011)。ナショナリストの言説からは、民族観念が日常生活に浸透しており、おなじ民族の店でしか買い物をしないのが当たり前であるかのような印象が浮かび上がるが、それはむしろナショナリストにとっての「あるべき姿」であり、現実に対応しているわけではなかったのである(飯田 二〇一二)。しかし歴史研究においても、近代化の進行とともに、人びとはナショナリズムに覚醒していくはずだという解釈が無批判に前提とされることが少なくない。そうした前提に立つナショナリストが用いる「未覚醒の民族同胞」——ベネディクト・アンダーソンの有名な表現を転用すれば「想像の非共同体」——存在こそが、覚醒者を自任する彼らの行動を正当化していたのである(Zahra 2010)。こうした状況は、ドイツにかかわる事例についていえば、同じく帝国領東部にあり、重工業地帯として発展する一方で、二度の世界大戦によって争奪と分割の対象となったオーバーシュレジエンにおいてとくに当てはまる。ここでも、功利的で状況依存的なナショナリズム(あるいはトランスナショナリズム)の使い分けがより自覚的に追求されたことが指摘されている(伊藤 二〇〇八、Bjork 2008; Karch 2018)。

このように、「国民への無関心」は実際には無関心という受動的な態度に限られず、より能動的な選択をも含んだ住民たちの幅広い社会的行動様式である。このことは、中東欧ならではの現象というべきであろうか。たとえば、ドイツ帝国の南西端に位置し、ドイツとフランスの間で繰り返し争奪されることになるアルザス・ロレーヌにおいても「通婚」の増加や階層的に偏った形ではあるが二言語使用も行われていた(西山 二〇一五)。そして、ドイツとフランスのナショナリズムに取り込まれないメンタリティが確かに存在していたことは、中本真生子が取り上げた、第一次世界大戦から第二次世界大戦後にかけてのアルザスの小学校教員の日記——エゴ・ドキュメント——からも明らかである(中本 二〇〇八)。最近では、ベルギーやソ連の民族共和国などについても「国民への無関心」論を応用した研究がある(Van Ginderachter and Fox 2019)。この議論は、「無関心」の形態やそのような態度・行動をとりうる社会階層について、さらに分節化された検討が必要ではあるが、中東欧の独自性を再確認することにとどまらず、ナショナリズムをめぐる発展論や原初主義に対して批判修正を迫るアプローチとなりうるであろう。

さらに中東欧に重点を置いた研究アプローチとして、「幻想国境」論がある。これは、国境線が何度も書き換えられるなかで、過去の国境線が幻想・亡霊としてどのように人々の空間的な認識や行動を規定しているのかということを主題とするものである(Hirschhausen et al. 2015)。たとえば、第一次世界大戦後に「復活」したとされるポーランドにおいて、かつての三つの帝国(ロシア、オーストリア、プロイセン・ドイツ)に分割されていた一世紀半の過去は、その

「再建」において、さらに第二次世界大戦後に西方移動した現代のポーランド国民国家においてどのような意味を持っているのであろうか。あるいはまた、東西ドイツ統一後に残る「心の壁」もまた、ここでいう「幻想国境」の一つの例であるといえるであろう。ポーランドの場合も、旧東ドイツの場合も、旧境界と投票行動などの政治文化、社会面での地域的特徴の相関関係がしばしば指摘されるが、現実にはなくなったはずの国境が人々の認識に影響を与える「メンタルマップ」の形成と持続、変容について、国家、知識人、地域社会のエリートや住民たちの空間の想像力（言説として生み出され、伝達されるもの）、空間の経験（諸アクターや知識人によって経験と認識され、実践において更新されるもの）、空間の構築（領域化のプロセス）という三つの観点とその相互作用のなかから考察しようとするものである(Hirschhausen et al. 2015: 39)。また、そうした「幻想国境」の例として、しばしばライン、エルベ、オーデル、ヴィスワなどの（南から北へと地図上垂直に流れる）河川が、かつての東西の「文明」と「野蛮」の分け目の含意を保持しつつ用いられてきた(Aldenhof-Hübinger et al. 2016)。こうした河川、山脈、海峡などによって区切られる「自然国境」は、フランスの「六角形」やドイツの国歌（戦後歌われなくなった一番）などにも象徴され、まさに曲がりくねる境界線こそが「自然」であり、アフリカや北中米にみられる（直線的な）国境線は対照的に人工的、恣意的であるとされる(AHR Conversation 2017: 1508)。後者については、帝国主義支配、植民地主義の観点からいえばその通りではあるが、ヨーロッパの国境もまた「自然」を名乗る人工的なものである点に注意すべきである（フランスについてSahlins 1990; Nordman 1998)。たとえばライン川にみられるように、一九世紀初め、氾濫《はんらん》による川筋の変更による国境線の移動を抑止するための直線化の事業が行われる一方で、第二次世界大戦後、ライン川両岸での原発建設計画に対し、ドイツ（バーデン地方）とフランス（アルザス地方）の住民たちは「ライン上流圏」の国境を横断する環境アイデンティティを共有し、そこではドイツ農民戦争の記憶が招喚され、さらに本来ドイツの愛国歌であった『ラインの護《まも》り』が愛郷歌として転用されている（青木 二〇一三）。

三、国民国家と地域

「中央から周縁へ」という図式に対する批判は、国境地域の歴史に限られたものではない。この図式には、前近代的な地域が近代的な国民国家によって吸収され、「地域意識」も「国民意識」によって置き換えられるという含意がある。換言すれば、地域的であることは保守反動的、農村的で静的であり、反対に国民的であることは近代的、都市的で動的であり、歴史の流れは前者から後者へのプロセスであるという二項対立となり、現在でもスケールを拡大した形でグローバリズムの言説のなかにも見出すことができる。しかし二一世紀における私たちの経験は、むしろ両者が相互に関係していることを印象付けるものといえよう。

実際、一九世紀の国民国家形成にかんする近年の研究では、「地域」が果たす補完的な役割に目が向けられている。ヨーロッパについていえば、一八七一年に統一国家が建設されたドイツにおいて、「郷土 Heimat」という理念が統合的な機能を果たしたことが指摘されている。ドイツの場合、プロイセンを盟主とする領邦間の連合として成立した連邦主義という制度的側面にくわえ、プロテスタントとカトリックの宗派対立、工業化の進展にともなう社会主義労働運動の台頭、さらに前に述べた境界地域の「民族少数派」などにより社会には分断があり、ビスマルクの統合政策はそれを利用するものであったが、同時に促進するリスクも抱えていた。こうした遠心力に対して、求心力を発揮したのが地域を国民の構成要素として位置付ける「郷土化」の試みであった。それは広域的な領邦のレベルにおいては、「ドイツ国民」のなかで歴史的貢献を強調するバイエルンや、ドイツの近代化の推進力となったことを強調するザクセンなど、非プロイセン領邦におけるアイデンティティ・ポリティクスにおいてみることができ(Weichlein 2006)、このことは全体性を志向するはずの社会主義政党にも反映されていた(鍋谷 二〇〇三)。同時に、より小さな地域、都市などのローカルなコミュニティにおいても、まさに工業化が加速し人々の流動性が高まる一九世紀末になると、全国的に叢生する「郷土誌」、「郷土協会」、「郷土博物館」などにみられるように、「一体性のなかの多様性」として自らを認識し、表象しようとする動きが強まることになる(西山 二〇〇七)。

ドイツにおける郷土誌の先駆者とされるヴィルヘルム・ハインリヒ・リールの著作を分析した若尾祐司も指摘するように、この理念には既存の価値行動規範が動揺するなかで、民衆の生活保守主義が理想化され、そこに重点が置かれつつも、動揺をもたらす自由主義や資本主義そのものは否定しないという「二律背反的併存」がみられる(若尾 二〇〇五)。世紀転換期の「郷土」においても、伝統文化の称揚だけではなく、工業の発展なども「郷土の誇り」とされているが、重要なのは、それが政治的日常のなかで進行する階級対立などは微塵《みじん》もみられない、調和的な共同体というユートピアとして描かれており、郷土はローカルな共同体から戦時における「銃後」までを指す伸縮自在な観念でもあったという点である。他方、郷土には環境保護運動の萌芽がみられる一方で、近代ツーリズムの発展のなかで自らの「商品価値」を高めようとする消費社会的な意図もうかがえる。このことは、地域がけっして前近代的な「残滓《ざんし》」やたんなる回顧的アイデンティティであったわけではなく、また「領域化」としての国民化も地域社会自身の主体的な関与のなかで、地域を舞台として展開され、交渉されていくプロセスでもあることを意味している。換言すれば、「想像の共同体」(ベネディクト・アンダーソン)は国民国家と地域の間で連動しながら形成されたのであり、「伝統の創造」(ホブズボーム、レンジャー)にも国民的、地域的文脈の双方が存在するということになる。

近現代ドイツにおいて、国民の頻繁な崩壊と再建、そして現在にいたるグローバル化の断続的進展のなかで、「郷土」や「故郷」が周期的にブームとなり、意味付けは異なりつつも政治的立場を問わず「再発見」されることになるが(高橋 二〇一八)、そこではしばしばこの概念が「他の言語では翻訳不能」であり、ドイツ独特のメンタリティであることが強調される。しかし、少なくとも国民国家と地域の同心円的関係性への再編、情緒的土台としての「郷土」

の言説は、決してドイツに限られたことではない。国民理念においてドイツと対照的とされる中央集権的なフランス第三共和政期の"petite patrie"(小さな祖国)や"terroir"(地方)にも同様の役割を見ることができる(シャネ 二〇一四)。また、アジアにおいても、日本の明治初期の廃藩置県、そして近代地方自治制度への大きな転換のなかで、近世的村落は合併によって行政村として固有の「領域性」と「団体性」を失っていく一方(松沢 二〇〇九:四二〇―四二二頁)、当初の「未成熟で矛盾していた」郷土愛と愛国心の関係が、憲法議会の導入と対外戦争を経験し、構造的に連動していくことが、旧藩の顕彰という活動を通してみられるという(高木 二〇〇五)。さらに中国でも、一九世紀に地域的な歴史意識が出現するなかで(山田 二〇一二)、世紀転換期の清末民初期の近代国家への転換の試みにおいて郷土誌の言説を紡ぎだす知識人にとって、「郷土とは、一草一木にいたるまで愛すべき存在であるのと同時に「文明化」のために改良すべき対象であるという両義性を有する存在」であったという(佐藤 二〇一三:三八八頁)。「一九世紀の近代の文法に照らしてみると、フランスのような「古い」国民国家と、日本のような「新しい」国民国家はたいてい、ほぼ同じ時期に同じことを経験して」おり、国民統合のメカニズムは共時的な比較が望ましいというキャロル・グラックの指摘は、「郷土」の形成についても当てはまるといえよう(グラック 二〇〇七)。

ただし、郷土はつねに国民国家に対して求心的なベクトルとして機能していたわけではない。一九世紀末はヨーロッパ各地において自治主義や分離主義、自治主義や政治的、文化的地域主義などが台頭した時期であったが、これらの運動はその綱領の多様性の一方で、自らの地域を交換可能な国民国家の一部分とされることに対する異議申し立てという点で共通していた(Núñez Seixas and Strom 2019)。とくに多民族的な国境地域における「郷土」は現状を受け入れる機能を果たすこともあったが、その「同床異夢」的な矛盾が社会的な危機や戦争のなかで露呈することもしばしばであった(西山 二〇〇〇)。他方で、最近の研究では、権力の集中を追求したファシズムや社会主義体制においても、限定的ではあれ、地域意識、郷土の動員がみられたことが指摘されている。前者については、たとえばナチス・ドイツでは、ヒトラーのもとで忠誠心競争をおこなう地方行政の幹部たち（「大管区指導者」）が自らの権威付けのためにフォークロア的な地域文化を振興し、同時にこの多頭的独裁制がナチのユダヤ人政策や反体制派弾圧における「累積的急進化」に寄与することになった（Núñez Seixas 2019）。後者については、東ドイツにおける郷土運動を分析したジャン・パルモフスキによれば、社会主義イデオロギーが安定的な国民的忠誠心を調達しえなかったがために、ドイツ史のなかで最も中央集権的な国家でありながら、最も郷土意識に依拠せざるをえなかった国家であったという。そこで彼は、前述の人類学者ジェームズ・スコットの抵抗理論（"public transcript"，"hidden transcript"）やドイツの日常史家アルフ・リュトケの"Eigen-Sinn"（被支配者による自律的行動空間の確保）を援用しつつ、体制の掲げる「社会主義的郷土」という「建前」とそれに対する住民たちの「面従腹背」的行動を対置している（Palmowski 2009）。そこから浮かび上がるのは、「郷土」はたんなる国家による「領域化」に回収されるだけではない、社会実践の空間でもあるということであり、このことは先述の「国民の無関心」論にもつながっている。

「郷土」の多機能性については、他にも「下からの」民主的な教育を志向した日本における郷土教育運動が想起されるであろう。しかし同時に、「郷土」によって社会や個人に対する抑圧が一層強化される点については、日本における戦没者追悼の文脈で、一ノ瀬俊也が「戦前、〈郷土〉に「自分だけ」生き残ることを許さないとされた兵士の家族たちは戦後、同じく〈郷土〉とのつながりのなかで「自分だけ」が家族を失ったのではないと考えた」と述べ、「近現代の日本人が肉親の死を受け入れるうえで〈郷土〉の果たした役割の大きさ」を指摘している（一ノ瀬 二〇一〇）。このことは、物理的なものにとどまらない暴力と空間の関係性をあらためて考えさせるものであるといえよう。

このように、「地域意識」や「郷土」理念は、ナショナリズムと同様、さまざまなイデオロギーと結合可能なもう一つの「想像の共同体」であった。この共同体の重層性、理念と社会的実践の関係や落差に目を向けることは、地域の重要な単位の一つである国民国家のメカニズムを批判的に見直すうえでも不可欠といえよう。

四、つながり・伝播・比較——地域の結びつきと結びつけ

世界史は国民国家史の寄せ集めではないのと同様、地域史の寄せ集めでもない。さまざまな地域が何によってどのようにつながり、それが人びとの生活空間としての地域社会にどのような影響を与え、さらに人びとの空間認識にどのような変化をもたらしたのかが重要となる。こうした地域間の連関への関心は、近年、「越える」、あるいは「またぐ」を含意する「トランス」を接頭辞とするアプローチが、「ナショナル」、「リージョナル」、「ローカル」、「ボーダー」などといった空間的概念と結びつけられつつ提起されている点にも表れている。これら「トランス・ヒストリー」のなかでも、最も頻繁に用いられているのは「トランスナショナル・ヒストリー」であろう。この概念については、世界が国民を単位に再編されていくのはヨーロッパにおいてでも一九世紀後半以降のことであり、二〇世紀以前にグローバルな規模で「トランスナショナル」を語りうるのか、むしろ時代限定的な概念として扱うべきではないかという指摘もある(クリストファー・ベイリーによる、AHR Conversation 2006: 1442)。また、概念のインフレ的な使用の一方で、一般にトランスナショナル・ヒストリーが個別の、より短期的で局地的な越境性の解明に関心を寄せるのに対し、グローバル・ヒストリーはそうした事例の背後にある全体的な構造やプロセスを重視するものと理解される(コンラート 二〇二一:四四—四七頁)。このようなアプローチの方向性の違いの一方で、運動や流動、流通に力点を置き、一国史的な枠組み、歴史認識を超えようとする点では共通している。たとえば、水島司はグローバル・ヒストリーの特徴の一つとして、「地域比較に加え、諸地域間の相互連関、相互の影響の重視:モノや制度を通じて諸地域が相互にどのように連関した歴史的動きを示したかという点が重視される」と述べており(水島 二〇一〇:三頁)、両者は同一ではないとしても、重なる点が大きいことは確かである。

この「諸地域間の相互連関」の代表的なテーマともいえる移民を取り上げてみよう。ながらく、移民は送り出し社会(プッシュ要因)と受け入れ社会(プル要因)に分けられ、それぞれの社会における人口流出や「移民問題」として別個に考察される傾向が強かった。そして、その際、「出稼ぎ」を含む往復運動よりは一方的な移動、短距離よりは長距離の移動が重視され、「イタリア系」や「ドイツ系」という名称によって移住者の出自民族アイデンティティが自明のものとして前提とされてきた。しかし、近年ではこうした偏りや前提が批判的に検討され、近代移民の多様なパターンが明らかにされるとともに(Hoerder 2012)、移民者自身の動きに焦点を当てる研究も出てきている。移動先社会における社会的経済的環境のなかで、移民者たちはどのようなネットワークを形成し、そこにおいて彼ら・彼女らの社会関係はどのように変容したのか、あるいは維持されたのか。そして、移動先社会のなかで、移民集団は自らのアイデンティティをどのように形成し、それはどのように変容したのであろうか。

ハンガリー王国出身のアメリカ移民にかんする山本明代の研究は、こうした観点からの先駆的な研究であり、そこでは、あるヨーロッパの民族集団のアメリカ社会への苦闘に満ちた同化という単純な見方ではとらえられない、「アメリカ化」と「エスニック化」の二重のプロセスの複合的な関係が明らかにされている(山本 二〇一三)。とりわけ興味深いのは、それ自体多民族的国家であったハンガリー王国政府が、聖職者を派遣するなどして、移住者たちの間の「愛国心」を喚起しようとする一方、スロヴァキア人移民の民族意識が移住先のアメリカを舞台に、「スロヴァキア文化」の「伝統の創造」とともに対抗的に形成されたことである。このことは、本国での国民国家統合や国民形成の試みと移民社会における民族意識の形成がいわば同時並行、共振的に起こっていたことを意味しており、同様のことは他の移民集団にもみられることであった。このプロセスは、本国からの移動先への一方的な直輸入ではなく、「ホスト社会において、差別、排除されがちな移民集団は、故国の国民的英雄や国民文化という資源を受け入れ社会の理念に基づき再構成することによって、集団としての固有性と受け入れ社会における場所を確保し」ようとするものであり、移動先社会において他者化にさらされるなかで、自らも他者を差異化するものであった(同：二七一頁)。このように、一国やひとつの領域の枠内に閉じ込めず、移動の前後の地域とそこにおける家族、ジェンダー、宗教、労働などの生活世界の諸領域を視野に入れることで、移民という現象がもたらすインパクトをより動的に把握することができるようになる。山本は、第一次世界大戦へのアメリカ参戦が移民たちの間で、国家としてのハンガリーよりも民族としてのハンガリー(とその他の民族)のアイデンティティを強化したと指摘しつつ、他方で移民のネットワークの複数性、多元性も指摘しており、このことも、本質主義的ではない、状況的選択としてのアイデンティティの側面を示している。

人の移動は、第二節においてみたように、その流れをコントロールしようとする境界の存在を機能させる実践であるとともに、それを動揺させ、境界に囲まれた社会のあり方に大きく影響を与えるものでもある。たとえばアメリカ合衆国における中国人移民は、貴堂嘉之によれば、まさに「他のどの移民集団にもまして(中略)一九世紀中葉から世紀転換期にかけての〈アメリカ人〉の境界形成のポリティクスに激しく翻弄された移民集団であり」、国民国家そして帝国としての合衆国のあり方に「象徴的に関与し、その政治・社会秩序醸成のための触媒の役割を果たしてきた」(貴堂 二〇一二：二六二―二六三頁)。にもかかわらず「移民国家アメリカ」神話における「アジア系」移民の経験の不在について、貴堂はその一因として近代アジアが一枚岩ではなかったことが、アジア系移民の間の連帯や相互関心を阻害してきたと指摘している(同：二七三頁)。この記憶という観点においても、離れた地域のつながりの視点をもつことが重要である。

ホスト社会における国民意識の析出、変容の「触媒」として移民は、今日においても、日本、アメリカ、ヨーロッパ諸国などにおいて――ヨーロッパにおいてはとりわけ「ムスリム移民」と括られた「他者」をめぐって――私たちの目撃するところでもある。現在のアメリカ合衆国におけるいわゆる「トランプ現象」やそれ以前のティーパーティー運動については、社会学者アリー・ラッセル・ホックシールドが、支持者の排外的な偏狭さをあげつらうことは結果として「共感の壁」を高く、厚くするだけであり、むしろ彼らにとって真実と感じられる物語（「ディープ・ストーリー」）に耳を傾けることによって、彼らの感情との向き合い方に目を向けるべきであると論じている（ホックシールド 二〇一八：二四―二五頁）。彼女の感情社会学的手法は、エゴ・ドキュメントを重視しつつ、その語り方をも分析の対象とする感情史のアプローチとしても示唆的である（長谷川 二〇二〇、プランパー 二〇二〇）。実際、現在のグローバル・ヒストリーが抱える問題点について論じたエッセイにおいて、ジェレミー・エイデルマンはホックシールドを引用しつつ、ネットワークや連関の解明に邁進《まいしん》するグローバル・ヒストリーが往々にして「動かない」あるいは「動けない」人びとを居場所のないままに取り残すことで、歴史研究からのコスモポリタン的「グローバル化」の実践となってしまっているのではないかと指摘している（Adelman 2017）。

ここで問題となるのは、もちろん「動く歴史」と「動かない歴史」のどちらが重要かということではない。「動く」と「動かない」という分類そのものが、すでに「動いている」ことを前提としているのである。また、国民史の枠組みと「方法論的ナショナリズム」の強固な岩盤を考えれば、歴史研究のみならず、歴史教育の面においても、問題発見的な視点からつながりを発見する試みは、今後さらに推進されるべき課題であろう（実践例として、星乃・池上 二〇一三、桃木監修、藤村・岩下 二〇一七）。むしろ重要なことは、両者の同時的存在をどのように理解すべきかという問題であり、換言すれば「脱領域化」は「再領域化」の契機を胚胎していることをつねに意識することである。

この「脱領域化」と「再領域化」の相克は、二〇二〇年以来わたしたちが直面している新型感染症のパンデミックにおいてもみられることであり、それは人の移動をめぐるコントロールの問題とも不可分の関係にある。二〇世紀初頭アフリカにおいて発見された、ツェツェバエを媒介とする「アフリカ・トリパノソーマ病」（眠り病）は、イギリス、フランス、ベルギー、ドイツ、ポルトガルの植民地にまたがる疫病であった。「遅れてきた植民地帝国」ドイツの対応について分析した磯部裕幸によれば、眠り病対策の国際会議の開催や、(第一次世界大戦後、植民地喪失後のことではあるが)治療薬開発の実験など、「熱帯医療」において列強間で「知的交流」が進められたものの、相互の情報の開示や共有は制限的であったと指摘している。ただし、このことは列強間に限られず、それぞれの植民地内における中央と周縁の間でもみられ、たとえばドイツ領東アフリカにおいて、「内陸部で起きた眠り病の蔓延という事態は、ダルエスサラームにとっても、モンバサにとっても「辺境の事件」に過ぎなかった」という(磯部 二〇一八:九五頁)。そして、ツェツェバエ駆除から収容所への隔離、人体実験にいたるまで、実際にとられた対策も、現地住民の協力者との関係性や自然環境、植民地行政の財政力などに大きく規定され、東アフリカ、トーゴ、カメルーンの間では大きく異なっていた(同:二五四頁)。ここには、これまで植民地がその多様性にもかかわらず一括して扱われたり、あるいは本国と一つの植民地の間の垂直的関係に焦点が限定されがちであったのに対し、水平的な植民地間の関係性、そしてそれぞれの内部の多様性と、それが植民地支配全体に与える影響が照射されている。

本国と植民地帝国の関係を総体的に把握する理論的試みについては、一八九五年の台湾領有によって植民地帝国となった日本の一九四五年にいたる国家編成を「国民帝国 nation-empire」として把握する山室信一の議論が想起されるであろう(山室 二〇〇三)。「主権国家体系の下で国民国家の形態を採る本国と異民族・遠隔支配地域から成る複数の政治空間を統合していく統治形態」である「国民帝国」は、「世界帝国と国民国家としての拡張でありつつ、各々の否定として現れるという矛盾と双面性をも」ち、「本国と支配地域(植民地)とが格差原理と統合原理に基づく異法域結合として存在する」という特徴をもつことになる。山室は「国民帝国」を、たんに敗戦と植民地喪失によって崩壊するものとしてだけではなく、その形態ゆえに被支配地域が独立するにあたって国民国家という形態を採らざるを得なかったという「遺産」をも指摘しており、冒頭に言及した板垣の「n地域論」の問題意識に対する一つの有力な応答になっているともいえる。

この「国民国家」と「帝国」については、ヨーロッパ史においても近年その相関性が再考されている(松本・立石二〇〇五)。たとえばオスターハメルは、一九世紀は「国民国家の時代」ではなく、「帝国とナショナリズム」の時代であると論じ(Osterhammel 2009: 671)、植民地支配の歴史家フレデリック・クーパーも「国民国家 nation-state」に対し「帝国国家 empire-state」を提起するなど、帝国の重要性を強調している(Cooper 2005: 174)。シュテファン・ベルガーとアレクセイ・ミラーは、「帝国国民 imperial nation」の概念を用いつつ、「帝国の中核において構想、実践される国民形成は、帝国の臣民・市民をすべて国民へと包含しようとするものでは決してなかったが、他方で周縁の分離運動とは異なり、帝国を自らの政治的経済的資産とみなしている」として、二律背反的であるとみなされがちな帝国と国民の関係性における相互補完性に注意を促している(Berger and Miller 2015 [Kindle])。さらに、植民地帝国よりもむしろ大陸の多民族帝国との関係において、ウルリケ・フォン・ヒルシュハウゼンとイェルン・レオンハルトは、市民権や教育、兵役、立法などにかんして明らかに存在する国民国家と多民族国家の相違を軽視すべきではないとしつつ、「帝国化する国民国家 imperializing nation-state」と「国民化する帝国 nationalizing empire」という両者の接近、相互の利用の点に注意を促している(Hirschhausen and Leonhard 2010: 31-33)。たとえば、水平的関係を前提とする国民国家内に存在する中央と辺境、後者の「国内植民地」的な状況と、その出身者の植民地帝国における中心としての主体性については、大英帝国におけるウェールズ出身者(平田 二〇一六)、フランス帝国におけるコルシカ出身者(長谷川 二〇〇二)、オーストリア=ハンガリー二重帝国における従属的立場とハンガリー王国における中核的立場を使い分けるハンガリー人に類似する事例は、他の地域においても見出すことはできるであろう。また、所有権など近代的権利が認められているために本土では実施が容易ではない、「近代化の実験場」としての植民地の役割についても同様である。

この「国民国家」と「帝国」の関係は、統治の効率性をめぐる競合が激しくなるとともに、協力関係の余地も生み出したことは、先ほどの「アフリカ眠り病」をめぐる問題においてもふれたとおりだが、この協力関係は広くとらえればお互いの統治知についての情報収集、交換や、学術的ネットワークや視察などの知的、人的交流も含まれる(このことは、統治側に限られたことではなく、それに抵抗する社会運動の側においても看取される(田中 二〇一八))。ここで実践をともなう興味深い例は、邦訳されたゼバスティアン・コンラート『グローバル・ヒストリー』でも紹介されている、アンドリュー・ジマーマン『アフリカのアラバマ』である(Zimmerman 2010; コンラート 二〇二一:一三七―一四〇頁)。この一見奇妙なタイトルの出発点は、合衆国アラバマ州のタスキギー大学において白人人種主義を内面化したブッカー・T・ワシントンによるアフリカ系アメリカ人教育の実践に関心を抱いたドイツ帝国の官僚が、同国の植民地であるアフリカのトーゴにタスキギー大学の卒業生を招き、先住民に対して農業労働教育を施し、ポスト奴隷制期の世界商品、綿花の栽培を普及させようとしたことにある。この大西洋をまたいだ「文明化の使命」の計画は住民の反発もあり失敗に終わるが、他方でそれは、本土の東部国境地域における入植政策のモデルとなることも期待されていたという。この連関には、さらに「国民帝国」日本もかかわっており、台湾総督府民政長官であった後藤新平が一九〇三年にポーゼンにあるドイツ系住民の入植政策にあたる国家機関(入植委員会)を視察していることに象徴されるように、ドイツの国内植民地論や国境地域、海外植民地の教育制度は北海道開拓や台湾、朝鮮植民地統治に参照されている(西山 二〇一七、Nishiyama 2018)。英仏などとくらべれば、ドイツの遠隔植民地への参照が少なかったことは事実だが、それでも帝国と国民国家の境界がけっして自明であったわけではないことを傍証している。付言すれば、辺境の征服、開拓こそがアメリカ民主主義の揺籃《ようらん》であるとするターナーのフロンティア・テーゼは、敗戦国ドイツと日本の「再教育」政策の文脈において、アメリカ国務省の支援の下翻訳されたローラ・インガルス・ワイルダー『大草原の小さな家』によって伝播することになる(Lerp 2016: 243-244)。こうして、個々の地域への狭角な焦点とより広域な地域への広角な焦点を交差させることで、個々の事象の世界史的な連関が浮かび上がってくるのである。

近年提唱されているもう一つの「トランス・ヒストリー」、「トランスインペリアル・ヒストリー」では、こうした国民国家・帝国複合の間の競合と協力のありようが重視されているが(Hedinger and Heé 2016)、そこであらためて注目されるのは、「比較」という知的行為のもつ政治性である。たとえば、帝国史においては、同時代における植民地統治の優劣をめぐる議論の枠組みは、研究においても相対的な「寛容」と「過酷」という評価の形で再生産されることが少なくない。その克服のためには、一つは比較そのものの対象化、すなわち、同時代におけるその手法や目的、結果について批判的に考察する必要がある(水谷 二〇一八:二一九頁)。そしてもう一つは、研究者自身のアプローチとして、比較にはその単位を「コンテナ」として静態的かつもっぱら内在的要因から相違を説明しようとする傾向がある点を認識することである。この点、「先進」、「後進」を序列化する近代化論や、規範や通例を前提としてそこからの逸脱に積極的、あるいは否定的な意味を与える例外論が適用されてきたのがもっぱら国民国家、国民であったことは偶然ではない。ここで言いたいのは、内在的要因が無意味であるということではなく、どのようなリソースが動員されるのか、ということは、他者との関係性やそこにおける自己認識に大きく影響される、ということであり、それは対象となる過去の人びとについても、また現在の私たち自身にも当てはまるということである(Werner and Zimmermann 2006)。

おわりに

以上述べてきたことをふまえて、世界史における地域について考える際に重視すべき点として、次の三つの点を挙げておきたい。

一つは、領域における重層性と多孔性である。先に言及したメイヤーの領域化の歴史の議論に立ち戻るならば、明確な境界線と政治的、社会経済的な同質性を前提とし、「決定空間」と「アイデンティティ空間」が一致するという国民国家の領域性は、あくまで理念型として理解すべきである。もちろん、それに向かう「領域化」のベクトルは存在していたが、それは単一の領域原則の貫徹というよりは複数のそれの組み合わせ、序列化であった。この序列化の内実もまた状況によって異なるものであったが、そこにおける重層性は一方で、支配的な領域原則のエントロピーを低減する機能も果たせば、それに対する挑戦にもなりえた。また、明確な境界線としての国境についても、そこにはつねに一定の多孔性と透過性が存在し、それは地域社会や隣接国家の関係性、さらにより広域的な資本やヒトの移動に従属するものであった。

第二に、こうした知見は国民国家の相対化(チャクラバルティの言葉を借りれば「地方化 provincialize」)に重要な視座を提供するものではあるが、それは「ローカル」、「リージョナル」、あるいは「グローバル」といった他の地域概念の本質主義的解釈によってその地位を代替することを意味するものではなく、国民国家の存在を無視することでもない。「アイデンティティ空間」としての地域もまた、たとえば「郷土」のように国民形成との連動のなかで想像され構築されるものであり、他方「グローバル」な空間が所与に存在するわけでもない。同様のことは、海洋、山脈、河川といった自然地理の役割についても当てはまる。これらは地域間の結びつき方に独特の条件を課しつつも、その条件は世界観や科学技術の発展によって大きく変化することは、大西洋の事例からも明らかであろう。

そして最後に、世界史における地域のあり方を「領域化」から「脱領域化」への進展としてではなく、「脱領域化」と「再領域化」の二重の空間的プロセスとして考えるという点である。異なるスケール間をズーム・イン、ズーム・アウトすることによって地域をさまざまな文脈に位置付けつつ、またヒトやモノ(ここには疫病も含まれる)といったアクターに注目することによって、この二重のプロセスを具体的に可視化することができるであろう。(非対称的な)権力関係のもとで起こる「脱領域化」、そしてまた「再領域化」における治安、統制の働きかけと「動かざる人びと」の自己授権の試み――私たちもまた、まさにこうしたプロセスのなかに生きているのである。

参考文献

青木聡子(二〇一三)『ドイツにおける原子力施設反対運動の展開――環境志向型社会へのイニシアティヴ』ミネルヴァ書房。

飯田収治(二〇一二)「ドイツ第二帝政下のポーゼン――境界域における諸民族の相克と共生」田中きく代他編『境界域からみる西洋世界――文化的ボーダーランドとマージナリティ』ミネルヴァ書房。

磯部裕幸(二〇一八)『アフリカ眠り病とドイツ植民地主義――熱帯医学による感染症制圧の夢と現実』みすず書房。

板垣雄三(一九九二)『歴史の現在と地域学――現代中東への視角』岩波書店。

一ノ瀬俊也(二〇一〇)『故郷はなぜ兵士を殺したか』角川書店。

伊藤定良(二〇〇八)「国民国家と地域形成――オーバーシュレージエンを中心に」同・平田雅博編『近代ヨーロッパを読み解く――帝国・国民国家・地域』ミネルヴァ書房。

岩下明裕(二〇一六)『入門 国境学――領土、主権、イデオロギー』中公新書。

ウィリアムズ、レイモンド(二〇〇二)『完訳 キーワード辞典』椎名美智ほか訳、平凡社。

ヴォルフルム、エトガー(二〇一二)『ベルリンの壁――ドイツ分断の歴史』飯田収治・木村明夫・村上亮訳、洛北出版。

遠藤乾(二〇一三)『統合の終焉――EUの実像と論理』岩波書店。

岡本充弘(二〇一三)『開かれた歴史へ――脱構築のかなたにあるもの』御茶の水書房。

河西英通・浪川健治、M・ウィリアム・スティール編(二〇〇五)『ローカルヒストリーからグローバルヒストリーへ――多文化の歴史学と地域史』岩田書院。

グラック、キャロル(二〇〇七)『歴史で考える』梅崎透訳、岩波書店。

コンラート、ゼバスティアン(二〇二一)『グローバル・ヒストリー――批判的歴史叙述のために』小田原琳訳、岩波書店。

貴堂嘉之(二〇一二)『アメリカ合衆国移民と中国人移民――歴史のなかの「移民国家」アメリカ』名古屋大学出版会。

佐藤仁史(二〇一三)『近代中国の郷土意識――清末民初江南の在地指導層と地域社会』研文出版。

シャネ、ジャン=フランソワ(二〇一四)「一七八九年革命から現在までのフランスにおける言語、学校、国民」平田雅博・西山暁義訳『青山史学』三一号。

スコット、ジェームス・C(二〇一三)『ゾミア――脱国家の歴史』佐藤仁監訳、みすず書房。

高木博志(二〇〇五)「「郷土愛」と「愛国心」をつなぐもの――近代における「旧藩」の顕彰」『歴史評論』六五九号。

高橋秀寿(二〇一八)『時間／空間の戦後ドイツ史――いかに「ひとつの国民」は形成されたのか』ミネルヴァ書房。

田中ひかる編著(二〇一八)『社会運動のグローバル・ヒストリー――共鳴する人と思想』ミネルヴァ書房。

ディーナー、アレクサンダー、ジョシュア・ヘーガン(二〇一五)『境界から世界を見る――ボーダースタディーズ入門』川久保文紀訳、岩波書店。

中本真生子(二〇〇八)『アルザスと国民国家』晃洋書房。

中山大将(二〇一九)『国境は誰のためにある？――境界地域サハリン・樺太』〈歴史総合パートナーズ〉10、清水書院。

鍋谷郁太郎(二〇〇三)『ドイツ社会民主党と地方の論理――バイエルン社会民主党 一八九〇―一九〇六』東海大学出版会。

二宮宏之・近藤和彦(一九九〇)「ヨーロッパを読み直す――方法としての民族(エトノス)」二宮編『民族の世界史9 深層のヨーロッパ』山川出版社。

西山暁義(二〇〇〇)「郷土と祖国――ドイツ第二帝政期アルザス・ロレーヌ民衆学校における『地域』」『歴史評論』五九九号。

西山暁義(二〇〇七)「一九世紀ドイツにおける国民国家と地域――近年の欧米の研究から」『共立国際研究』二四号。

西山暁義(二〇一五)「「アルザス・ロレーヌ人」とは誰か？ 独仏国境地域における国籍」近藤和彦編『ヨーロッパ史講義』山川出版社。

西山暁義(二〇一七)「第一次世界大戦前のドイツの国境地域、植民地と帝国日本――学校教育にかんする視察と報告を中心に」平田雅博・原聖編『帝国・国民・言語――辺境という視点から』三元社。

長谷川貴彦編(二〇二〇)『エゴ・ドキュメントの歴史学』岩波書店。

長谷川秀樹(二〇〇二)『コルシカの形成と変容――共和主義フランスから多元主義ヨーロッパへ』三元社。

羽田正(二〇一五)『地域史と世界史』ミネルヴァ書房。

濱下武志(一九九七)「歴史研究と地域研究――歴史に現われた地域空間」同・辛島昇編『地域の世界史1 地域とは何か』山川出版社。

平田雅博(二〇一六)『ウェールズの教育・言語・歴史——哀れな民、したたかな民』晃洋書房。

プランパー、ヤン(二〇二〇)『感情史の始まり』森田直子監訳、みすず書房。

星乃治彦・池上大祐監修(二〇一三)『地域が語る世界史』法律文化社。

ホックシールド、A・R(二〇一八)『壁の向こうの住人たち——アメリカの右派を覆う怒りと嘆き』布施由紀子訳、岩波書店。

松沢裕作(二〇〇九)『明治地方自治体制の起源——近世社会の危機と制度変容』東京大学出版会。

松本彰・立石博高(二〇〇五)『国民国家と帝国——ヨーロッパ諸国民の創造』山川出版社。

水島司(二〇一〇)『グローバル・ヒストリー入門』山川出版社。

水谷智(二〇一八)「『間—帝国史 trans-imperial history』論」日本植民地研究会編『日本植民地研究の論点』岩波書店。

桃木至朗監修、藤村泰夫・岩下哲典編(二〇一七)『地域から考える世界史——日本と世界を結ぶ』勉誠出版。

山﨑孝史(二〇一三)『政治・空間・場所——「政治の地理学」にむけて』ナカニシヤ出版。

山田賢(二〇一二)「生成する地域・地域意識——清末民国初期の華中南を中心に」『歴史評論』七四六号。

山本明代(二〇一三)『大西洋を越えるハンガリー王国の移民——アメリカにおけるネットワークと共同体の形成』彩流社。

山室信一(二〇〇三)「国民帝国論」の射程」山本有造編『帝国の研究——原理・類型・関係』名古屋大学出版会。

ラジ、カピル(二〇一六)『近代科学のリロケーション——南アジアとヨーロッパにおける知の循環と構築』水谷智・水井万里子・大澤広晃訳、名古屋大学出版会。

若尾祐司(二〇〇五)「一九世紀中葉ドイツにおける民俗・郷土研究の出立——W・H・リールの革命体験と『社会的民俗学』」同・羽賀祥二『記録と記憶の比較文化史——史誌・記念碑・郷土』名古屋大学出版会。

割田聖史(二〇一二)『プロイセンの国家・国民・地域 一九世紀前半のポーゼン州・ドイツ・ポーランド』有志舎。

Adelman, Jeremy (2017), "What is Global History now?", https://aeon.co/essays/is-global-history-still-possible-or-has-it-had-its-moment
AHR Conversation (2006), "On Transnational History", in: *American Historical Review*, 115-6.

AHR Conversation (2017), "Walls, Borders, and Boundaries in World History", in: *American Historical Review*, 122-5.

Aldenhof-Hübinger, Rita et al. (2016), *Europa vertikal. Zur Ost-West-Gliederung im 19. und 20. Jahrhundert*, Göttingen.

Applegate, Celia (1999), "A Europe of Regions. Reflections on the Historiography of Sub-National Places in Modern Times", *American Historical Review*, 104.

Bachmann-Medick, Doris (2006), *Cultural Turns. Neuorientierungen in den Kulturwissenschaften*, Reinbek.

Baud, Michiel and Willem van Schendel (1997), "Toward a Comparative History of Borderlands", in: *Journal of World History* 8-2.

Berger, Stefan and Alexei Miller (2015), *Nationalizing Empires*. Budapest.

Bjork, James (2008), *Neither German nor Pole: Catholicism and National Indifference in a Central European Borderland*, Ann Arbor.

Boucheron, Patrick (sous la direction de) (2017), *Histoire mondiale de la France*, Paris.

Conrad, Sebastian (1999), *Auf der Suche nach der verlorenen Nation. Geschichtsschreibung in Westdeutschland und Japan, 1945-1960*, Göttingen.

Conrad, Sebastian, Jürgen Osterhammel (Hg.) (2004), *Das Kaiserreich transnational: Deutschland in der Welt 1871-1914*, Göttingen.

Cooper, Frederick (2005), *Colonialism in Question: Theory, Knowledge, History*, Berkeley.

Di Fiore, Laura (2017), "The Producition of Borders in Nineteenth-Century Europe: Between Institutional Boundaries and Transnational Practices of Space", in: *European Review of History*, 24-1.

François, Etienne et al. (2007), *Die Grenze als Raum, Erfahrung und Konstruktion. Deutschland, Frankreich und Polen vom 17. bis 20. Jahrhundert*, Frankfurt a. M.

Hechter, Michael (1975), *Internal Colonialism: The Celtic Fringe in British National Development, 1536-1966*, Berkeley.

Hedinger, Daniel and Nadin Heé (2018), "Transimperial History-Connectivity, Cooperation and Competition", in: *Journal of Modern European History*, 16-4.

Hirschhausen, Béatrice von et al. (eds.) (2015), *Phantomgrenzen. Räume und Akteure in der Zeit neu denken*, Göttingen.

Hirschhausen, Ulrike von and Jörn Leonhard (2010), *Comparing Empires. Encounters and Transfers in the Long Nineteenth Century*, Göttingen.

Hoerder, Dirk (2012), "Migrations and Belongings", in: Emily S. Rosenberg (ed.), *A World Connecting 1870-1945*, Cambridge (Mass.)/London.

Karch, Brendan (2018), *Nation and Loyalty in a German-Polish Borderland: Upper Silesia, 1848-1960*, Cambridge.

Lerp, Dörte (2016), "Beyond the Prairie. Adopting, Adapting and Transforming Settlement Policies within the German Empire", in: *Journal of Modern European History*, 14-2.

Maier, Charles S. (2006), "Transformation of Territoriarity 1600-2000", in: Gunilla Budde, Sebastian Conrad, Oliver Janz (Hg.), *Transnationale Geschichte: Themen, Tendenzen und Theorien*, Göttingen.

Middell, Mathias and Katja Naumann (2010), "Global history and the spatial turn: From the impact of area studies to the study of critical junctures of globalization", in: *Journal of Global History*, 5-1.

Nishiyama, Akiyoshi (2018), "School Politics in the Borderlands and Colonies of Imperial Germany: A Japanese Colonial Perspective, ca. 1900-1925", *Cross-Currents. East Asian History and Culture Review*, 8-1.

Nordmann, Daniel (1998), *Frontières de France. De l'espace au territoire, XVIe-XIXe siècle*, Paris.

Nûñez Seixas, Xosé M. (2019), "Fascism and Regionalism", in: id. and Eric Strom (eds.), *Regionalism and Modern Europe. Identity Construction and Movements from 1890 to the Present Day*, London.

Núñez Seixas, Xosé M. and Eric Strom (2019), "Introduction: Region, Nation and History", in: id. (eds.), *Regionalism and Modern Europe. Identity Construction and Movements from 1890 to the Present Day*, London.

O'Brien, Michael (1999), "On Observing the Quicksand", in: *American Historical Review*, 104-4.

Osterhammel, Jürgen (1998), "Die Wiederkehr des Raumes : Geopolitik, Geohistorie und historische Geographie", in: *Neue Politische Literatur*, 43.

Osterhammel, Jürgen (2009), *Die Verwandlung der Welt: Eine Geschichte des 19. Jahrhunderts*, München: C. H. Beck.

Palmowski, Jan (2009), *Inventing a Socialist Nation: Heimat and the Politics of Everyday Life in the GDR, 1945-1990*, Cambridge.

Raphael, Vincente L. (1999), "Regionalism, Area Studies, and the Accidents of Agency", in: *American Historical Review*, 104-4.

Readman, Paul, Cynthia Radding and Chad Bryant (eds.) (2014), *Borderlands in World History 1700-1914*, Basingstoke.

Sahlins, Peter (1989), *Boundaries. The Making of France and Spain in the Pyrenees*, Berkeley.

Sahlins, Peter (1990), "Natural Frontiers Revisited: France's Boundaries since the Seventeenth Century", in: *American Historical Review*, 95.

Schaefer, Sagi (2014), *States of Division. Border and Boundary Formation in Cold War Rural Germany*, Oxford.

Sheffer, Edith (2011), *Burned Bridge: How East and West Germans made the Iron Curtain*, Oxford.

Siebold, Angela (2013), *ZwischenGrenzen: Die Geschichte des Schengen-Raums aus deutschen, französischen und polnischen Perspektiven*, Paderborn.

Tilse, Mark (2011), *Transnationalism in the Prussian East: From National Conflict to Synthesis, 1871-1914*, Basingstoke.

Van Ginderachter, Maarten, and Jon Fox (eds.) (2019), *National Indifference and the History of Nationalism in Modern Europe*, Basingstoke.

Weber, Eugen (1976), *Peasants into Frenchmen: The Modernization of Rural France, 1870-1914*, Stanford.

Weichlein, Siegfreid (2006), *Nation und Region. Integrationsprozesse im Bismarckreich*, Düsseldorf.

Werner, Michael, Bénédicte Zimmermann (2006), "Beyond Comparison: Histoire Croisée and the Challenge of Reflexivity", in: *History and Theory*, 45-1.

Wigen, Kären (1999), "Culture, Power, and Place: The New Landscapes of East Asian Regionalism", in: *American Historical Review*, 104-4.

Young, Elliott (2009), "Regions", in: Iriye and Saunier (eds.), *The Palgrave Dictionary of Transnational History*, Basingstoke.

Zahra, Tara (2010), "Imagined Noncommunities: National Indifference as a Category of Anaysis", in: *Slavic Review*, 69-1.

Zimmerman, Andrew (2010), *Alabama in Africa. Booker T. Washington, the German Empire, and the Globalization of the New South*, Princeton.

コラム｜*Column*

「民族共生象徴空間」と高校「世界史」

――『ウポポイ』upopoi(原意：「歌うこと」)

吉嶺茂樹

昨年(二〇二〇年)、北海道に国立のアイヌ民族博物館と、それを含む「民族共生象徴空間(ウポポイ)」が作られたというニュースが何度も流れました。このことは、「日本」の中に「異なる民族」が現在もいることを可視化させます。その世界史教育上の意味はとても大きいと思います。

私たち世界史を教えている高校の教員は、教科書の中で「民族問題」を必ず取り上げます。それは、ユダヤ人問題であったり、旧ユーゴスラヴィア紛争であったり、クルド人やネイティヴ・アメリカンの問題であったり……と様々です。しかし、日本の内にある民族問題であるアイヌ史(と、その外側にあるウイルタ等々)を世界史の中で学んでいる学校がどれだけあるでしょうか。しかも、その内容は、ひょっとしたら、スケッチで描かれた訳ではない、江戸時代に残された絵図面の中にある「自然と仲良く暮らしてきたアイヌ」像の再生産ではなかったでしょうか。

そのことを頭に置いて、博物館へ入ってみましょう。この博物館では、アイヌ語が標準用語です。しかしこの言葉は現在日常的に使われている言語ではありません。私は教室で何人も「アイヌ民族にアイデンティティを感じている生徒」を教えました。この国で、「自分で選んだわけではないアイデンティティを内に抱えた生徒」が、それを表出して他者とわかり合える、生きやすい社会になっているのかどうか？「国立」博物館が北海道に出来るということは、そのことを私たちに問うている、と思います。祖先や先祖は「平和で自然と仲良く暮らしてきたアイヌ」かもしれないですが、今を生きる、特に若い世代の人たちはどうか、今のこの国が差別無く自分の感じているアイデンティティを語り、それを「COOL!(格好良い)」と感じあえる社会になっているかどうか。こう考えていくと、アイヌ民族や北方の諸民族の歴史を考えるということは、教室ではきわめて今日的な問題であり、そして、別に北海道の教員だけが「＋α」で取り上げる問題でも無いことがわかります。それでは、博物館を出て敷地を散策しましょう。

「敷地」と書きました。この博物館を含む「民族共生象徴空間」は、ポロト湖の周りを包むように、いくつかの建物やチセと呼ばれる家、さらに宗教施設からなっています(写真)。こうした「場」に流れる空気と共にアイヌ文化を感じてほしいという姿勢が感じられます。ですから、建物の中に展示されているモノだけでなく、季節ごとの博物館周囲の雰囲気を、見に行く人が感じて、語り合う必要があるのではないかと思います。特に、北海道ですから、ぜひ冬に。現在は、アイヌ

ポロト湖畔から見る国立博物館（著者撮影）

文化に関してＨＰやネット上で、様々な説明や動画を観ることが出来ます。しかし現場で感じることが大切でしょう。一つの文化を理解するという営みは、現地の空気を感じて風景を見るところから始まるのだろうと思います。さらに、前述した点に関しては、展示の後半にある「今の若い世代のアイヌの人たちがふつうに生活しながら、どう『自分のアイデンティティ』と向かい合っているか」というパネルが興味深い。最後の展示パネルには、北海道を取り巻く、さらに北方の民族の説明もあります。

　私は九州で西洋史の教育を受け、北海道に採用になり、最初は日本史、ついで世界史教員として、アイヌ史の教室でのあり方を考えてきました。これまでの日本史の枠組みの中で語られてきたアイヌ史の実践を読み、考え、実際に教室で行ってみて、これまでの方法的枠組みとは少し違う視点でアイヌ史を取り上げない限り、教育現場の実践は広がらないという思いを持ちました。例えば近代史の中でのアイヌ史を同時代の他の少数民族がおかれてきた歴史と比較検討する、民族文化の復興のあり方（言語・祭事・通過儀礼等々）を現代の他の民族と比較する、といった試みです。そのためのヒントが、ウポポイの展示にはたくさんあります。史資料が足りないところはイラストで補われ、実際に触ってみる、作ってみるコーナーや、博物館外でも様々な体験ができます。

　実は、北海道には、札幌市郊外の原生林に囲まれた、北海道立の「北海道博物館」や、野外博物館「北海道開拓の村」、網走市の同じ道立「北方民族博物館」等々、日本という国を超えてサハリンや沿海州、千島やアリューシャン列島につながる豊かな北方史の世界を体験できる場がたくさん用意されています。私にとって北方史研究の場は、世界史教員としての視野を大きく広げてくれる場所でした。そこが、歴史学のみならず、文学史、考古学、民族学・文化人類学、言語学、博物館学等々……幅広い学問分野の方々が、ゆるやかにつながって議論をしながら研究を進めていく、という場だったからです。これは、高校の世界史という教科が、様々な学問分野の入り口を体験する科目である、という私見を実践する場でもありました。これからの世界史教育は、日本という場所でも、異なる民族が織りなしてきた歴史があった事を学ぶ必要があるからです。

　みなさん、ようこそ、北方史の現場へ。

問題群｜*Inquiry*

現代歴史学と世界史認識

長谷川貴彦

はじめに

本稿の課題は、近代以降の世界史記述の主要なパターンを析出し、歴史学のなかでの世界史認識の特質を解明することにある。とりわけ、一九世紀の近代歴史学を批判して登場してくる二〇世紀以降の歴史学を現代歴史学と呼び、その現代歴史学が「転回」するなかでの世界史の変遷に焦点を絞ることにしたい。もちろん、非西欧世界における歴史学的伝統の存在が認識されるようになった現在では、ヨーロッパで誕生した近代歴史学も多くの歴史学的伝統の一部を構成しているにすぎず、そこにおける「世界史」もまたヨーロッパ中心主義的なバイアスを免れていないことは自明になってきている。だが、『岩波講座　世界歴史』のなかの一論文としての限られた紙幅であり、中国文明圏における歴史叙述、イスラーム世界における「普遍史」などとの差異、またヨーロッパ内部においてもキリスト教的世界観を基盤とする「普遍史」の伝統との連続と断絶の問題などに関して立ち入ることはしない。本稿は、そうした限界を認識しつつ、現代歴史学以降の「世界史」の作法について素描を試みるものである。

ここで前提となる近代歴史学は、ドイツのレオポルト・フォン・ランケによって史料批判に基づく「あるがままの事実」を解明する「実証史学」として確立された。これに対して、イギリスのヘンリー・バックルは、自然科学のモデルに基づいた人間社会を支配する法則を明らかにする「実証主義」の立場に立つ。ランケの『近世史の諸時代について』は、時代としては古代ローマから一九世紀まで、空間的にはヨーロッパに限定して叙述され、「ラテン的・ゲルマン的民族」を先頭とするヨーロッパの勃興とその他の民族の衰退を描く「民族の勃興史」と言える。他方、ヘンリー・バックルの『イングランド文明史』は、イングランド以外の諸地域や諸国にも注意を払いながら世界の諸地域・諸民族の歴史を記述した「世界文明史」と言ってよく、人類の進歩を支配する法則には「自然的法則」と「精神史的法則」とがあることを発見する実証主義の方法論を採用していた(小山 二〇一六：二七二―二七七頁)。

ランケにおいては民族の興亡史として語られる世界史、バックルにおいては文明の発達史として語られる世界史であるが、別なところで二つの世界史は一九世紀ヨーロッパの歴史意識を共有していた。ひとつには、「国民史」としての歴史学ということである。ステファン・バーガーの浩瀚《こうかん》な研究によれば、一八〇〇年前後のヨーロッパでは歴史をめぐる認識の構造が大きく変化していったという。それは、フランソワ・アルトーグの言葉を用いれば「歴史の体制《レジーム》」の変容であり、ミシェル・フーコーによれば「エピステーメー」の切断ということになる。総じて発見されるのは、近代性《モダニティ》としての時間意識の変化であり、空間構成としての国民国家という単位が登場したことにある。近代国民国家をめぐる歴史意識が、通奏低音のように時間と空間をめぐる意識を構造化して、それはヨーロッパの優越感と結びついていった。この方法論的ナショナリズムとヨーロッパ中心主義が、近代歴史学の基調となっていたのである(Berger 2015：4-6)。

これに対して、現代歴史学は二〇世紀転換期から胎動してくるが、そこではアナール学派として知られる潮流が全体史を標榜して唱えられることになった。アナール学派は当初は経済史研究に棹さし、その後に社会史研究へと軸足を移していくことになるが、それは二〇世紀半ばにはひとつのパラダイムとして確立していった。日本での社会史はマルクス主義史学とは異なるアナール学派の影響を受けたアプローチとして定義されるが、社会史研究のパラダイムはアナール学派とは異なる潮流を含みながら隆盛を極め、日本と欧米とでは若干異なる位相で展開したが世界的な現象であった。その後、一九七〇年代からは歴史学はいわゆる「転回」の時期を迎える。まず狭義に言語論的転回として定義される傾向から問題が提起され、それは歴史学の文化論的転回として文化史研究を推進していった。さらに二〇〇〇年代になると、歴史学はさらなる転回の時期を経験する。文化史のもつミクロ化や断片化の傾向を批判しつつ、時間的ないしは空間的なスケールを拡大して「大きな物語」の復権を唱える潮流が登場したからである。本稿は、こうした社会史パラダイム以降の転回のなかに世界史認識を位置付けるものである。

一、社会史パラダイム

社会史の系譜

ギャレス・ステッドマン・ジョーンズは、主著『階級という言語』(原著一九八三年)の「序論」のなかで、社会史から言語論的転回にいたるイギリスの史学史について論じている。そのなかで、一九五〇年代に社会史が、雑誌『アナール』や『過去と現在 *Past and Present*』、マルクス主義の経済還元論への自己批判、そして社会学や人類学などの多様な起源から誕生してきたことを活写している。とりわけ、エドワード・トムスン『イングランド労働者階級の形成』(原著一九六三年)を「導きの糸」とするマルクス主義の社会史が、近代化理論との緊張関係から自己成型していく様子が述べられている。「最盛期においてこの社会史を特徴付けたのは、全体史への志向性」であったというように、マルクス主義と近代化理論が社会史の方法論的フレームワークを提供し、近代イギリスは多様な理論や方法論の「実験場」となっていたのである(ステッドマン・ジョーンズ 二〇一〇:七ー八頁)。

リン・ハントは、『グローバル時代の歴史叙述』(原著二〇一四年)において、社会史をトマス・クーンがいうところのひとつのパダイムと見なして、合衆国を中心とした戦後の歴史学の展開を捉えている。すなわち、「マルクス主義、近代化論、アナール学派、アイデンティティの政治からなる社会史研究」が支配的な四つのパラダイムとして成立していたという(ハント 二〇一六:一三—一八頁)。リン・ハントの議論では、アナール学派の影響が強いフランス、マイノリティの歴史研究(アイデンティティの政治)が盛んなアメリカという特徴があるものの、ステッドマン・ジョーンズの言明に見られるように、この社会史の潮流は、フランス、ドイツ、イギリスの研究でも貫かれているように思われる。とりわけ、社会史のなかにはマルクス主義と近代化理論の影響下に、独自の学派(ドイツのビーレフェルト学派、日本の大塚史学)を形成していくものも現れた。

マルクスの歴史認識は「経済学批判」のなかで定式化されているが、それは「アジア的、古典古代的、封建的、近代ブルジョワ的生産様式」という社会的構成体の発展段階として描かれている。マルクス主義の発展段階論を基礎付けるのは、生産様式であり、それは生産力と生産関係との矛盾から生じる階級闘争によって移行の論理を与えられる。この社会構成体論は一国的な継起的な諸段階として構想されていた。したがって、マルクス主義の歴史家は、古代奴隷制、封建制、資本主義といった生産様式に加えて、革命や労働運動、社会主義や共産主義の政党などを研究対象としていった。事実、マルクス主義者を中心に創刊された英国の雑誌『過去と現在』は、当初は封建制から資本主義への「移行」についての論争に関わっていたが、その後、革命や民衆運動の社会史についての独創的な論文を掲載するようになった。

戦間期から冷戦の時代にかけてマルクス主義史学が定式化されていく一方で、これに対応するかたちでアメリカを中心とする西側世界で形成されていくのが、いわゆる近代化理論(modernization theory)であった。近代化理論は、一九世紀の社会学者、エミール・デュルケームやマックス・ヴェーバーなどに起源をもっている。とりわけ近代化理論の理論的基礎を提供したのが、アメリカに流入して変形されたヴェーバーの社会学理論であり、その代表的な論者であるタルコット・パーソンズの機能主義社会学であった。近代化論者の主要な命題は、人類社会の発展を「伝統社会」から「近代社会」への単線的な移行と見なす点にあり、その指標として工業化・都市化・世俗化あるいはコミュニケーションの発達などがあげられている。基本的にある特定の国民社会の機能が伝統社会のそれに取って代わることが近代化の過程とされるのである（ヴェーラー 一九七七：一一―三九頁）。

「特有の道」から「世界システム論」へ

社会史パラダイムの中におけるマルクス主義と近代化理論の強みは、独自の世界史認識をもっていたことであった。マルクス主義史学は、一九三〇年代から歴史叙述の主流となった。これは直接的には、ロシア革命の成功とその政治的権威によるものであるが、西欧に起源をもつマルクス主義はポーランドやロシアなど「東欧」で独自の発展をみたこと、また第三世界における植民地解放闘争において理論的な根拠を与えたことで支持され拡散され、マルクス主義が多元化したことも見逃せないであろう。マルクスの発展段階論は普遍的で継起的な諸段階として一国史的かつ通時的に構想されていたが、「東欧」や「第三世界」では、普遍的なモデルとの「差異」を認識させることになった。多くのモデルでは、この差異を「後進性」という枠組みで捉え直していくことになる。また他方で、帝国主義の文脈で植民地解放闘争を捉え直そうとする動向からは、ローザ・ルクセンブルクのように一国モデルの第三世界への適応とは異なる「世界経済」という認識のもとで先進資本主義国による植民地の収奪・搾取が問題化されていった（植村二〇一六：四〇―四九頁）。

近代化理論において世界史認識を提出したのが、「一つの非共産主義宣言」という副題を持つW・W・ロストウの『経済成長の諸段階』（原著一九六一年）であった。そのなかでロストウは、マルクス主義の発展段階論への対抗を強く意識した「五つの成長段階」論を提示している。ロストウによれば、すべての社会は経済的次元において五つの段階のいずれかに属することになるという。すなわち、「伝統社会、離陸のための先行条件期、離陸、成熟への前進、高度大衆消費社会」である。ロストウの近代化理論の五段階モデルでは、伝統社会においては、ニュートン以前の科学と技術に基礎を置くものとされ、「科学、技術、生産関数」が段階区分の基準となる。他方で、離陸の先行条件としては中央集権的国民国家が決定的要因とされ、政治的なものへと区分の基準が変更され、成熟期や大衆消費社会では科学と技術に戻るなど方法論的一貫性を欠くものであった(植村 二〇一六：七〇―七七頁)。

戦間期から台頭してくるマルクス主義、やや遅れて第二次世界大戦後に登場してきた近代化理論は、冷戦体制のもとでの東西の両側から鏡像的関係にように屹立《きつりつ》していた。これらを受容する諸国では、それぞれの図式のなかでみずからの世界史的位置をめぐって模索を重ねていくことになった。マルクス主義陣営のなかでは、戦間期からコミンテルンの支部として設立された共産党の政治戦略と結びつきながら論争が展開していった。他方で、冷戦下でのアジア・アフリカ諸国など第三世界に対するアメリカの近代化戦略と結びつきながら、近代化理論が拡散されていくことになった。相対的後進国における世界史認識は、大塚久雄「横倒しの世界史」論のような段階論か類型論かといった方法論的視座の葛藤を孕《はら》んだ独自の認識を生み出しつつ、歴史認識論争の枠組みを規定していった(大塚 一九六九：一九九頁)。

マルクス主義のなかで最も有名なのは、近代日本における資本主義の性格規定をめぐって行われた日本資本主義論争であった。『日本資本主義発達史講座』(岩波書店、一九三二―三三年)に寄稿した講座派は、明治期以来の財閥を中心とした日本資本主義の発展の特質について寄生地主制を組み込んだ「奇形性」に求め、その特殊性と後進性を強調した。他方で、雑誌『労農』に集った労農派は、先進資本主義国との類似性、すなわち日本資本主義の先進性と普遍性を強調した。この論争は、レーニン・テーゼの「上から」か「下から」か、共同体の分解をめぐる流通浸透説か内部解体説か、商人資本か産業資本かといった対立点を孕んでおり、一九五〇年代の移行論争に連なる論点を含んでいただけではなく、二〇世紀後半にアジアやラテンアメリカ諸国で工業化が開始されるとその評価をめぐって韓国・トルコ・メキシコなどで同類の資本主義論争が展開された際にも参照軸となっていった(小谷 二〇一六:三三三―三三四頁)。

資本主義論争と同じ含意をもつ近代化の位置付けについての世界史認識が、ドイツ「特有の道」論争として戦後西ドイツの歴史学界において行われていた。ハンス＝ウルリヒ・ヴェーラーやユルゲン・コッカらビーレフェルト学派は、ファシズムへといたる歪められた近代を英国などの正常なる近代からの「逸脱」と捉えて「特有の道」(Sonderweg)と表現した。単純な近代化理論を批判しつつマルクスとヴェーバーのアプローチを融合させたヴェーラーやコッカの社会構造史的アプローチによれば、「特有の道」テーゼのヨーロッパ中心主義的な視座は、アングロ・アメリカ／西の民主主義と、開発の途上にある「歴史における想像上の待合室」として独裁的で発展の遅れたドイツ／東を位置付けることになった。東欧の特質は西欧における根源的な発展からの隔離や接触といった観点から説明されており、東欧の歴史は西欧への引力と反発力の力学を通じて構築されてきたとされる。

植民地支配を経験した地域や国家においては、「後進性」や「歪められた近代」に対する問題意識はより強烈なものとなる。韓国の歴史家イム・ジヒョンは、「植民地特有の道」(Colonial Sonderweg)という視座を設定して、これまでのマルクス主義やヴェーバー系譜の近代化論に内在する方法論的ナショナリズム(一国史観)とヨーロッパ中心主義を超克する方法について問題提起を行っている。植民地解放後の韓国では、開発経済学者などが伝統社会における小農経済と日本統治下の近代化の経験が解放後の資本主義の誕生の前提条件になったとする一方で、「植民地特有の道」論者は、日本の植民地統治が韓国の寄生地主と植民地権力との政治同盟を通じて資本主義的発展を阻害して歪めていったと論じた。後者によれば、韓国の軍事開発独裁の起源は日本の植民地統治に遡《さかのぼ》るべきであり、それが資本主義を歪めてブルジョワ的自由民主主義を困難にしたのだというのである(Lim 2014: 286, 289-290)。

近代化理論、そしてマルクス主義の一部に内包される矛盾を解決する道として提起されたのが従属理論であった。従属理論を唱えた第三世界の歴史家たちは、一九六〇年代に南北問題が前景化してくるなかで、「すべての社会」に適応される普遍的な発展段階論を批判して、宗主国と旧植民地諸国との不均衡を表現するために「中心部・周辺部」という概念を提起した。フランクら従属理論の問題意識と世界認識の枠組みを継承しながら、構造体としての「世界システム」という概念を提起することで議論を整理したのが、イマニュエル・ウォーラーステインであった。ウォーラースティンは、中核・半周縁・周縁と分節化することによって従属理論をさらに精緻化した。やや平板な従属理論の構造認識に代わり膨張と収縮を繰り返す史的システムとしての資本主義を記述することで、世界史認識の基本的枠組みを提供することになった。そして、この世界システム論の歴史社会学的アプローチは、現在のグローバル社会科学の先駆としてグローバル・ヒストリーのなかに継承されていくことになったのである(植村 二〇一六:八六―九三頁、山下 二〇一六:三四六―三四八頁)。

二、転回1・0――物語と文化

言語論的転回

一九七〇年代以降、人文知の領域における「転回」が始まる。英語圏を発火点とする「転回」は、ポスト構造主義哲学の影響を受けながら、言語や文化への関心を中軸として構成されており、既存の歴史学のアプローチにたいして異議申し立てをすることになった。すなわち、一九七〇年代から九〇年代にかけて登場した「転回」は、経済的・社会的な関係が文化的・政治的表現の基礎を提供するという基本的な前提に異議申し立てをすることで、既存の社会史研究パラダイムを掘り崩していった。「言語論的転回」という言葉は、一九六七年のリチャード・ローティの著作に起源をもつといわれる。その言語論的転回の歴史学における象徴的著作になったのが、一九七三年に刊行されたヘイドン・ホワイト『メタヒストリー』であった。

『メタヒストリー』は、一九世紀の歴史家のテクストを詳細に分析、歴史叙述の深層意識を解明して、彼らが研究に先立つ認識目標から特定の様式を選択していることを明らかにしている。ひとつはプロットについてであり、ロマンス（ミシュレ）、喜劇（ランケ）、悲劇（トクヴィル）、風刺（ブルクハルト）というかたちで、歴史家は叙述に先立って「物語《プロット》」を選択していたという。もうひとつは、喩法《レトリック》の選択に関する問題であり、換喩（ヘーゲル）、提喩（マルクス）、隠喩（ニーチェ）、アイロニー（クローチェ）というかたちで、一九世紀の歴史哲学者たちが特定の喩法を特権化しながら立論していたことを論じている。物語論的転回として位置づけられるホワイトの『メタヒストリー』からは、歴史叙述の構築性や価値相対主義など歴史学に対するいくつかのラディカルなメッセージが読み取れ、当然ながら反発と疑念を招くことになった（ホワイト 二〇一七）。

社会史パラダイムの絶頂の時代には、物語はすべて拒絶されるべきものとされていた。歴史学を自然科学ないしは社会科学へ接近させようとする社会史家たちは、科学的な分析にこだわるべきであり、物語からは距離をとるべきとされたのである。実際のところ、アナール学派に見られるように、社会史家たちは、自然科学にならって体系的に数量的データを収集して仮説を検証し因果関係に基づく解釈を確立しようとしていた。もともと中世史家であったホワイトは、一九世紀の歴史学への誤った理解による歴史家の理論的無気力状態《アパシー》を目にしていた。歴史学を専門科学化すると見せかけ、客観性を追求するとしながらも、抑圧的な画一主義に陥っているのであり、ホワイトの目的は、歴史家の個人的次元、未来に関する次元、文学的次元、つまり主体性や倫理性を復権することにあったのである。

近年、物語論は再定式化され、歴史学の不可欠の構成要素として重要な位置を占めるようになっている。リン・ハントによれば、物語は人間の発達にとって不可欠な能力であり、個人の記憶、現実性の観念を組織化するものであり、また物語る能力とは、文化的ならびに個人的なレヴェルでの普遍的な人間的能力とされる。物語をめぐる「科学、法則、因果関係」を重視する立場と「文化、解釈、意味」の重視する立場との対立は、歴史研究における社会史パラダイムと文化論的パラダイムとの対立を反映したものとなる。その際、物語は、因果関係的な思考様式を含んでいるとされ、歴史学における物語論的転回とパラレルに文化論的転回が進行していったのには、このような認識論的構造が存在していたのである(ハント 二〇一六：一三二―一三七頁)。

文化論的転回

ヘイドン・ホワイト『メタヒストリー』が領導した言語論的転回ないしは物語論的転回は、現代歴史学のあまたの「転回」の一つにすぎなかった。文化論的転回は、言語や文化が自律的な論理をもつことを主張するもので、文化史研究を推進していった。ピーター・バークによれば、一九世紀から現在に至るまでの文化史の展開は、いくつかの段階に区分できるという。一九世紀の「古典的」段階、その後、一九三〇年代の美術史を経て、六〇年代の民衆文化史、七〇年代の歴史人類学、そして、現在の「新しい文化史」の段階である。とりわけ九〇年代の文化史は、言語論的転回の影響を受けて構築主義的傾向を帯びつつあるという。この過程は、一九世紀において周辺的な地位に置かれていた文化史が、歴史学の中心的な場に移動することを意味してもいる。八〇年代の文化史は「表象」や「実践」の歴史学を標榜し、学際的分野の中心となり、多くの研究者や学生を引きつけることになった。

「新しい文化史」という言葉は一九八〇年代の末に使われるようになったが、それは、ミハイル・バフチン、ノルベルト・エリアス、ミシェル・フーコー、ピエール・ブルデューなどによる文化理論の台頭への応答として考えねばならない。それらに共通するのは、「表象」や「実践」への関心を促してきたことにある。一九九〇年代の文化史にみられる構築主義的アプローチの定式化は、ミシェル・フーコーによって提出されている。フーコーは、「言説」を

「語られている対象を体系的に構築する」実践と定義している。この構築主義の文化史では、「表象」そのものが構築される、あるいは「表象」という手段によって、知識、領域、社会階級、病気、時間、アイデンティティなどの「現実」が「構築」され「生産」されると考えられるようになったのである(バーク 二〇一九:一一一―一一四頁)。

文化論的転回を考えるうえで、ミクロストリアの変遷が有益な視座を提供してくれる。ホワイトが『メタヒストリー』を刊行した当時、歴史人類学的アプローチからナタリー・デーヴィスやカルロ・ギンズブルグらのミクロストリアの歴史家によっても「物語の復権」が唱えられていた。アナール学派の社会史が「大きな物語」を描くために社会集団(民衆・農民・労働者)に着目したのに対して、より「小さな物語」としての個別の対象に注目したのがミクロストリアであった。ギンズブルグは「歴史を逆なでに読む」ことを主張するが、それはテクストを細心に読むことで民衆文化の痕跡を発見し、歴史の全体像を再構築しようとするものだった。ギンズブルグらは、歴史叙述の物語性に共感しながらも、あくまでも史料の痕跡を解読する方法として物語論を活用する点で、ホワイトの歴史哲学的アプローチと異なっている。

「物語の復権」は、個人レヴェルでのアイデンティティの構築に関するものにも及んでいる。その際に、史料として用いられているのが、エゴ・ドキュメントといわれるものである。それは、「一人称」で書かれた史料、具体的には、日記、書簡、自叙伝、回想録、証書などを示す歴史用語であり、あえて翻訳するとすれば、「自己文書」や「私文書」などが試訳としてあてられている。関心が増大しているのは、そうした史料のレトリックであり、それはアイデンティティの修辞学と呼ばれている。たとえば、書簡は、時代や作者の社会的地位、書かれる書簡の種類に応じた慣例にしたがって執筆されている。また、自叙伝についての考察では、真実か虚偽かを問う伝統的なアプローチに代わって、自己表現の慣例と規則、特定の役割に基づく自己認識、あるプロットの観点から見た人生をどう認識しているかが問題化される「自叙伝的転回」が推進されていった(長谷川 二〇二〇a:一一―一九頁)。

ポストコロニアル研究

こうした物語論的・文化論的転回のなかでの世界史認識は、どのようなものであったのだろうか。文化論的転回のなかでの世界史認識を提供してくれているのが、いわゆるポストコロニアル研究であろう。ポストコロニアル研究は、エドワード・サイードの『オリエンタリズム』(原著一九七八年)に直接的な起源をもっており、植民地主義を支えてきた認識論的枠組みと学知のシステムに関心を置いていた。それは、当初はサバルタン研究に刺激されてインドなどアジアに関心をもっていたが、その後に対象を広げてラテンアメリカやアフリカをも射程に入れるようになった。ゼバスティアン・コンラートによれば、このポストコロニアル研究は、グローバルな世界史認識に対して、三つの面で大きな貢献を行ってきたとされる。つまり、「文化」認識の精緻化、ヨーロッパ中心主義批判、そして植民地主義の権力性の指弾であるが、ここではとりわけ前二者が重要であろう(コンラート 二〇二一:五二—五五頁)。

第一に、ポストコロニアル研究は、洗練された文化理解のアプローチをもたらした。前述したピーター・バークも指摘しているように、文化史研究は、グローバル化のなかで生じる「文化的遭遇」を解釈するための多様な概念的道具立てを提供してきた。たとえば、かつてフェルナン・ブローデルが提出した「辺境」という概念は、古代ローマから宗教改革にいたるライン川からドナウ川の流域地帯を指すものであったが、文明の中心に対する地理的周縁性を強調するものとして定義されていた。この「辺境」概念は、二つの機能をもっている。ひとつは、文化を区分する地理的な境界としてであり、辺境においては、複数の文化が対峙しあい、「奴ら」と「われわれ」を分断する二分法的思考様式が貫徹する。もうひとつは、辺境は多様な文化が邂逅《かいこう》し、融合し共存する「接触圏」として機能することになる。その意味で、「辺境」地帯は、独自の混交文化を持つ地域であり、いわゆる文化的遭遇の舞台となる。

「文化的遭遇」という用語は、コロンブスによるアメリカ大陸「発見」のような自民族中心主義的な言葉に代わって使用されるようになった。それは、「征服されたもの」の視点に基づき、複数のアクターが「遭遇」を異なる視点で理解するためのものとなる。そこでは、異質な文化を理解することが翻訳の仕事に似ている点に由来することから、「誤解」に代わって「文化的翻訳」が用いられるようになった。それは、異質なものを新たな環境に定着する過程での戦略や戦術を強調している。しかし、それが必ずしも意識的な過程でないことから「文化的混交」という概念を用いられるようになっている。「混交」は無意識的な解釈や意図されざる結果に対して解釈の余地を与えるが、スムーズで自然な過程であるとの印象を与えてしまう。したがって、最近では、「クレオール化」という言葉も使用されるようになっている(バーク 二〇一九:一七〇—一七七頁)。

第二に、ポストコロニアル研究は、ヨーロッパ中心主義的な世界史叙述を批判して、近代の諸カテゴリーが関係論的に構築されてきた過程に注目している。インドの歴史家ディペシュ・チャクラバルティは、西洋の知的ヘゲモニーに異議を申し立て、実質的にヨーロッパを「脱中心化」するアプローチを行っている。歴史的に見れば、ヨーロッパの諸事象もグローバルなコンテクストに埋め込まれている。何世紀にもわたって、ヨーロッパは、中東、アジア、アフリカ、アメリカなどとのヒトやモノ、思想の交換に関与してきたのであって、ヨーロッパはほかの地域との比較のなかでのみ、自己のアイデンティティを形成することが可能となった。アイデンティティは関係性の産物なのであり、固有の本質ではない、つまり、アイデンティティは、同一性ではなくて、ほかのものとの差異から構成されるのだという(チャクラバルティ 二〇〇〇)。

こうしたポストコロニアル研究に対しては、いくつかの批判が提出されてきている。

そのひとつが、ポストコロニアル研究の「文化」概念に関わるものとなる。文化論的転回のなかでの植民地主義研究は、排他的に言説や表象などの文化現象に焦点を当てることになり、政治的・経済的構造に関わる問題を軽視してきたと批判された。またポストコロニアル研究の初期に見られた文化本質主義に対しても批判がなげかけられた。植民地主義へ対抗するために土着の文化を「われわれ」の文化として定義することで、潜在的なナショナリズムを内包させるという矛盾を抱え込んだとされる。もうひとつが、画一主義や現在主義とも言える植民地主義理解である。コロンブスに始まる植民地主義の歴史において社会的な差異や文化の空間的・時間的な固有性を平準化して支配の多様な形態を過小評価していること、さらに近代植民地主義と入植者と原住民の二項対立が強調されてきたことなどがあげられている(コンラート 二〇二一:五五—五六頁)。

ポストコロニアル研究は、既存のマルクス主義や近代化理論などの世界史認識の批判に精力を注ぎ、とりわけヨーロッパ中心主義的な物語の構造を看破して、それらを徹頭徹尾解体していった。ディペシュ・チャクラバルティの言葉を用いれば、ヨーロッパを「地方化」していったのである。だが、ポストコロニアル研究は、それまでの世界史認識に見られた包括的な語りないしは「大きな物語」を回避する傾向があった。したがって、既存の世界史に対する代替的な「大きな物語」を提供してきたとはいえなかった。言語論的転回が歴史学における物語の重要性を再発見してこれを脱構築する一方で、文化論的転回が個別の断片化したミクロでローカルな事象に関心を集中させてきたことと相まって、やがて「大きな物語」の不在に対する批判が浮上してくることになる。ここに、グローバル・ヒストリーへの舞台が設定されたのである(ハント 二〇一六:九—一〇頁)。

三、転回2・0——空間と時間

一九九〇年代以降、現代歴史学は新たな転回の局面を迎える。この転回においては、「世界史」が歴史叙述の問題の中心的な位置に移動してくる。言語論的転回からは、歴史叙述の物語性の問題意識を継承すると同時に、文化論的転回におけるミクロストリアの対象の断片化や小規模化に対する批判、ポストコロニアル研究に見られたヨーロッパ中心主義(植民地主義・帝国主義)批判を継承して、「大きな物語」が復権してくる。この転回の新版では、歴史叙述のスケールを大きく変化させる空間論的ならびに時間論的転回が前景化する。果たして、そこでは、近代歴史学以来の引き継がれてきた、世界史認識における方法論的ナショナリズムやヨーロッパ中心主義の問題はどのように表出され解決されているのだろうか。リン・ハント『グローバル時代の歴史学』(原著二〇一四年)や、ゼバスティアン・コンラート『グローバル・ヒストリー』(原著二〇一六年)などを参考に論点を拾い上げる。

空間論的転回

ひとくちにグローバル・ヒストリーと言っても、そこにはいくつかの潮流が含まれており、空間認識の点からいえば、いくつかの類型に分けることができる。たとえば、リン・ハントは、グローバル・ヒストリーを経済史研究に基礎を置くトップダウン型と文化史研究に依拠するボトムアップ型というかたちに類型化しており、さらに「普遍化」を志向するグローバリゼーションのなかで「差異」が先鋭化して多様性が惹起されるというパラドクスも指摘している(ハント 二〇一六：五九―八三頁)。他方で、ゼバスティアン・コンラートはグローバル・ヒストリーを、世界の全体論的認識を志向するもの、また世界のいくつかの地域や部分のあいだの「接続と比較」を取り扱うもの、さらにグローバル化の統合過程の秩序に関わるものとして三つに分類している(コンラート 二〇二一：七―一一頁)。ハントもコンラートも、独自の観点から主として三つの類型化を行っているのだが、以下では、その意味するところについて簡単に触れておこう。

ハントのいうトップダウン型は、世界のあらゆる地域を変容させて「単一の世界」を創出していく不可避のプロセスとしてのグローバリゼーションを語りの中心に据える。また、グローバリゼーションの推進力としての経済の優位性を説き、経済に焦点を合わせて分析すべきことを主張している。この研究のパラダイムは、分析のスケールをマクロレベルに移行させ、マルクス主義や近代化理論を飲み込んでいった。そこで唯一の問題とされるのは、近代の資本主義の発展にいたる道のりのなかで、誰が成功して、誰が失敗したのかということにあり、それは経済統計を集計する主体となる「国民国家」のリストから選択されることになった。また、このグローバル・ヒストリーは、文化史の成果を洗い流してしまうという副作用を孕んでおり、それまでの歴史研究の発展を逆行させるものでもあった。

これに対して、ボトムアップ型といわれるグローバル・ヒストリーは、主として近世史の分野から問題提起されている。そこでは、グローバリゼーションが「近代化」の別名であるという考え方に批判的であり、それが近世以降に起源を持つ様々な要因から成長したことを明らかにする。国境地帯・砂漠・河川・海洋など「海域」や「陸路」のトランスナショナルな空間が注目され、砂糖、タバコ、コーヒーなどの商品にかかわる交易活動、またユダヤ人やアルメニア人などのディアスポラ現象などに焦点が当てられる。そこでは経済的側面だけではなく、人びとの嗜好性、個人的交流、家族の紐帯、識字率、宗教的感覚などの文化の問題も取りあげられている。このボトムアップ型のグローバル・ヒストリーは、トップダウン型の包括的な理論構築への志向性と文化論的転回以降のミクロな断片化した個別研究との中間路線をとる。いいかえれば、一般化を志向しつつ史料を基盤にした実証研究を行っており、歴史家の実践にも適合的なものとなるという。

ゼバスティアン・コンラートは、やや異なる観点からグローバル・ヒストリーの類型化を試みている。第一の類型では、グローバル・ヒストリーは全体性の代名詞として用いられており、通常マクロな課題、典型的には地球規模の全体史を描こうとするもので、制度や商品を地球全体にわたり追跡し、古代から現代まで通時的に取り扱う。それは、伝統的な「世界史」と同じ意味をもつ用法となっている。第二の類型は、「接続と交換」を対象化する。それは、境界を超えて地域間の相互作用が発生する流動的で偶発的な様相を析出するために、交流や交換、連結と絡み合い、ネットワークやフローといった用語が動員されている。そこでは、「移動」を中心的な対象に押し上げて、商品やモノの移動、移民や旅行といったヒトの移動、そして観念や制度の移転をグローバル化された世界を創出する基礎的過程として重要視したのである。

注目すべきは、ハントもコンラートも、二つの類型に対して「第三の道」としてのグローバル・ヒストリーを対置していることである。ハントのトップダウン型とボトムアップ型の対置は、アプローチとしての経済史研究と文化史研究、全体性と局所性などの対立を内包しているが、それらを超克するかたちで提出されているのが、グローバル化の過程で惹起される特殊性や個別性を射程に入れた歴史叙述である。具体的には、国民国家や国民文学の形成が例としてあげられるが、そこは、普遍性と特殊性、また画一性と多様性がせめぎ合う場とされている。他方で、コンラートの国民国家形成を事例とした統合過程における秩序化に注目するグローバル・ヒストリーも、全体史と接続・比較史として構想された二つの類型に対して、対案として提出されている。一般にグローバリゼーションがフラットな空間を創出するのではなく、同時に差異を産出するというパラドクスが指摘されているが、二人の類型化に見られる「第三の道」もこれに対応したものであるといえよう。

時間論的転回

空間認識の拡大を意図したトランスナショナルな歴史に対して、「トランス－テンポラル・ヒストリー」(trans-temporal history)は、いまだに馴染みのない言葉となっている。この言葉に象徴される時間論的転回の研究史は、次のようなものとなる。ブローデルの「長期の持続」概念に示されるように、歴史学の強みは長期の構造的視点から現実を捉えることができることにあった。しかし、歴史研究の専門化とも呼べる展開にしたがい、研究史の蓄積と資料水準の上昇によって研究対象としての時代を限定して狭隘化させていく事態が進展していった。ディヴィッド・アーミティジによれば、このことが「長期への恐怖」や「短期の勝利」を引き起こして、歴史学という学問の周辺化を招き、歴史学の公共の問題にたいする提言能力を著しく喪失させていったとする。

だが最近になって、歴史学では「長期の復権」とも呼べる現象が発生している。グローバル化にともなうガヴァナンスの解体状況、国民国家内部での格差の拡大、あるいはまた人間の手の及ばない域に達した気候変動などの危機が浮上してきている。これらの危機の諸起源は、それぞれに諸国際機関が登場した二〇世紀半ば、資本主義の発展が加速化した一九世紀末、そして「人新世」の始まりとされる一八世紀後半にまで遡ることができるが、諸課題を検討するには長期的視点が必要となってくる。これに対して、現代の政府や諸非政府機関は会計年度や選挙のサイクルに規定されて長期的な視座に立つことができずに、歴史的視点を欠いた専門家やジャーナリストの知見が幅を利かせることになっているという。アーミテイジは、デジタル技術の発展によるビッグデータを踏まえた歴史学が現実にコミットする時期が到来しているのではないかと主張するのである(アーミテイジ 二〇一六:一二九―一六八頁)。

リン・ハントは、歴史における時間意識を三つの類型に整理している。すなわち模範としての過去、進歩主義によって克服すべきものとしての過去、そして全地球的時間である。全地球的時間とは、気候変動や環境問題を射程に入れた超長期的な時間軸となる(ハント 二〇一九:九一―九六頁)。実際のところ、歴史研究では、ビッグデータを用いた歴史研究が盛んになりつつあり、それは人文科学・社会科学的アプローチを超えて自然科学と接近しつつある。なかでも、ビッグ・ヒストリーは、「宇宙史」とでも言える壮大な時間軸を打ち立て、遥か一四〇億年前のビッグバンから宇宙の歴史を叙述しようとする試みである。ビッグ・ヒストリーが宇宙の歴史であるとすれば、ディープ・ヒストリーは「人類史」ともいえる時間軸で歴史を超長期的に取り扱っている。また気候変動の歴史を描く「人新世」の歴史も登場している。以下では、ディープ・ヒストリーと気候変動の歴史を見てみよう。

ディープ・ヒストリーは、人間の本質そのものが異なるかたちで見えてくるアプローチだとされる。日本でも代表的な作品としてハラリ『サピエンス全史』が翻訳されて話題を読んでいるが、歴史家のダニエル・スメイルは「新しい神経史学」を提唱して、生物学的アプローチと文化論的アプローチを融合させ、人類の長期的な歴史を論じている。スメイルはまた、長期的な視座をとることによって、「文明」というものが白人の居住した中東地域から発生したのだという「神話」、すなわちアフリカ系黒人に対する偏見から自由になれることを示唆《しさ》する。ディープ・ヒストリーはまた、人間と動物との親縁関係を想起させてくれる。たとえば、人間が類人猿のひとつであることを強調し、人類のほかの生物への優位性の認識は近代がもたらした歴史的構築物にすぎないという議論まで登場しているのである（ハント 二〇一六：一〇〇―一〇一頁）。

長期的な歴史を気候変動の観点から叙述する動向もある。気候変動の歴史は、人間を世界の支配者として見るのではなく、自然界のなかでのひとつの行為主体として見る。気候変動は、過去・現在・未来の連続性を断ち切る可能性をもち、歴史の存立基盤そのものを危機に陥れる。気候変動はまた、自然史と人類史との長年にわたる分離状態を意味のないものとして、人間が突出した生物学的主体であるという前提に異議申し立てをしている。「人新世」と呼ばれる地質学的時代に突入して、人類は地球環境を破壊する可能性のある地質学的主体として見なされなければならないという。チャクラバルティは、気候変動がもたらす潜在的破局の可能性に鑑《かんが》みて、その脅威を認識可能なものとするために、気候変動の歴史に取り組むことになったとする。彼によれば、人間は種として考え、かつ行動をしなければならないというのである。（1）

論争の諸形態

ユルゲン・オスターハメルによれば、グローバル・ヒストリーは、その革新性が喧伝されてきたこれまでとは違い、欠陥や脆弱性を露呈してきているという。ひとつには学問的な不正確性があらわとなってジレンマに陥っていることであり、もうひとつには現実の世界でナショナリズムが復権してきていることによる。こうしたグローバル・ヒストリーが内包する脆弱性は、その急激な登場の過程に起因しているとされる。すなわち、第一に、認識可能な全空間を対象とする「普遍史」を標榜して登場してきたが、古代以来の普遍史対個別史といった対立を継承している。第二に、旧来の研究との断絶を強調するあまりに方法論的継承関係を曖昧化したこと、第三に、依拠するいわゆるグローバル社会科学の欠陥が問題視されるようになっていることである(Osterhammel 2018: 21-26)。ここでは、いくつかの論争の形態をとって表出されるグローバル・ヒストリーの現状について、以下に論及していくことにする。

〈スケール論争〉

グローバル・ヒストリーが、ハントのいうトップダウン型のように普遍性を志向するものであるとすれば、個別具体的な現象はどのように位置づけられるのか。最近では、この普遍と個別の対立という歴史叙述にまつわる問題が注目されるようになっている。二〇一九年に英国の雑誌『過去と現在』に掲載された特集は、スケール論争ともいえる問題を提起している。グローバル・ヒストリーがトランスナショナル史や帝国史などを包摂して成立し、移動や流通などを対象化したがために、個別の事件や現象の文脈ならびに個別の実証研究を軽視するようになっているというのである。これに対して、グローバルとミクロの接合を追求する「ミクロ空間史」なるアプローチが、主としてミクロストリアの研究者から提起されており、先のボトムアップ型グローバルヒストリーと親和性を示している。特集でのジョバンニ・レヴィとヤン・ド・フリースの議論を取り上げてみよう。

歴史の断片化をともなう文化論的転回を批判するなかから登場して来たグローバル・ヒストリーに対して、ジョバンニ・レヴィはミクロストリアの観点からの反批判を行っている。レヴィによれば、グローバル・ヒストリーは、トランスナショナルな広域的・長期的な現象を取り扱うために空間や時間が均質化されており、史料はデータベースや二次文献に依拠したものとなり、ヨーロッパ中心主義への自己批判として登場してきたが、「勝者」(西洋)と「敗者」

(その他の地域)の区分を継承して、さらに進歩の観念さえも踏襲しているとされる。これに対してミクロストリアでは、空間は象徴的意味のネットワークのなかに置かれ、時間も複線的に構想されており、アーカイヴにある一次史料で顕微鏡的な視点から歴史を再構築できるという利点をもつという(Levi 2019)。

他方で、ヤン・ド・フリースは、グローバル・ヒストリーとミクロストリアを接合していくには、明確な概念規定と方法論的刷新が必要であるという。たとえば、主体の復権を唱えて、個人の経験を通じてグローバルな作用を検証していくアプローチでは、全体のマクロな趨勢《すうせい》に対する「例外的個人」をどのように取り扱うのか、またスケールを調整してグローバルな分析と一次史料に依拠する実証研究を結合するにしても、ミクロな空間は全体の集約点を意味しているのかといった問題提起がなされている。フリースは、ミクロストリアとグローバル・ヒストリーは共に時間のスケールでは共時的アプローチをとっており、マクロな構造変動を描く通時的位相を欠いているという。国家的次元を強調してきたかつて「歴史社会学」といわれたマクロヒストリーを復権することで、ミクロとグローバルの中間的な位相での構造変動を描くことができるのであり、それはまた趨勢のなかでの「例外的個人」を位置付けることも可能にすると主張している(De Vries 2019)。

〈グローバル危機〉

グローバル・ヒストリーのアプローチは、歴史上の危機に対しても新たな解釈をもたらしている。たとえば、一七世紀は、ヨーロッパ規模での人口の減少と停滞、基幹産業である毛織物工業生産の停滞、地中海・バルト海・レヴァント貿易など国際商業の不振、各地の暴動や一揆、騒乱と革命が集中して発生した「危機の時代」であるとされてきた。一九五〇年代の論争では、それは、封建制から資本主義への「移行」の最終局面としてあらわれたものとされ、ヨーロッパ内部の現象として取り扱われてきた。そこでは、通時的な観点から、国民国家間の類型比較がなされてきたと言える。しかし、近年の研究は空間的な位相を拡大して、それがグローバルなレベルで展開したことを指摘している。一七世紀の危機は、一八世紀の後半に到来する体系的な危機と比較されて、世界規模で危機がシンクロしていく「グローバル危機」の最初の事例とされているのである。

一七世紀のグローバル危機は、どこに原因を求めうるのであろうか。あるいは、世界を結びつけていた要因はどこにあるのか。グローバル経済史であれば、世界を結びつけていた「銀」の流通の問題に危機の原因を求めるであろう。しかし、アメリカの歴史家ジェフリー・パーカーは、一七世紀の危機の根底に異常気象という自然環境的要因を見てとろうとしている。一七世紀は近世の「小氷期」と呼ばれる寒冷化の時期となったのであり、太陽の黒点の移動が異常を示していた「マウンダー極小期」であったこと、火山の爆発が各地で相次いで大気中に排出された火山灰が太陽光線を遮ったこと、さらにエルニーニョ現象が発生したことなどで、寒冷化が加速していった。グローバルな規模で噴出する異常気象は、世界各地で農業生産に決定的な影響を与えた。食糧不足が慢性化して、栄養不足が生じ、死者数の増加、人口の減少などで危機の潜在的な条件が作り出されたというのである。

気候的要因によってグローバルに接続された危機は、各地に独自の形態で表出されることになり、その比較史的検討へと誘っていく。しかし、その表出のされ方をめぐって気候史や環境史のアプローチに対する批判も提出されるようになっている。そこでは、気温の変化や穀物価格の変動などのビッグデータを用いたマクロな観点では共時的な傾向を確認できるが、ローカルな社会史的要因の重要性が認識されるようになっているのである。イギリス近世史家スティーヴ・ヒンドルは、一七世紀の危機の背景に小氷期の気候的要因があることは間違いないが、具体的な危機の表出の形態はローカルな「制度の生態学」によって規定されるという見解を提示した。また、ローカルな要因に加えて「主観性」の領域にまで立ち入って論じようとする研究も出始めている。同時代のエゴ・ドキュメントが明らかにするのは、危機の意味づけや理解が宗教や神学などの伝統的な回路を通じて行われていたことを指摘しており、その意

味でグローバル危機の解釈にも文化史的なアプローチが求められるとされている。(2)

〈「国民国家」の再定位〉

それでは、ナショナル・ヒストリーは、その意味を失ってしまったのであろうか。必ずしもそうではない。ナショナル・ヒストリーは、既存の歴史学の方法論的ナショナリズムを克服するために提出されてきたとも言える。グローバル・ヒストリーは、その位置を再定位して世界史のなかに再び登場しつつある。リン・ハントは、ボトムアップ型の視点の延長線上に、「想像の共同体」という文化的現象としての国民国家が、世界史のなかに幾つかの波を打って登場することに注目している(ハント 二〇一六:七七―八三頁)。また、ゼバスティアン・コンラートは、ネイションやナショナリズムをグローバリゼーションという構造的文脈のなかで登場する現象として捉える。コンラートは、ナショナリズムの内容を規定するものが、グローバルな地政学的秩序やグローバルな布置関係にあることを強調する(コンラート 二〇二一:七八―八七頁)。いずれにしても、ネイションやナショナリズムをグローバルな現象として捉え直そうとする志向性は明らかとなる。

グローバルな現象としてのネイションやナショナリズム。この視点から、独自のグローバル・ヒストリー論を展開してきたのが、デイヴィッド・アーミテイジである。アーミテイジの最初の著作である『イギリス帝国のイデオロギー的起源』(原著二〇〇〇年)は、イングランド、スコットランド、ウェールズ、アイルランドという諸国民(民族)からイギリス(ブリテン)国家が発展してくる過程が、イギリス帝国の歴史的形成と分かちがたく結びついていた点を明らかにするものであった。『独立宣言の世界史』(原著二〇〇七年)は、この一国史を脱構築していく視点をアメリカ史に拡張したものである。イギリス帝国の支配から脱して一三州植民地の合衆国として立ち上がる「独立宣言」は、アメリカの優越性を主張する「例外主義」の基礎となる「神話」であったが、「もっともアメリカ的な文献」と呼ばれる

テクストの内容や形態、そして影響という面においてトランスナショナルなものであったことが論証される。(3)

アーミテイジのグローバル思想史の方法に示唆を受けながら、グローバルな視点から国民史を再記述する試みが見られるようになっている。そのなかでも、二〇一七年に刊行されたパトリック・ブシュロンらによる『世界の中のフランス史』は、フランスでは一〇万部を超えるベストセラーになり、フランスではひとつの「事件」として受け止められ、イタリアやオランダでも同様の計画がなされた。実は、こうした国民の復権とも言える現象には、一九九〇年代以降の歴史家論争で提起された全体主義や植民地主義の過去の暴力の告発に対する反発を契機に、勢力を拡張してきた歴史修正主義への対抗も意識されているという。冷戦後の地殻変動のなかで「心地よい国民の語り」に冷水を浴びせることとなった歴史研究をにらみつつ、グローバル化のなかでの国民史を再記述しようとする試みは、ナショナル・ヒストリーが空間論的転回・時間論的転回の篩《ふるい》にかけられることによって開かれたものになっていく可能性を示唆している。それは、グローバル・ヒストリーの「第三の道」としても今後の展開が注目されるものとなる。(4)

おわりに

本稿は、近代歴史学の誕生以降の「世界史」の叙述の作法について素描を試みたものである。たしかに、それは、欧米を中心とした歴史学の転回に世界史認識の系譜を探ろうとするものであり、日本における受容にはあまり紙幅を割くものではなかった。ランケ史学の系譜からは鈴木成高の「世界史の哲学」が登場し、マルクス主義と近代化論の潮流からは、大塚久雄の「横倒しの世界史」、江口朴郎の『帝国主義と民族』などの独自の成果がもたらされた。文化論的転回のポストコロニアルの系譜からは、西川長夫『国境の越え方』、現在のグローバル・ヒストリーでは、近代化論の復活とも言える潮流も登場してきている。これらは、欧米の動向からタイムラグをともなって現れてきており、独自の検討を要する課題であると思われる。以下では、本稿で明らかとなった諸論点をまとめておきたい。

近代の歴史学の主流をなす研究領域(ジャンル)やアプローチは、政治史、経済史、社会史、そして文化史と変遷してきた。ランケの「世界史」は民族の興亡という政治史の枠組みのなかで執筆されたものであり、マルクス主義や近代化理論は、経済史や社会史の段階に対応する「世界史」を構想していたと言える。社会史パラダイムに対する批判として登場してきた文化論的転回に基づく歴史(文化史)は、対象とするところを小規模な村落や都市、そして諸個人へと絞っていくミクロ化の傾向がみられた。現在のグローバル・ヒストリーの隆盛は、一つにはこうした文化史のもたらしたミクロ化への反動という側面があることは間違いがなかろう。しかし、ミクロな文化史は、グローバル・ヒストリーとの接合を模索してきており、それは「ボトムアップ型」(リン・ハント)や「ミクロ空間史」(レヴィ)という形態で登場してきている。

近代以降の「世界史」叙述の空間認識についてみれば、基本的な単位となったのは国民国家であった。ランケの世界史は民族の興亡史の形態を取り、バックルの文明史も国民の比較史を試みていた。マルクス主義は、「万国の労働者よ、団結せよ」という国際主義の理念にもかかわらず、革命への経路は国民国家単位となっており、植民地の帝国主義に抵抗する民族に積極的に受容されていった。マルクス主義と表裏一体の近代化理論もまた然りであったが、それを批判した従属理論にも世界資本主義からの離脱の過程で均衡ある国民経済の確立が戦略として採用されていた。文化史はミクロな方向に傾倒し、グローバル・ヒストリーは国民国家レベルを超えたトランスナショナルな接続を対象としていったが、近年は国民史の位相が回復しつつあるように思われる。

他方で、「世界史」の時間認識についていえば、近代の世界史は、ランケやバックルは進歩の目的地として近代のヨーロッパを設定していたし、マルクス主義や近代化理論は、それぞれが社会主義と大衆消費社会を設定することで、同じく欧米の近代性が進歩の座標軸となっていた。ヨーロッパ中心主義を相対化すると思われたグローバル・ヒストリーは、トップダウン型に見られるように一部には近世から近代への転換を主題化して、近代中心主義な視座が深く染み付いていたことが明らかとなっており、近代性を目標とする進歩主義とヨーロッパ中心主義の時間論的枠組みが前提とされていたのであった。これに対してビッグ・ヒストリーやディープ・ヒストリーなどは、文字の発明以前からの人類を対象として超長期的な歴史を描くことになり、気候変動や環境・生態系を包摂した「全地球的時間」という軸が設定されることになった。そこでは、進歩や近代への偏重からはすでに距離を置いていることが明らかとなる。

かくして、現在のグローバル・ヒストリーを中心とする「世界史」は、文化論的転回、空間論的転回、時間論的転回などさまざまな現代歴史学の「転回」が交錯するところに成立しているのである。

注

（1）時間論的転回についてはビッグ・ヒストリーやディープ・ヒストリーを含め「物語論的転回2・0」として論じたことがある（長谷川・成田 二〇二〇）。また気候変動の歴史については、チャクラバルティ「気候と資本」（二〇二〇）を参照。

（2）パーカー（Parker 2014）のように一七世紀の危機を気候的要因によるグローバル危機として捉える傾向については、簡単に紹介したことがある（長谷川 二〇二〇b）。

（3）ディヴィッド・アーミテイジの一連の作品は、時間論的・空間論的転回の実験的試みであり、方法論的ナショナリズムの脱構築として位置付けられる（アーミテイジ 二〇一六）。

（4）『世界史の中のフランス史』の成功は、グローバル・ヒストリーの方法論的ナショナリズム批判に対する穏健なかたちでの反批判として受け止められているようである（「特集 ナショナル・ヒストリー再考」『思想』二〇二一）。

参考文献

「特集 東アジアの西洋史学」『思想』一〇九一号、二〇一五年三月。
「特集 ナショナル・ヒストリー再考」『思想』一一六三号、二〇二一年三月。

アーミテイジ、デイヴィッド（二〇一二）『独立宣言の世界史』平田雅博・岩井淳・菅原秀二・細川道久訳、ミネルヴァ書房。

アーミテイジ、デイヴィッド（二〇一五）『思想のグローバル・ヒストリー――ホッブズから独立宣言まで』平田雅博・山田園子・細川道久・岡本慎平訳、法政大学出版局。

アーミテイジ、デイヴィッド（二〇一九）『〈内戦〉の世界史』平田雅博・阪本浩・細川道久訳、岩波書店。

浅田進史・榎一江・竹田泉編著（二〇二〇）『グローバル経済史にジェンダー視点を接続する』日本経済評論社。

ヴェーラー、H－U（一九七七）『近代化理論と歴史学』山口定・坪郷実・高橋進訳、未來社。

植村邦彦（二〇一六）『ローザの子供たち、あるいは資本主義の不可能性――世界システムの思想史』平凡社。

大塚久雄（一九六九）「予見のための世界史」『大塚久雄著作集』第九巻、岩波書店。

岸本美緒（二〇二一）『明末清初中国と東アジア近世』岩波書店。

ギンズブルグ、カルロ（二〇一六）『ミクロストリアと世界史――歴史家の仕事について』上村忠男訳、みすず書房。

グルディ、ジョー、D・アーミテイジ（二〇一七）『これが歴史だ！――21世紀の歴史学宣言』平田雅博・細川道久訳、刀水書房。

小谷汪之（二〇一六）「マルクス主義の世界史」秋田茂ほか編『「世界史の」世界史』〈MINERVA 世界史叢書 総論〉、ミネルヴァ書房。

小山哲（二〇一六）「実証主義的「世界史」」秋田茂ほか編『「世界史の」世界史』〈MINERVA 世界史叢書 総論〉、ミネルヴァ書房。

コンラート、ゼバスティアン（二〇二一）『グローバル・ヒストリー――批判的歴史叙述のために』小田原琳訳、岩波書店。

ステッドマン・ジョーンズ、ギャレス（二〇一〇）『階級という言語――イングランド労働者階級の政治社会史 一八三二～一九八二年』長谷川貴彦訳、刀水書房。

スブラフマニヤム、サンジャイ（二〇〇九）『接続された歴史――インドとヨーロッパ』三田昌彦・太田信宏訳、名古屋大学出版会。

チャクラバルティ、ディペシュ（二〇〇〇）「インド史の問題としてのヨーロッパ」大久保桂子訳『別冊思想 トレイシーズ』岩波書店。

チャクラバルティ、ディペシュ（二〇二〇）「気候と資本――結合する複数の歴史」坂本邦暢訳、成田龍一・長谷川貴彦編『〈世界史〉をいかに語るか――グローバル時代の歴史学』岩波書店。

成田龍一（二〇二一）『方法としての史学史　歴史論集1』岩波現代文庫。

成田龍一・長谷川貴彦編（二〇二〇）『〈世界史〉をいかに語るか――グローバル時代の歴史像』岩波書店。

成瀬治(二〇〇一)『世界史の意識と理論』岩波書店。

バーク、ピーター(二〇一九)『文化史とは何か 増補改訂版第2版』長谷川貴彦訳、法政大学出版局。

長谷川貴彦(二〇一二)『産業革命』〈世界史リブレット〉、山川出版社。

長谷川貴彦(二〇一六)『現代歴史学への展望――言語論的転回を超えて』岩波書店。

長谷川貴彦編(二〇二〇 a)『エゴ・ドキュメントの歴史学』岩波書店。

長谷川貴彦(二〇二〇 b)「エマニュエル・ル＝ロワ＝ラデュリ『気候の歴史』 一七世紀危機論の系譜――社会経済史から気候史へ」『現代思想』(総特集 コロナ時代を生きるための六〇冊)、四八巻一一号。

長谷川貴彦(二〇二〇 c)「「転回」以降の歴史学――新実証主義と実践性の復権」恒木幸太郎・左近幸村編『歴史学の縁取り方――フレームワークの史学史』東京大学出版会。

ハント、リン(二〇一六)『グローバル時代の歴史学』長谷川貴彦訳、岩波書店。

ハント、リン(二〇一九)『なぜ歴史を学ぶのか』長谷川貴彦訳、岩波書店。

ポメランツ、ケネス(二〇一五)『大分岐――中国、ヨーロッパ、そして近代世界経済の形成』川北稔監訳、名古屋大学出版会。

ホワイト、ヘイドン(二〇一七)『メタヒストリー――一九世紀ヨーロッパにおける歴史的想像力』岩崎稔監訳、作品社。

山下範久(二〇一六)「世界システム論」秋田茂ほか編『「世界史の」世界史』〈MINERVA 世界史叢書 総論〉、ミネルヴァ書房。

ル＝ロワ＝ラデュリ、エマニュエル(二〇〇〇)『気候の歴史』稲垣文雄訳、藤原書店。

Armitage, David and Sanjay Subrahmanyam (eds.) (2009), *The Age of Revolutions in Global Context, c. 1760-1840*, Basingstoke: Palgrave Macmillan.

Berger, Stefan (2015), *The Past as History: National Identity and Historical Consciousness in Modern Europe* , London: Palgrave Macmillan.

Osterhammel, Jürgen (2018), "Global History", Peter Burke and Marek Tamm (eds.), *Debating New Approach to History*, Bloomsbury USA Academic.

De Vito, Christian G. and Anne Gerritsen (eds.) (2018), *Micro-Spatial Histories of Global Labour* , London, chap. 1.

De Vito, Christian G. (2019), "History without Scale: Micro-Spatial Perspective", *Past and Present,* Vol. 242, Issue Supplement 14.

De Vries, Jan (2019), "Playing with Scales: The Global and the Micro, the Macro and the Nano", *Past and Present,* Vol. 242, Issue Supplement

14.

Drayton, Richard and David Motadel (2018), “Discussion: The Futures of Global History”, *Journal of Global History*, Vol. 13, no. 1.

Handley, Sasha, Rohan McWilliam and Lucy Noakes (eds.) (2018), *New Directions in Social and Cultural History*, Bloomsbury USA Academic.

Hill, Christopher L. (2008), *National History and the History of the Nations,* Duke University Press.

Lim, Jie-Hyun (2014), “A Postcolonial Reading of the *Sonderweg*: Marxist Historicism Revisted”, *Journal of Modern European History,* 12 (2).

Levi, Giovanni(2019), “Frail Frontiers? Global History and Microhistory”, *Past and Present,* Vol. 242, Issue Supplement 14.

Parker, Geoffrey (2014), *Global Crisis: War, Climate Change and Catastrophe in the Seventeenth Century,* Yale University Press.

焦　点　*Focus*

焦点｜Focus

ジェンダー史の意義と可能性

三成美保

一、世界史的課題としてのジェンダー平等

ジェンダー視点による「知」のパラダイム転換

「ジェンダー視点」(gender perspective)は、伝統的な「知」の体系に根本的な組み換えを迫る(長野 二〇〇六)。学術の発展は、新しい知見の獲得を目指す営みである。それは同時に、「知」の体系に無意識に組み込まれている人種・民族・階級などのバイアス(「アンコンシャス・バイアス」(無意識の偏見))を次々と可視化して「知」の体系を問い直し、パラダイム転換をはかる営みでもある。アンコンシャス・バイアスの基底に横たわる根源的なバイアスが、「ジェンダー・バイアス」(ジェンダーに基づく偏見や偏り)である。

他の近代諸科学と同じく、歴史学もまた「男性の男性による男性のための歴史」であることに無自覚であった。大学教授を中心とする男性歴史学者により、識字層男性が残した文字記録に基づいて、近代社会で「公的」とみなされた事件や政治・経済・国際関係・戦争などに焦点をあて、専門書や学術論文の形式で公表され、アカデミアにおいて男性教授たちによる研究評価を受ける――その営みが近代歴史学の発展だったのである。

「ジェンダー史」(gender history)は、「ジェンダー視点にたつ歴史学」である。それは、二つの方向性をもつ。「分野としてのジェンダー史の自立」と「歴史学におけるジェンダー視点の主流化」(ジェンダー主流化 gender mainstreaming)である。ジェンダー主流化とは、あらゆる領域・段階においてジェンダー格差の程度をチェックし、ジェンダー平等の実現を目指すプロセスを指す。日本では、ジェンダー史は一九九〇年代に伝統的な女性史と人的にもテーマの上でも密接な関わりをもちつつ成立した。さらにジェンダー史は、非異性愛者を抑圧・排除する社会を批判的に解明するクィア理論(queer theory)や「ジェンダー化された男性」を問う男性史とも結びつきながら発展し、二一世紀には歴史学の一分野として自立した。しかし、歴史学のジェンダー主流化への道のりはなお険しい。

ジェンダーとセックス

ジェンダーは「肉体的差異に意味を付与する知」(スコット 一九九二：一六頁)である。スコットのこの言葉は、ジェンダー史を語るときにしばしば引用される。

「ジェンダー」(gender)という語が『広辞苑』に登場したのは一九九一年である。その前後より、日本でも学術的にジェンダーという語が使われるようになった。しかし、正統なアカデミズムが必ずしも「ジェンダー研究」(gender studies)を歓迎したわけではない。日本に初めてジェンダーという語をもたらしたイリイチ『ジェンダー』(一九八四)とフェミニズム(女性解放論・女性解放運動 feminism)のジェンダー理解が大きく異なっていたこと、フェミニズムやジェンダー研究で用いる家父長制概念がマックス・ヴェーバーの伝統的家父長制概念とまったく異なっていたことなどが大きな要因である。しかし、これらはジェンダー概念が「知」のパラダイム転換を迫った結果である。ジェンダー概念の定義が変容していることも学術的厳密さを欠くと批判されたが、これはむしろジェンダー概念の深化・進展として積極的にとらえるべきである。

一九六〇―七〇年代にフェミニズムの第二の波が高まる中で、ジェンダーは新たな定義を獲得した。「セックス(自然的・身体的性差)/ジェンダー(社会的・文化的性差)」二元論が登場し、「セックスがジェンダーを規定する」とされた。これに対し、八〇年代には「ジェンダーがセックスを規定する」との構築主義的考え方が登場し、その後の主流となる。「ジェンダーは、それによってセックスそのものが確立されていく生産装置のことである」(バトラー 一九九九:二九頁)。七〇―八〇年代のゲイ解放運動と結びついたレズビアン・ゲイ・スタディーズは、九〇年代には、性的マイノリティ(LGBTQ)の連帯を目指しつつ、フェミニズムに内在する性別二元論を批判的に検討するクイア研究(queer studies)へと発展した。

二一世紀には、理工学や生命科学などでもジェンダー視点の重要性が認識されている。科学史で著名なシービンガーは、ジェンダー視点から技術革新をめざす「ジェンダード・イノベーションズ」(gendered innovations)を提唱した。二〇一一年には、欧州委員会を中心に「研究の場におけるジェンダー平等」と「性差に着目して技術革新のクオリティを高めること」を目標に掲げた国際会議であるジェンダーサミット(gender summit)が発足し、二〇一七年には東京で第一〇回ジェンダーサミットが開催された。二〇〇五年にイギリスで始まった「アテナ・スワン」(大学、研究機関の科学技術分野におけるジェンダー平等を推進するための表彰制度)は全世界に広がっている。二一世紀の今日、ジェンダー視点を欠く学術研究が、国際社会で公正性と正当性を主張できる状況ではない。

世界史的課題としてのジェンダー平等

一九九五年の第四回世界女性会議(北京会議)はこう宣言した。「女性の権利は人権である」(北京宣言一四)。北京宣言をうけ、一九九七年に国連は「ジェンダー主流化」を方針として掲げた。二〇一五年、「持続可能な開発目標」(SDGs)(二〇一六―三〇年)を採択した国連総会で、「ジェンダー平等」(gender equality)はSDGs一七目標全体を貫く課題であることが確認された。また、SDGs第五目標がジェンダー平等の達成とされた。

日本では、社会と学術のいずれにおいてもジェンダー平等は停滞している。二〇二一年のグローバルジェンダーギャップ指数では、総合順位一五六カ国中一二〇位、政治分野一四九位、経済分野一二〇位であった。研究者に占める女性比率は、イギリス三八・六％、アメリカ三三・七％、ドイツ二七・九％に対し、日本は一六・六％にすぎない。

ジェンダー主流化に向けた動きに日本が後れを取っていたわけではない。日本でも一九九九年に男女共同参画(ジェンダー平等)を「二一世紀の最重要課題」として掲げる男女共同参画社会基本法が成立した。しかし、諸外国との格差はむしろ二一世紀に広がった。二〇〇二年ごろからジェンダー概念の誤解に発するいわゆるジェンダーフリー・バッシングが起こり、ジェンダー平等が停滞して今に至る。その結果、教科書における「慰安婦」記述が削除され、歴史学の学習指導要領に今なお「ジェンダー」という語が用いられていない。

歴史学には、世界史という時空のなかでジェンダー不平等の構築過程を明らかにする学術的責務がある。「歴史学がどのように過去を表現するかが現在のジェンダーを作り上げる手助けをしている」(スコット 一九九二:一七頁)。ジェンダー世界史の取り組みを欠くならば、学術全体のジェンダー公正(gender equity)はおよそ展望できないだろう。二一世紀国際社会が目指すジェンダー平等の達成は、世界史を貫く課題なのである。以下では、おもに日本の「世界史」にとってのジェンダー史の意義と可能性を考える。

二、ジェンダー史の成立と発展——フェミニズムと隣接諸学

フェミニズムの「波」の世界史的文脈

ジェンダー研究のルーツは、欧米で誕生した近代フェミニズムにある。近代フェミニズムにはいくつかの「波」が

あった。この波を単線的な「進化」と誤解してはならない。たとえば、「第二の波」は、過去のフェミニズムを「忘れない」という連帯の意思表示を込めた当時のフェミニストたちの自己命名であった(藤高 二〇二〇:三四頁)。

第一の波(一九世紀後半―二〇世紀初頭)は女性参政権と高等教育を求めた動きである。第一波の主流は白人中流女性を中心とするリベラル・フェミニズムである。性別役割分業を積極的に受け入れていたため、「母性主義フェミニズム」と特徴づけられる。社会主義によって女性解放を目指す社会主義フェミニズムも展開した。

第二の波(一九六〇年代後半―九〇年代)は国際社会と学術を根本的に変えた。女性差別撤廃条約(一九七九年)が成立し、「国連女性の一〇年」キャンペーンが実施され、四回の世界女性会議が開催された。欧米では七〇年代に「女性の女性による女性のための学問」たる女性学(women's studies)や女性史が発展し、八〇年代からジェンダー研究/ジェンダー史が本格化した。フェミニズムは多様化し、「個人的なことは政治的なことである」と謳って女性解放運動と深く結びついたラディカル・フェミニズム、社会主義フェミニズムとは異なって資本制と家父長制概念の両方が必要と説くマルクス主義フェミニズムが登場した。第三回世界女性会議(ナイロビ会議、一九八五年)を契機にグローバル・フェミニズムが拡大し、八〇年代後半からはフランスを中心にポストモダン・フェミニズムが登場した。第二波は多くの成果を生み出したが、八〇年代からは批判も強まった。もっとも根本的な批判は、第二波フェミニズムはシスジェンダー(身体的性別と性自認が一致)の白人中流女性を念頭に「女性一般」を語っていたというものである。

第三の波は一九九〇年代初頭にアメリカで始まり、イギリスでは九〇年代から二〇〇〇年代にかけて広がった。日本で言及されるようになるのは二〇一〇年代になってからである。第三波を担うフェミニストは六〇―七〇年代アメリカで生まれた世代であり、第二波によって獲得された権利の上に育った世代である。第一波・第二波とは異なって、まとまった目標設定はないが、個人主義・多様性(ダイバーシティ)を重視している点は注目される。二〇一〇/二〇年代からは第四の波に入ったとの見解もある。

第三波以降は、アメリカを中心とする欧米フェミニズムの波にすぎないとも批判される。第二波は世界全体で共有されたが、その後、各国あるいは各地域でフェミニズムが自律的に発達しはじめ、複線的に展開するようになっているからである。二一世紀の世界では、フェミニズムのグローバル化とローカル化が同時に進み、人種やエスニシティ、セクシュアリティと交差するフェミニズムへと変貌している。このようなフェミニズムの多様化とともにジェンダー研究はその射程を大きく広げている。

日本におけるジェンダー史の進展

日本のジェンダー史の成立には四つのルーツがある。女性史、女性学、社会史、ジェンダー研究である。これらについては多数の文献があるため(三成 二〇〇八、舘 二〇一四)、以下三点のみ確認しておきたい。

第一に、ジェンダー史と女性史については、「女性史からジェンダー史へ」という主張もあったが、ジェンダー史と女性史は互いに重なり合うところが多いものの、目的と視点を異にする別の研究分野である。第二に、日本伝統の女性史と欧米系の女性学には当初一定の緊張関係が存在した。その自覚的な融和が図られたのが、一九九四/九五年の比較家族史学会シンポジウム「女性史・女性学の現状と課題」である。同シンポジウムではジェンダーという言葉は使われなかったが、成果は、田端・上野・服藤編『ジェンダーと女性』(一九九七)として公表された。第三に、社会史は、家族や人口、日常生活に目を向けた点でジェンダー史の関心と重なる課題が多い。アナール学派からは、『女の歴史』全五巻、『男らしさの歴史』全三巻、『身体の歴史』全三巻など大部な通史が発表された。しかし、一九七〇年代の社会史論争以来、日本の社会史でジェンダー視点が共有されたわけではない。ジェンダー史は数ある選択肢の一つという位置づけにとどまった。

タイトルにジェンダーを掲げた日本初の歴史書は、スコット『ジェンダーと歴史学』(一九九二)である。国際社会では、一九九五年北京会議において政府間会議に一九〇カ国の政府代表と二〇〇〇近いNGOが参加した。「NGOフォーラム北京'95」ではさまざまなワークショップがもたれ、日本からは六〇〇〇人が参加した。これを機に日本でもジェンダー研究が飛躍的に高まっていく。国内では、公益財団法人東海ジェンダー研究所(一九九七年設立)に加えて、大学でもジェンダー研究を目指す附属機関が設立された(お茶の水女子大学、国際基督教大学、奈良女子大学、一橋大学、名古屋大学など)。北九州市立男女共同参画センター(ムーブ)、大阪府立男女共同参画・青少年センター(ドーンセンター)など、自治体にも活発な活動をするセンターが登場した。

二一世紀日本社会のジェンダー平等を進めるための枠組みは整いつつある。今後は、研究機関と行政機関の連携をはかって、市民教養としてのジェンダー史教育を進めるとともに、アジアを含む諸外国のジェンダー研究組織との恒常的なネットワークを築くことが早急の課題となろう。ジェンダー平等停滞国を脱するためにまず学術が範を示すべきである。

三、二一世紀のジェンダー史――新たな展開

ジェンダー研究支援とジェンダー史の自立

第一期『岩波講座　世界歴史』(一九六九―七四)には女性の視点はほとんどなかった。第二期(一九九七―二〇〇〇)にはジェンダー史に関する論攷が八点ほど登場する。一九七〇―九〇年代に日本の女性史・ジェンダー史を牽引してきた研究者からなる執筆陣である。しかし、全三一〇編に及ぶ中で件数があまりにも少なく、ほとんど啓蒙期以降の西洋に集中している(三成　二〇〇八：四八頁)。

二一世紀を迎え、ジェンダー研究は各分野で自立しつつある。ジェンダー史について特筆すべきは、ジェンダー史

学会の創設(二〇〇四)と『ジェンダー史叢書』全八巻の刊行(二〇〇九―一一)である。西洋史については、アメリカ、イギリス、ドイツについてジェンダー史研究入門がまとめられた(二〇〇六―一〇)。また、二〇〇五年以降、日本学術会議第一部(人文・社会科学)に次々とジェンダー系分科会が設置された。

自立には支援が欠かせない。二一世紀COEプログラムやグローバルCOEプログラムからは、多くのジェンダー研究書が公刊された。また、日本学術会議ジェンダー系分科会などの働きかけが効を奏し、二〇一〇年には科学研究費補助金に独立したジェンダー枠が設定された。大型科研費の支援を得て、非西洋世界を含むジェンダー史が急速に発展しつつある。しかし、二年前に科研費のジェンダー枠は社会学の下位区分となり、学際的なジェンダー研究は行き場を失いかけている。ジェンダー史をさらに活性化させるためには、学際的な独自枠としてジェンダー枠を復活させることが望まれる。

ジェンダー史学会設立趣意書はこう述べる。ジェンダー概念は、国際的には「学術研究の基軸的概念」として「二一世紀の新たな知のパラダイム構築」にかかわろうとしている。したがって、「ジェンダーを歴史という縦軸の重要な変数と位置づけ、ジェンダーがいかに構築されたのかというジェンダーの可変性とその特質さらにメカニズムにいたるまで、諸学問領域からアプローチし、総合的に解明したい」。この趣旨を反映して、学会誌『ジェンダー史学』(年一回発行)は、「論文」「シリーズ企画」(キーワード、学問領域)「海外の新潮流」「書評」「新刊紹介」という構成をとる。

アナール学派をはじめとする欧米のジェンダー史研究の翻訳と並んで、二一世紀には日本人研究者による「ジェンダー」を冠した西洋史書籍がいくつか出版されている。その一つが、姫岡他『ジェンダー』(二〇〇八)である。「ジェンダーの歴史的構築」を明らかにすることを目指して、全七章は、産科学(仏)、女性参政権運動(英)、音楽(独)、母子(米)、労働者(独)、戦争(西)、女性史(伊)と多彩である。巻末には五つの国(英米西伊独)におけるジェンダー史の研究動向が簡潔に紹介されており、有益である。

二〇〇六―一〇年に、英独米の女性史・ジェンダー史研究入門が三点刊行された。河村・今井編(二〇〇六)は、一九九九年に発足した「イギリス女性史研究会」の成果である。ジェンダー視点を重視しつつもあえて「ジェンダー史」としなかったのは、「女性史」を普通の女性の「Herstory」を顕在化するための「方法」として位置づけているからである。同書は、「フェミニズム論」「家族と教育」「女性と政治」「女性と労働」「慈善と社会福祉」「大英帝国と女性」「第二次世界大戦、そして現在」という章立てをとる。一般史のメインテーマを「ジェンダー視点を重視した女性史」として叙述している点が大きな特徴である。

姫岡・川越編(二〇〇九)は、「女/男の差異化」の構築プロセスを明らかにするという趣旨を明確に示して「ジェンダー史」を掲げる。全体は二部構成で、言説分析に重点をおく第一部「近代的ジェンダーの形成」と、各論(文化・教育・労働・家族・セクシュアリティ・女性運動・ナショナリズム/男性性)の第二部「社会変動とジェンダー」からなる。セクシュアリティと男性性は、一般史に欠けていた新しいテーマである。

有賀・小檜山編(二〇一〇)は、アメリカ女性史の発展を四段階に分ける。「卓越した女性たち」を一般史に追加記述する「補完的歴史」(第一段階)、女性を男性中心社会の貢献者・犠牲者として描く「貢献の歴史」(第二段階)、「普通の女性たち」に焦点をあて「女性の領域」を論じる「女性社会史」(第三段階)、「普遍的歴史」としての「ジェンダー史」(第四段階)である。女性社会史は、白人中産階級女性を無自覚に「普通の女性たち」とみなしがちであった。これに対し、ジェンダー史は、人種・民族・階級等によるバイアスを反省的に検討し、男女それぞれの領域の関係性を問うという意味の「男性史」や男女いずれの性別領域からも逸脱的存在とみなされてきた性的マイノリティの歴史が重要な研究テーマとなる。ここでは、多様な要素の交差が意識されている。

ジェンダー史学会関係者を中心に企画編集されたのが、『ジェンダー史叢書』全八巻である。同叢書は、テーマ別編成、現代的課題の重視に留意して編集された。服藤・三成編『権力と身体』は、セクシュアリティや同性愛、生殖をとりまく権力構造と多様な生殖コントロール、買売春・人身売買を扱う。石川・高橋編『家族と教育』は、家族と教育をジェンダー規範がもっとも集約的に出現する場としてとらえ、近代家族とポスト近代家族という家族形態と教育にまつわるトピックを取り上げる。竹村・義江編『思想と文化』は、近代以前のジェンダー・システムの考察を中心に、学問の変革と再生、信仰の主体、文化とメディアを論じる。池田・小林編『視覚表象と音楽』は、女性表現者の排除、作品中の女性像を取り上げ、表象文化が社会装置として機能することを示す。加藤・細谷編『暴力と戦争』は、国家や戦争も含め、「暴力」の歴史を問い直し、女性兵士や男性性が論じられている。長野・松本編『経済と消費社会』は、家経済、近代化・工業化、消費社会、グローバル経済を取り上げる。粟屋・松本編『人の移動と文化の交差』は、前近代、近現代の「労働力」移動、帝国・植民地支配、国民国家を検討する。赤阪・柳谷編『生活と福祉』は、衣食住といった日常生活と看取りなどのケア労働について論じる。本叢書のいずれの巻・章も取り上げる時代や地域は多様である。執筆者も学際的で、ジェンダー史の重要メーマをほぼ網羅する。ジェンダー史の可能性と射程の広さがよく示されている。

「新しい世界史」とジェンダー史教材の開発

西洋中心主義の是正という意味での「新しい世界史」や世界史教育の試みが進んでいる(羽田 二〇一一、小川 二〇一一—一二、大阪大学歴史教育研究会 二〇一四など)。それらは、ジェンダー史を取り入れる姿勢を示しているが、十分とは言えない。ジェンダー史の側に提供すべき情報が不足していたからである。

このような状況に鑑《かんが》み、日本学術会議ジェンダー史分科会では、ジェンダー史教育の必要性について議論した。その最初の成果が、長野・姫岡編『歴史教育とジェンダー』(二〇一一)である。次いで、分科会の議論を共同研究として持続的に発展させるために比較ジェンダー史研究会が組織され、『歴史を読み替える』二巻本(三成・姫岡・小浜 二〇一四、久留島・長野・長 二〇一五)がまとめられた。『歴史を読み替える』は、高校歴史教科書の章立てに即してジェンダー史の重要トピックを取り上げ、見開き二頁を一単位として解説したものであり、教育現場でも利用されている。「歴史を読み替える」とのサブタイトルの通り、同書は教科書記述の書き換えを求めるとの目標を掲げており、書き換え例も公表されている(井野瀬他 二〇一六、三成他 二〇一八)。

歴史教科書は長く女性不在であった。一九九八年告示、二〇〇三年度から適用された学習指導要領にもとづく世界史A・B教科書を分析すると、女性人名が少ないだけでなく、文化・芸術・科学における女性人名がマリー・キュリー以外、ほとんど登場しない。また、本文で取り上げられるジェンダー・トピックは、近代の女性参政権と女性工場労働に集中する傾向がある。コラムなどでマリア信仰やジャンヌ・ダルク、魔女裁判を取り上げる教科書も少なくないが、女性に関するテーマは周縁的歴史との認識がむしろ強化されてしまう(長野・姫岡 二〇一一、三成 二〇一二)。歴史総合の必修化に伴う新しい学習指導要領でもジェンダーという語は登場しない。このままでは、女性のエンパワーメントにつながる世界史教育が行われない現状は変わらない。

博物館展示は歴史的記憶の創出・共有や異文化理解に大きな役割を果たす。展示企画が女性不在であったり、ステレオタイプの女性像が設定されたりすると、歴史のなかのジェンダー・バイアスが展示によって再生産される。国立歴史民俗博物館の企画展示「性差(ジェンダー)の日本史」(二〇二〇)はたいへん評判となった。同展示は日本初のジェンダー史企画展示であった。これを機に、市民に向けた世界史教育の手段として博物館展示にジェンダー史の成果を積極的に取り入れることが期待される。

四、非西洋世界のジェンダー史の進展

「ジェンダーとは権力関係を表す第一義的な方法である」(スコット 一九九二)。植民地支配にはジェンダー関係やジェンダー言説が巧妙に利用された。現在、非西洋世界のジェンダー史研究が進展しつつある。以下、東アジア・南アジア、アフリカ・ラテンアメリカ、イスラーム社会を紹介しておく。

東アジア・南アジア

中国を含む社会主義国は、第二波フェミニズムに否定的に対応した。社会主義は女性解放理念を含んでおり、「ブルジョワ・フェミニズム」は受容に値しないとされたのである。このため、ジェンダー研究も発展しなかった。しかし、中国では一九八〇年代の改革開放以降、社会問題の一つとして女性問題が捉えられるようになり、女性学研究が進んだ。重要な転機となったのが、一九九五年北京会議である。それまで孤立してきた中国の女性学・女性運動が世界のフェミニズムとつながり、「ジェンダー」「リプロダクティブ・ヘルス」「女性のエンパワーメント」などの概念が受け入れられた(小浜他 二〇一八:四二八頁)。

英語圏では、第二波フェミニズムの影響を受けて、一九八〇年代以降、中国ジェンダー史研究が発展した。女性抑圧の象徴から女性文化の精華へと纏足《てんそく》の意味転換がはかられ(コウ 二〇〇五)、身体から国家に至る社会全体の秩序構造として後期帝政期中国社会のジェンダー/セクシュアリティ・システムが検討された(マン 二〇一五)。日本では、一九七〇年代以降、中国女性史研究会や関西中国女性史研究会が誕生し、それらの共同研究の成果として、中国女性史に関する複数の共同研究書が公刊された。最近の成果として注目すべきが、小浜他編『中国ジェンダー史研究入

門』（二〇一八）である。

『中国ジェンダー史研究入門』は、二編からなる。「通時的パースペクティブ」（全一四章）と「中国ジェンダー史上の諸問題」（全四章）である。西洋史のジェンダー研究入門書が近現代中心であるのに対し、同書は先秦時代の考古学成果から始まり、改革開放期までを射程に収める。中国一般史の「神話」とも言うべき通説が批判的に検証され、以下の六点が指摘されている。①父系制は歴史一貫的に強固であったわけではない。②女性の貞節強制は身分制のない競争社会である明清時代の特徴である。③中国の「覇権的男性性」は「武」ではなく「文」に求められる。④一九世紀後半の「植民地的近代」のもとで西洋的「近代家族」モデルが中国にも導入されるが、性別役割分業は徹底しなかった。⑤社会主義は女性に仕事と家事の二重負担を強いた。⑥男性同性愛は優劣を伴う非対称な関係として存在し、人民共和国成立後に犯罪とされた。

以上のような知見は、ジェンダー秩序の比較検討にとってきわめて有益な手がかりとなる。とりわけ、身分制がなくなった社会（西洋近代市民社会・中国明清社会）でジェンダーが社会秩序構成の重要要素となることの理論的考察、伝統とされる家父長制や男女不平等が歴史の中で変化していることの実証的考察の必要性を指摘している点は、今後の比較ジェンダー史の課題としてきわめて示唆的である。

台湾は、中国との政治的緊張関係から国連における地位の上昇を目指して、ジェンダー政策を積極的に展開している。こうした成果は、日本と台湾の研究者の共同作業として『台湾女性史入門』（二〇〇八年）に結実した。一方、韓国の女性史・ジェンダー史では、ＤＶや戦時性暴力など「女性に対する暴力」がきわめて重要なトピックになっている。新しい潮流は主に三つである。一九九〇年代後半以降の「植民地（的）近代」論、「解放」後韓国の基地村研究、そして、二〇〇〇年代に盛んになった植民地・戦争の記憶と口述史（オーラル・ヒストリー）である（金 二〇一〇）。

粟屋・井上編『インドジェンダー研究ハンドブック』（二〇一八）は、有益な入門書である。政治と開発、経済と労働、環境、家族、信仰と儀礼、歴史、表象文化の七章構成をとる。「女性の地位」はしばしば文明化の尺度とされる。インドでは、古代黄金時代に高かった女性の地位がイスラーム支配や植民地支配とともに低下したという説が常識とされ、女性は精神的なインド文化の体現者であるとされた。ジェンダー史はこれを創られたジェンダー規範として痛烈に批判し、男性知識人によるナショナリズムのジェンダー・バイアスを明らかにした。

アフリカ・ラテンアメリカ

アフリカ史研究が一つの学問領域として確立したのは一九六〇年代の独立期である。そのとき女性の視点はなかった。アフリカ女性史は七〇年代に「女性と開発」として始まった。その後、「忘れられたヒロインたち」(七〇年代)、「下層階級の女性たち」(八〇年代)、「歴史主体としての女性像」(九〇年代―二〇〇〇年代)と、女性が歴史主体として掘り起こされてきた(バーガー/ホワイト 二〇〇四:一四―一六頁)。一九九〇年代末に女性史からジェンダー史へのパラダイム転換を画した研究が発表され、二〇一〇年頃からは植民地時代や独立後の社会のジェンダー分析が進んで、同性愛や男性性の歴史へと関心が拡大している。

アフリカ・ジェンダー史がジェンダー世界史の文脈でとくに示唆的であるのは、西洋的なジェンダー秩序との相違、同性愛嫌悪(ホモフォビア)の位置づけである。アフリカでは地域によっては男女の性別が柔軟に越境され、「公共的な母なるもの」(public motherhood)が歴史的に変化しながら共同体の存立に深く関わってきた。また、現在のアフリカ諸国は同性愛を容認する国と禁止する国に二分されるが、そもそも男性同性愛行為は伝統的アフリカ共同体ではタブーではなく、西欧文化と接触するなかでアフリカに同性愛嫌悪がもたらされた。その契機として、植民地主義以外にもサハラ縦断交易の影響が考えられる(富永 二〇一七)。

ラテンアメリカでジェンダー史が活性化したのは二〇〇〇年頃からである。植民地支配の名残で英語圏の影響が及びにくかったこと、軍政を支援するアメリカへの警戒が強かったことなどによる。二一世紀になってようやくラテンアメリカ女性史・各国女性史(アルゼンチン、ブラジル、ペルー、キューバ)の集大成が進んだ。「メキシコの女性およびジェンダー史に関する研究者ネットワーク」(二〇〇一年創設)をはじめとする国際的研究協力ネットワークも整っていく(伏見 二〇一八)。「マチスモ」と呼ばれるラテンアメリカ特有の男性性が植民地支配や近代化によっていかに変容したのか、婚姻や純潔性に関わる「名誉」観念、移動とジェンダーなどの興味深いテーマが論じられている。

イスラーム社会

イスラームは地域概念ではないが、ジェンダー史では重要な文化圏概念である。家族や性、性別役割などのジェンダー規範についてイスラーム法(シャリーア)の影響がいまなおきわめて強いからである。ただし、イスラーム社会のジェンダー秩序を「(一方的な)女性抑圧」システムとステレオタイプに捉えるべきではない。イスラーム社会のジェンダー秩序は、イスラーム社会としての共通性と国・地域ごとの特性の両方を備えており、歴史的にも多様であったし、現在も実に多彩である。

ジェンダー研究については、イスラーム諸国の女性研究者自身から、知的刺激の多い研究書が続々と出されている。たとえば、アハメド(二〇〇〇)は、イギリス支配下のエジプトにおけるヴェールの意味づけをめぐる攻防を検討し、本国イギリスでフェミニズムを抑圧する男性がエジプトではヴェール着用を女性抑圧の象徴として批判するという植民地支配のジェンダー二面性を暴いている。日本では、大型科研をもとに組織化されたイスラーム・ジェンダー学が注目される(長沢 二〇一七)。必ずしも歴史学ではないが、「イスラーム・ジェンダー・スタディーズ」としてすでに四巻が刊行されている(『結婚と離婚』、『越境する社会運動』、『教育とエンパワーメント』、『フィールド経験からの語り』)。この研究グループのメンバーである小野は、子ども観の検討を通して、イスラーム法の厳格な家父長制イメージを覆し、柔軟性と社会適用可能性を明らかにした(小野　二〇一九)。

五、歴史学におけるジェンダー視点の主流化に向けて

新しい概念・方法論

近年、ジェンダー研究あるいは関連領域から新しい概念や方法論が示されている。これらは、比較史を可能にするための視座あるいは分析概念として、歴史学のジェンダー主流化を進めるための有益な理論枠組みとなろう。

①「インターセクショナリティ」(交差性 intersectionality)は、第三波以降のフェミニズムを特徴づける新しい概念であり、「差別の複層性・交差性を考えるために、その『交差点』を生きてきた様々な当事者から生まれた概念」(藤高　二〇二〇：四五頁)である。もっとも、差別の複層性や交差性は、すでに一九八〇年代末から認識されていた。性差別と人種差別の交差を説くブラックフェミニズムや、第三世界の女性の経験を重視するポストコロニアル・フェミニズム、異性愛女性を中心化することへの批判と結びついたトランスフェミニズムなどである。

インターセクショナリティとは、人種・民族、身分・階級などのアイデンティティ要因とジェンダーが不可分に結びついているという認識を改めて概念化したものである。その意味でジェンダー史ときわめて親和的である。バトラーはこう述べている。「ジェンダーは、言説的に構築された諸々のアイデンティティの人種的、階級的、民族的、性的、地域的な様態と交差している。(中略)その結果、政治的及び文化的な交差点(intersections)からジェンダーだけを分離することは不可能である。そのような交差点においてこそ、ジェンダーはつねに生み出され、維持されるからである」(バトラー　一九九九：四―五頁)。

②「覇権的男性性(hegemonic masculinity)／従属的男性性」(コンネル　一九九五)と「ホモソーシャル(homosocial)／ホモソ

ーシャリティ(homosociality)」(セジウィック 二〇〇一)は、「男性学(men's studies)／男性性研究(masculinity studies)」の基本概念である。男性学は、「女性学ないしフェミニズムのインパクトを経験した男性たちのリアクション」(多賀 二〇〇六：二頁)として、一九七〇年代にアメリカで誕生した。それは、単に男性を対象とする研究ではなく、「ジェンダー化された存在」としての男性を対象とする。近年では、「男性性研究」とも呼ばれる。男性学／男性性研究は、日本では一九八〇年代半ばに端緒が見られ、一九九〇年代半ば以降に広がった(伊藤 一九九六)。

男性のなかのヘゲモニー(男性性)への着目は、歴史主体として自明視されていた「男性」の多様性と階層性を可視化した。コンネルは、男性性は能動的に創出されるとし、男性性の多様性・可変性・流動性、一文化・制度内における複数性を指摘した。複数の男性性がヒエラルキーをなし、ジェンダー化された権力システムの中心には「覇権的男性性」(ヘゲモニックな男性性)が存在する。従属的地位におかれる多数の男性たち(従属的男性性)と覇権的男性性とのあいだには亀裂や緊張・抵抗関係があり、覇権的男性性は女性たちから賞賛・支援を受ける。このような男性性は企業・軍隊・職場などの場で制度化され、集団や制度やメディアのような形態で集合的に実行される(集合的男性性)。男性性を表現する重要なアリーナとなるのが男性身体である。

一方、「ホモソーシャル／ホモソーシャリティ」は、「男同士の性的ではない絆」を意味し、性的な絆である「ホモセクシュアル」(homosexual)とは区別される。しかし、両者の境界は揺れ動いており、文化によっても両者の関係は異なる。古典期ギリシアのポリスや近代ドイツの男性同盟(星乃 二〇〇六)が典型的なホモソーシャル社会である。フランス革命の「兄弟愛」(友愛)もまたホモソーシャル原理の表れである。ホモソーシャルな絆は、男性同士の対等性の幻想と女性に対する男性支配及び男性的絆からの女性排除(女性嫌悪ミソジニー)を内包している。たとえば、古典期ギリシアの文化はレイプ表象であふれ、男性性が誇示された。

③ 不安や恐怖、怒りや名誉などの「感情の歴史」を扱う感情史は一九世紀に起源をもつが、二〇世紀末に学問領

域として認知されはじめ、二一世紀に急速に発展している(フレーフェルト 二〇一八、『思想』 二〇一八など)。プランパー(二〇二〇)は、むき出しの暴力を伴った九・一一が身体や感情の重視を促進したとし、感情史の射程は、政治・経済・メディアなどのあらゆる歴史に及ぶとする。アフターコロナの世界では、いっそう世界規模で感情が果たす役割を無視できなくなるだろう。

対象の拡大・視点の組み替え

ジェンダー視点からの対象あるいは視点の組み替えが世界史を考える上できわめて有効な例として、①身体、②セクシュアリティ／LGBTQ、③表象文化、④「性暴力連続体」を挙げておきたい。

① 身体は、もともと宗教・政治・国家・共同体の重大関心事であった。にもかかわらず、身体は歴史学のなかでは「私的な取るに足らないもの」とみなされがちであった。しかし、荻野(一九九三)が女性身体のコントロールを政治と結びつける形で身体史に着目したように、ジェンダー視点にもとづく身体史は、私的問題が公的問題といかに結びつくかを問う姿勢を鮮明に示している。長谷川(二〇一八)もまた、女性が主役の産婆選びの紛争記録を読み解く大部な研究書で、「産む」という行為と「王権」との関係を論じて「近代知」の再考を促している。

近代スポーツにおける男女の非対称な関係にも注意が必要である。「日本スポーツとジェンダー学会」の設立趣旨(二〇〇二)は、「ジェンダーの再生産装置として機能してきたスポーツの役割を明らかにする関係論的研究が必要不可欠」とする。しかし、現状ではスポーツ史や体育史においてジェンダーをテーマとする論文は五%ほどときわめて少ない(鈴木 二〇一九：四五頁)。スポーツ・ジェンダー史では、男性性とパフォーマティビティ(「男らしく」振る舞うという行為遂行性)がキー概念として活用されている。

② セクシュアリティの中心テーマとされているのは、性的マイノリティ(LGBTQ)である。異性愛を唯一のある

べき性的指向・性的規範とし、異性間の性的関係や婚姻関係がもっとも適正であるとみなす価値観である「強制的異性愛主義／ヘテロノーマティビティ(異性愛規範 Heteronormativity)」は、「自然」なものでも、「普遍的」なものでもない。「同性愛」(ホモセクシュアル)は一九世紀半ばにドイツ語圏で成立した造語であり、対語として「異性愛」という語も生まれた(三成 二〇一五)。異性愛規範が強まるほどに、同性愛者の社会的排除(同性愛嫌悪／ホモフォビア homophobia)も強まった。しかし、LGBTQの世界にもジェンダー・バイアスが存在した。ゲイ解放運動とフェミニズムの双方においてレズビアンは不可視化されてきたのである。

身体と同じく、セクシュアリティもまた高度に政治的意味を持った。たとえば、フランス革命期の政治的パンフレットでは、国王が去勢された豚で表現され、王妃は露骨な性器・性交描写の対象とされた(ハント 二〇〇二)。また、川越は、セクシュアリティは「ドイツ近現代史の主要時期を読み解く鍵」となりうると指摘し、ヘルツォーク『セックスとナチズムの記憶』(二〇一二)を「性的欲望の政治化」の好著として紹介した(川越 二〇〇四)。

③ 表象文化の世界においても普遍中立の立場は幻想である。ジェンダー秩序は、女性表現者の感覚視覚や聴覚を規定するとともに、造形作品に表現される人間の身体あるいは表現者の身体に意味を付与し、男女いずれかの性に対応する振る舞いを要求してきた(池田・小林 二〇一〇)。若桑(二〇〇五)は西洋美術史上には大量のレイプ絵画があるとし、レイプを家父長制的支配手段と読み解く。日本ではそれらのレイプ絵画は「略奪」と訳され、性暴力としての本質が薄められて「芸術」とされた。

④ 性暴力の歴史は、一般史ではほとんど語られてこなかった。被害女性の落ち度が問われたり、性衝動を男性的本能として肯定したり、一部の男性の反倫理的な個人的行為とみなすなど、性暴力が男性支配を強化するための構造的暴力であることはほとんど問われなかった。「女性に対する暴力撤廃宣言」(一九九三年国連総会)は、暴力の典型として、家族間で起こる暴力、職場等で起こる暴力・レイプ・買売春・人身取引、国家による暴力(戦時性暴力)を例示す

る。これらの性暴力(ジェンダーに基づく暴力)は互いに連動しているだけでない。レイプによる出産の強制を戦術として展開し、強制出産による民族抹殺を目指す場合もあれば、個人間の恋愛に移行する場合もある。上野他編(二〇一八)は「性暴力連続体」概念を示し、戦時性暴力における当事者間の関係の連続性(「敵味方・同盟国・占領地・植民地」「強姦・売買春・取引・恋愛・(結婚)・出産」)に着目した。ミュールホイザー『戦場の性』(二〇一五)もまた同様の指摘を行っている。性暴力と戦争・内戦の関わりを問うことは、世界史の不可欠の課題である。

時代区分・時代概念の試み

①ジェンダー史は、ジェンダー視点から新しい時代区分を模索してきた。啓蒙後期の一七七〇/八〇年代に登場してきた「公=男性/私=女性」という公私二元的な近代的ジェンダー秩序がヨーロッパで終わりを迎えたのは一九七〇年頃である。したがって、ジェンダー史では、一七七〇/八〇年代—一九七〇年代の二〇〇年間を「近代」とみなすことができる(姫岡 二〇一九)。世界史的に見ても、この時代には「西洋=文化=男性/非西洋=自然=女性」という非対称なジェンダー・イメージが植民地支配の正当化手段として使われた。一九七〇年代のフェミニズムの第二の波は、世界史のなかではじめて女性を可視化し、女性の主体性を確認し始めたという意味で世界史的転換期と考えることができよう。

②「植民地的近代」(colonial modernities)論は、一九九〇年代以降、韓国、日本、インド、アメリカなどで植民地主義と近代の関係をめぐる論争のなかで提起された新しい概念である。植民地的近代論は、植民地支配を積極的に評価する「植民地における近代化」(植民地近代化 modernization in colony)論とはまったく異なる。「植民地主義は徹底してジェンダー化されたプロセスである」(伊藤他 二〇一〇:八頁)として植民地的近代の核心にジェンダー関係があるとの認識にたつ。植民地的近代概念について、伊藤他(二〇一〇)は次の二点を指摘する。第一に、植民地的近代は、概ね一九

二〇年代から三〇年代までの世界史上の時期をさす。この時期における女性主体の変容は「モダンガール」(新しい女性)に典型的に表現される。第二に、植民地的近代は、近代を人びと・行為・思想の空間的関係において理解するための分析概念である。

アフターコロナの新しい世界史

二〇二〇年、パンデミック(新型コロナウイルス感染症)が世界を覆った。国連女性機関やG7ジェンダー平等評議会をはじめ、国連諸機関は二〇二〇年三月以降、次々と声明やメッセージを発出している。パンデミックは女性・女児に深刻な影響を及ぼし、DVが増加し、女性が雇用を失い、ケアワークは女性に偏ると警告したのである(国連女性機関及びOECD共催「女性と女児を対応の中心に」二〇二〇年四月二〇日)。パンデミックには一国主義はもはや通用しないこと、世界中で顕在化したジェンダー・バイアスの是正には国際社会全体で取り組まねばならないことも明らかになった。アフターコロナの世界は、新しい歴史をたどることになろう。その新しい世界史の中核にジェンダー平等が存在する。

参考文献

赤阪俊一・柳谷慶子編(二〇一〇)『生活と福祉』〈ジェンダー史叢書〉8、明石書店。

アハメド、ライラ(二〇〇〇)『イスラームにおける女性とジェンダー――近代論争の歴史的根源』林正雄他訳、法政大学出版局。

有賀夏紀・小檜山ルイ編(二〇一〇)『アメリカ・ジェンダー史研究入門』青木書店。

粟屋利江・松本悠子編(二〇一一)『人の移動と文化の交差』〈ジェンダー史叢書〉7、明石書店。

粟屋利江・井上貴子編(二〇一八)『インドジェンダー研究ハンドブック』東京外国語大学出版会。

池田忍・小林緑編(二〇一〇)『視覚表象と音楽』〈ジェンダー史叢書〉4、明石書店。

石川照子・高橋裕子編(二〇一一)『家族と教育』〈ジェンダー史叢書〉2、明石書店。

伊藤公雄(一九九六)『男性学入門』作品社。

伊藤るり・坂元ひろ子、タニ・E・バーロウ編(二〇一〇)『モダンガールと植民地的近代——東アジアにおける帝国・資本・ジェンダー』岩波書店。

井野瀬久美恵・三成美保・久保亨・桃木至朗・小川幸司・長志珠絵・小浜正子・姫岡とし子(二〇一六)「特集 歴史教育の明日を探る——「授業・教科書・入試」改革に向けて」『学術の動向』二〇一六年五月号。

上野千鶴子・蘭信三・平井和子編(二〇一八)『戦争と性暴力の比較史に向けて』岩波書店。

大阪大学歴史教育研究会編(二〇一四)『市民のための世界史』大阪大学出版会。

小川幸司(二〇一一—一二)『世界史との対話——七〇時間の歴史批評』全三巻、地歴社。

小野仁美(二〇一九)『イスラーム法の子ども観——ジェンダーの視点でみる子育てと家族』慶應義塾大学出版会。

加藤千香子・細谷実編(二〇〇九)『暴力と戦争』〈ジェンダー史叢書〉5、明石書店。

川越修(二〇〇四)『社会国家の生成——二〇世紀社会とナチズム』岩波書店。

河村貞枝・今井けい編(二〇〇六)『イギリス近現代女性史研究入門』青木書店。

金富子(二〇一〇)「「韓国併合」一〇〇年と韓国の女性史・ジェンダー史研究の新潮流」『ジェンダー史学』六号。

木本喜美子・貴堂嘉之編(二〇一〇)『ジェンダーと社会——男性史・軍隊・セクシュアリティ』旬報社。

久留島典子・長野ひろ子・長志珠絵編(二〇一五)『歴史を読み替える——ジェンダーから見た日本史』大月書店。

『現代思想』(二〇二〇)「総特集 フェミニズムの現在」四八巻四号。

コウ、ドロシー(二〇〇五)『纏足の足——小さな足の文化史』小野和子他訳、平凡社。

小浜正子・下倉渉・佐々木愛・高嶋航・江上幸子編(二〇一八)『中国ジェンダー史研究入門』京都大学学術出版会。

コンネル、R・W(一九九三)『ジェンダーと権力——セクシュアリティの社会学』森重雄他訳、三交社。

『思想』(二〇一八)「特集 感情の歴史学」八月号。

スコット、ジョーン・W(一九九二/増補新版二〇〇四)『ジェンダーと歴史学』荻野美穂訳、平凡社。

鈴木楓太(二〇一九)「スポーツとジェンダー」『ジェンダー史学』一五号。

セジウィック、イヴ・K（二〇〇一）『男同士の絆――イギリス文学とホモソーシャルな欲望』上原早苗・亀澤美由紀訳、名古屋大学出版会。

台湾女性史入門編纂委員会編（二〇〇八）『台湾女性史入門』人文書院。

竹村和子・義江明子編（二〇一〇）『思想と文化』〈ジェンダー史叢書〉3、明石書店。

舘かおる（二〇一四）『女性学・ジェンダー研究の創成と展開』世織書房。

田端泰子・上野千鶴子・服藤早苗編（一九九七）『ジェンダーと女性』〈シリーズ比較家族〉8、早稲田大学出版部。

富永智津子（二〇一七）「ジェンダー史／女性史の新潮流――サハラ砂漠以南アフリカの事例」『ジェンダー史学』一三号。

富永智津子・永原陽子編（二〇〇六）『新しいアフリカ史像を求めて――女性・ジェンダー・フェミニズム』御茶の水書房。

長沢栄治編（二〇一七）『イスラーム・ジェンダー学の構築に向けて』ＩＧ科研。

長野ひろ子（二〇〇六）『ジェンダー史を学ぶ』吉川弘文館。

長野ひろ子・姫岡とし子編（二〇一一）『歴史教育とジェンダー――教科書からサブカルチャーまで』青弓社。

長野ひろ子・松本悠子編（二〇〇九）『経済と消費社会』〈ジェンダー史叢書〉6、明石書店。

成田龍一・長谷川貴彦編（二〇二〇）『〈世界史〉をいかに語るか――グローバル時代の歴史像』岩波書店。

バーガー、アイリス、Ｅ・フランシス・ホワイト（二〇〇四）『アフリカ史再考――女性・ジェンダーの視点から』富永智津子訳、未來社。

バトラー、ジュディス（一九九九）『ジェンダー・トラブル――フェミニズムとアイデンティティの攪乱』竹村和子訳、青土社。

長谷川まゆ帆（二〇一八）『近世フランスの法と身体――教区の女たちが産婆を選ぶ』東京大学出版会。

羽田正（二〇一一）『新しい世界史へ――地球市民のための構想』岩波新書。

ハント、リン（二〇一六）『グローバル時代の歴史学』長谷川貴彦訳、岩波書店。

ハント、リン編（二〇〇二）『ポルノグラフィの発明――猥褻と近代の起源、一五〇〇年から一八〇〇年へ』正岡和恵他訳、ありな書房。

姫岡とし子（二〇一九）「ジェンダーの視点から見たヨーロッパ近代の時代区分」『思想』二〇二〇年一月号。

姫岡とし子・川越修編（二〇〇九）『ドイツ近現代ジェンダー史入門』青木書店。

姫岡とし子・長谷川まゆ帆・河村貞枝・松本彰・中里見博・砂山充子・菊川麻里(二〇〇八)『ジェンダー』〈近代ヨーロッパの探求〉11、ミネルヴァ書房。

服藤早苗・三成美保編(二〇一一)『権力と身体』〈ジェンダー史叢書〉1、明石書店。

藤高和輝(二〇二〇)「インターセクショナル・フェミニズムから/へ」『現代思想』四八巻四号。

プランパー、ヤン(二〇二〇)『感情史の始まり』森田直子監訳、みすず書房。

フレーフェルト、ウーテ(二〇一八)『歴史の中の感情——失われた名誉/創られた共感』櫻井文子訳、東京外国語大学出版会。

ヘルツォーク、ダグマー(二〇一二)『セックスとナチズムの記憶——二〇世紀ドイツにおける性の政治化』川越修・田野大輔・荻野美穂訳、岩波書店。

伏見岳志(二〇一八)「ラテンアメリカのジェンダー史」『ジェンダー史学』一四号。

星乃治彦(二〇〇六)『男たちの帝国——ヴィルヘルム二世からナチスへ』岩波書店。

マン、スーザン(二〇一五)『性から読む中国史——男女隔離・纏足・同性愛』小浜正子他監訳、平凡社。

三成美保(二〇〇八)「学界展望「ジェンダー史」の課題と展望」『西洋史学』二二九号。

三成美保編(二〇一五)『同性愛をめぐる歴史と法——尊厳としてのセクシュアリティ』明石書店。

三成美保・小浜正子・川島啓一・長志珠絵・久留島典子・富永智津子・成田龍一・姜聖律(二〇一八)「特集 ジェンダー史が拓く歴史教育——ジェンダー視点は歴史的思考力をどう鍛えるか?」『ジェンダー史学』一四号。

三成美保・姫岡とし子・小浜正子編(二〇一四)『歴史を読み替える——ジェンダーから見た世界史』大月書店。

ミュールホイザー、レギーナ(二〇一五)『戦場の性——独ソ戦下のドイツ兵と女性たち』姫岡とし子監訳、岩波書店。

ローゼンワイン、バーバラ・H、リッカルド・クリスティアーニ(二〇二一)『感情史とは何か』伊東剛史他訳、岩波書店。

若桑みどり(二〇〇〇)『象徴としての女性像——ジェンダー史から見た家父長制社会における女性表象』筑摩書房。

若桑みどり(二〇〇五)「ジェンダー史研究と表象研究の不可分な関係について——実例による検証:女性のセクシュアリティーの家父長制的支配としてのレイプの表象」『ジェンダー史学』創刊号。

比較ジェンダー史研究会WEBサイト(二〇一四年開設)https://ch-gender.jp/wp/

コラム｜*Column*

対話で学ぶ世界史の実践

川島啓一

近年、私は世界史の授業において、問いと資料を活用したペア・グループワークを中心とする対話型の学習を実践している。世界史Bの授業(前近代史を中心に扱う第3年選択講座4単位)では各テーマに2時間をあてた。

1時間目は次の通り。①「本日の問い」の提示(1つ)、②教員の概説(10分程度)、③生徒の資料読解(史料読解。まず個人で考え、ペアやグループで見解を共有)、④生徒の「本日の問い」への解答(個人で考え、ペアやグループで共有して解答作成)、⑤ペアやグループの解答の可視化・共有(全グループのホワイトボードの掲示または黒板への記入)、⑥報告担当者の発表・質疑応答(生徒同士、教員から生徒へ)、⑦生徒および教員によるグループの解答の評価・解説、⑧生徒の振り返りシートの記入・回収、⑨宿題の告知(テーマの問いを8つ程度、調べて解答を作成する)。

2時間目は、宿題の評価・解説を行う。①教員から指名された生徒、ペア、グループによる黒板への解答の記入(黒板を8分割して)、②教員による評価・解説、である。また世界史A(近現代史中心、第2学年必修2単位)では、これらを簡略化して行っている。

「本日の問い」には、多様な視点が要求される問いを出題する。たとえば「世界帝国(漢王朝、ペルシア帝国、ローマ帝国など)が存続するためには、どのようなシステムが必要とされるのか」「なぜイスラーム神秘主義(スーフィズム)は、信仰の大衆化や非イスラーム地域への信仰の浸透に貢献したのか」「三・一運動や五・四運動は、なぜ起きたのか」「なぜヒトラーを多くの人々が支持したのか」「「白バラ運動」はなぜ生じたか」などである。

「生徒の資料読解」では、2～4つ程の資料を提示している。前記ヒトラーの問いでは(1)ナチ党綱領(一九二〇年二月)(2)ヒトラーの首相就任演説(一九三三年二月)(3)当時の人々の回想・証言など(労働者、女性、財界人)(4)絵画・写真資料(歓喜力行団、冬季救済事業)を提示した。特に、当時の人々の生活や喜怒哀楽が分かる回想や証言などを積極的に取りあげている。

「生徒の「本日の問い」への解答」では、グループごとに、司会・書記・報告・「あまのじゃく」という役割がある。司会は時間内に議論をまとめ、書記はホワイトボードや黒板に分かりやすく整理し、報告担当は発表・質疑応答を行う。「あまのじゃく」は、グループ内の議論に必ず疑問や疑義などの懐疑的見解を提示する役割である。多くの生徒は歴史的事象について議論を深める際、疑問や疑義を提示することに

議論の準備をする生徒たち(筆者撮影)

慣れていない。それゆえ、この担当者を設置している。

「ペアやグループの解答の可視化・共有」では自分のグループよりも優れた解答を探すように指示し、「報告担当者の発表・質疑応答」では生徒同士の質疑応答を重視している。

「生徒および教員によるグループの解答の評価・解説」ではまず生徒が優れた解答を指摘してその理由を解説する場面を重視し、その後に教員が評価・解説を行っている。

宿題の問いは、歴史的思考力の観点を意識して作成している。たとえば「批判的・分析的な問い」として、「なぜクルアーンでは、当時、男性が同時に4人までの女性と婚姻契約を結ぶことを認めたのか。現在ではどのように解釈、運用されているか」「ニューディールのもとでは、日々の食料を手に入れられない多くの人々がいるのに、なぜ大量の豚が捨てられ、小麦の作付面積の制限が行われるのか」を考えた。あるいは「現代的・比較的な問い」として「唐王朝の諸制度は、なぜ普遍性が高いのか。それと比較して、現代世界において普遍性の高い制度とはどのような制度か」「ガーンディーの非暴力・不服従の精神は、現代社会の政治弾圧、紛争・内戦などにどのような影響を与えるか」などを問うている。

「ジェンダーの視点からの問い」という観点もある。小浜正子ほか編『ジェンダーから見た世界史』(大月書店、二〇一四年)を参考に、たとえば「中国史上唯一の女帝である武則天は稀代の「悪女」とされてきたが、それはなぜか」「ドイツのホロコーストの記憶文化の中に、なぜ性暴力被害は登場しないのか」などを問うている。

このような対話型の授業について、生徒から「難しい」「解くのがたいへん」「共同作業がめんどう」というコメント以上に「他の人の意見が聞けて楽しい」「深く理解できて面白い」「資料を読むので知識と知識がつながって覚えやすい」「共同作業はやりがいがある」「寝ない」などというコメントを受けてきた。また大学入試共通テストが複数の史料を批判的に分析し、多様な観点から歴史を考察する出題に変更されたが、今回提示した問いと資料を活用した対話型の学習は、歴史的思考力を育成するだけでなく、その対策としても有効である。いまはコロナ禍のために多くが制限されているが、このような対話型の学習が苦手な生徒をより一層支援しつつ、世界史授業の開発と改善を続けてゆきたい。

焦点 Focus

「サバルタン・スタディーズ」と歴史研究・叙述

粟屋利江

一、「サバルタン・スタディーズ」の登場(1)

「植民地時代を通して、エリートの政治と並行して、もう一つのインド政治の領域があった。そこでの主な行為者は〔中略〕サバルタン階級・集団、すなわち人民であった。これは自律的な領域であった。なぜならそれはエリート政治に由来するわけでもなく、その存在をエリート政治に依存してもいなかったからである」(2)(Guha 2009a[1982]: 4. 強調は原文)

これは、一九八二年に刊行された『サバルタン・スタディーズ――南アジアの歴史と社会に関する論集』第一巻の冒頭に置かれた、グループの「マニフェスト」とみなされる短い文章からの引用である。筆者は、「サバルタン・スタディーズ」グループを牽引したラナジット・グハ(一九二三―)である。エリートの政治から自律したサバルタンの政治が存在するという洞察こそ、グハによれば、グループにとって根本的な重要性をもつものであり、グループの独自性であった(Guha 2009d: 356)。

「サバルタン」という言葉は、あらためて指摘するまでもなく、イタリア共産党の活動家アントニオ・グラムシが

『獄中ノート』のなかで「指導的階級」に対する概念として用いた「従属的階級」に由来する（グラムシ 一九九九）。インドでは、カルカッタのプレジデンシー・カレッジの歴史教師スショーバン・サルカール（一九〇〇―八二）が、すでに一九五〇年代後半から、グラムシの著作を学生たちと議論していたという。スショーバンはグハの恩師、かつ、一時は同僚でもあり、グハは最初の著書をかれに捧げている（Chaturvedi 2000: viii）。

主にインド近代史（イギリス植民地期の歴史と理解して良い）に関する論考を集めた『サバルタン・スタディーズ』は、一九八二年から二〇〇五年までに一二巻が刊行されたが、[3] 二〇〇八年にプロジェクトとしては幕をおろした（Chakrabarty 2013）。インド史を専門とする研究者以外にとっては、いまや、ポストコロニアル研究の一部とみなされている「サバルタン・スタディーズ」であるが、本稿では、「サバルタン・スタディーズ」グループの軌跡をたどりながら、グループが提起した問題群、ならびにそれらが引き起こした議論の意義を考える。

二、「下からの歴史」から「ポストコロニアル研究」へ

初期サバルタン・スタディーズ

まず、インド近代史研究のプロジェクトとして始動した「サバルタン・スタディーズ」が、「ポストコロニアル」研究の主要な要素として認識されるまでの道筋を振り返ろう。

一九七〇年代末から八〇年初頭にかけて、当時エセックス大学で教鞭をとっていたグハを中核として、かれとは二〇歳ほどの年齢差のある、まだほとんど無名の若手研究者からなるグループが形成された。グループは既存のインド史研究への批判を共有していた。グループ誕生の背景には、一九六〇年代末から七〇年代にかけてのインドにおける固有の政治状況があった。一九六七年、ベンガルの村ナクサルバリで起こった農民蜂起、それに共鳴し、毛沢東主義

に影響を受けた学生・知識人たちの運動、同運動への政府による暴力的な弾圧、一九七五―七七年にかけてインディラー・ガーンディー政権のもとで発動された「非常事態宣言」による民主主義の否定といった政治状況は、独立後のインド国民国家に対して深い失望をもたらすものだった。この失望は、さらに国民国家の成立を到達点として前提とするインド近代史研究への批判に向かった。サバルタン・スタディーズのメンバーはインドにおけるマルクス主義の学問伝統を引いており、たとえば、グハは一九三〇年代末の学生時代から五六年のソ連によるハンガリー侵攻までインド共産党員として活動しており、前述したベンガルの毛沢東主義運動に関わりをもったメンバーも少なくなかった。チャクラバルティによれば、グハとその仲間たちは、毛沢東とグラムシからインスピレーションを得たという(Chakrabarty 2011: 170)。

サバルタン・スタディーズ・グループによって、既存のインド史研究は、それが植民地政府を歴史の主体にすえる植民地主義的な研究であれ、国民会議派などを歴史の中核とするナショナリスト的な研究であれ、エリート主義であると総括された。そうした歴史叙述において、インド人口の圧倒的多数を占める民衆は、みずからの意思や願望、固有の行動規範をもたず、上から指導される客体として扱われてきたと彼らは批判した。また、メンバーたちは、自らをマルクス主義者と位置づけているが、批判は従来のマルクス主義的歴史研究にも向けられた(4)。労働者や農民など、非エリートへの共感を示しながらも、彼らのさまざまな営為を、純粋な「階級意識」への発展という物差しで測るようなマルクス主義の機械的な応用や、経済決定論的な分析が批判の対象とされた。

「マニフェスト」が示すように、サバルタン・スタディーズは、当初、サバルタン諸集団の自律性を強調し、彼ら(当初、女性は無視されたので、彼らで正しい)固有の価値観や行動様式を抽出し、彼らを歴史の主体として復権させることに努力を傾けた。チャクラバルティが述べるように、サバルタン・スタディーズは「政治的なプロジェクト」だった。

サバルタン・スタディーズはサバルタン独自の行動や価値観に焦点をあてるという意味で、一九六〇年代以降に登場したイギリスのマルクス主義歴史家E・P・トムスンやエリック・ホブズボームらの「下からの歴史」に近似していた。また、日本における人民闘争史や民衆思想・運動史とも関心を共有していたといえる（粟屋 二〇一七b）。

サバルタンという言葉は、グハによれば「従属性の一般的な属性」(Guha 2009a[1982]: vii)を意味した。また、途中でサバルタン・スタディーズ・グループから離れ、その最も厳しい批判者となったスミット・サルカールは「サバルタン」という用語が、経済還元主義を避けるとともに、支配と従属の問題を明確に示す用語として有益だとした(Sarkar 1997: 83)。同様の感触は、「厳密な階級分析には入らないすべてのものを記述する」ようになった言葉として、サバルタンという言葉への愛着を示すスピヴァクの発言にもみられる（モートン 二〇〇五：八〇頁）。つまり、「サバルタン」という用語の持つ利点として認識されたのは、階級概念の狭さから解放されると同時に、支配・従属関係に関心を焦点化させるという働きであり、この用語のインパクトこそ、グループの影響を大きなものとするのに貢献したといえるかもしれない。

みずから文字資料を残すことがなく、植民地権力もしくは現地エリート層によってのみ表象されてきたサバルタンを歴史主体として復権させることは非常な困難をともなう。グループはしたがって、新たな資料の発掘に取り組むのみならず、人類学といった隣接学問領域や、記号論、構造主義などからも知見を借り、さらにはフィールド調査や、権力側が残した資料を「逆なでに読む」、つまり書き手の意図から逸脱させ、逆方向で読む手法を鍛えた。また、サバルタンに関する資料がエリートによって残される数少ない機会であるトライブ（部族）や農民による異議申し立ての運動や蜂起に、初期の研究は偏ることになった。この時期の代表的な成果の一つとしては、グハの『植民地インドにおける農民反乱の基本的諸側面』（一九八三年）を挙げることができよう。かれは本書で、一七八三年から一九〇〇年までの時期にインド各地で起こったトライブや農民蜂起を分析し、繰り返し現れる叛乱者の意識や行動のパターンを抽出した(Guha 1983)。

サバルタン・スタディーズは、当初、もっぱらインド国内で議論を生んだ。かつて筆者は、初期サバルタン・スタディーズをインド近代史研究の新しい潮流として紹介するなかで、蜂起におけるサバルタンの行動様式、意識・世界観の分析に集中することの限界、それらの歴史的な変化に関する分析の弱さ、エリートとサバルタンとの区分の硬直性、サバルタン女性の無視などを指摘した(粟屋 一九八八)。

後期サバルタン・スタディーズ——ポストコロニアル研究への合流

サバルタン・スタディーズの方向性に大きな変化が生じるのは、一九八〇年代半ば以降である[5]。目だった変化は、①実体としての「サバルタン」よりも「サバルタン性」(subalternity)の考察にシフトしたこと、②分析の対象に植民地期のインド人エリートを含むようになったこと、③言説分析への傾注、④西洋近代、およびその学知への批判にむかったこと、などである。デヴィッド・ルッデンによれば、サバルタン・スタディーズの関心において、「サバルタン諸階級、とりわけ農民階級は、実際上、植民地主義と抵抗のテクスト性に道をゆずった」(Ludden 2002: 19)。農民やトライブによる蜂起からサバルタンの主体性を単純に復活させる指向性は後退し、インド人エリートの生活世界の分析などを通じて、サバルタン性は西欧近代との関係性のなかに見いだされることになっていった。「下からの歴史」は、近代西洋社会に由来する(とされる)普遍的概念や価値、啓蒙主義的理性への批判、さらには、既存の「歴史」研究そのものへの疑義へまで拡大していくのである。

エリートへの関心のシフト、フーコーに依拠する「知と権力」理論、およびそれに基づくサイード的なコロニアル言説批判への偏向は、とくにインドでは批判を呼び、たとえば、サルカールはこうした変貌を、「サバルタン・スタディーズにおけるサバルタンの凋落《ちょうらく》」として厳しく批判した(Sarkar 1997)。

一方、この変化は、英語圏、とくにアメリカにおけるサバルタン・スタディーズへの注目と時期を同じくした。これには、ポストコロニアル批評・理論の代表的な論客であるガヤートリー・スピヴァクの介入が大きな役割を果たした(6)。彼女が『サバルタン・スタディーズ』第四巻に寄せた論考「サバルタン・スタディーズ——歴史記述を脱構築する」と「サバルタンは語ることができるか」(スピヴァク 一九九八)は決定的だった。

「脱構築する」論考は、グループの議論にみられる理論的な折衷性や性別化されたサバルタンへの関心の欠如を指摘した。サバルタン・スタディーズにみられる単純ともいえる「主体」概念やそれに基づくサバルタン分析は、スピヴァクによって、「本質主義の戦略的利用」と読み替えられた。一方、「語ることができるか」論考は、のちにみるように、「サバルタン」をいかに叙述するのか、「サバルタン」の表象は可能なのか? という問題をめぐる活発な議論を生み出した。グハとスピヴァクを編者とし、「脱構築する」論考を導入章とした『サバルタン・スタディーズ選集』は、エドワード・サイードの序とともに一九八八年に刊行され、グループを「ポストコロニアル」文化批判に関わる集団として、その存在を世界(英語圏)に知らしめた。チャタジーは、スピヴァクの介入について、「サバルタン・スタディーズ」における「ポスト構造主義のモメント」だったと振り返り、後期サバルタン・スタディーズへの変化を、サバルタンの真の姿は? という問いから、サバルタンはどのように表象/代弁されるか? という問いへのシフトだったと簡潔にまとめた。さらに、英語圏の大学で興隆していたポストコロニアル研究における「第三世界の主体が西洋の言説によっていかに表象されるか」という問題関心に、サバルタン・スタディーズが接合されたと分析している(7)(Chatterjee 2010a: 83-85)。

ただし、後期サバルタンにみられる関心や理論は、北アメリカのトレンドを単に真似した、つまり、チャクラバルティの表現を借りれば、「最初にヨーロッパで、やがて別のところで」(チャクラバルティ 二〇〇〇:一五頁)というような、グローバルな知的配置への対応の結果と捉えるのは一面的であり、それこそ西洋中心史観であろう。チャタジー自身は、一九八〇年代後半以降にみられたインド社会内外の大変動にともなって、さまざまな「サバルタン」集団が、いわゆるエリートの領域とされてきた公共圏に多種多様な形で参与し、権利を主張する状況が、かつての「サバルタン」認識の限界を示したと言明しているし、グループの知的営為はインドの現実・政治課題と強く切り結んでいる(Chatterjee 2010a: 84)。

三、「サバルタン・スタディーズ」が問うたこと

サバルタンの描き方・サバルタンとジェンダー

スピヴァクは、彼女の最も有名な論考の一つ「サバルタンは語ることができるか」のなかで、自ら立てた問いに対してやや挑戦的にノーという回答を示した(スピヴァク 一九九八)。この否定的回答が、皮肉にも、「サバルタン」をして「文化理論とポストコロニアル研究の分野で華々しい存在」とさせた、というある論者の主張は正しいかもしれない(Gopal 2004: 148)。初期「サバルタン・スタディーズ」がサバルタンはエリートによって客体として表象されてきたことを批判し、自ら語り、自律的に行動するサバルタン像を追求してきたことを考えるならば、語ることができないと断言したスピヴァクの論考「サバルタンは語ることができるか」は、グループにとって自らのよって立つ理論的な前提を見直すモメントになり、かつ、ポストコロニアル研究の分野に大きな論点を提供した。

スピヴァクの論考は、フーコーとドゥルーズという多大な影響力を持つ知識人の対話を分析することを通じて、知識人が自らのポジションについて自覚・反省なく第三世界のサバルタンが自ら表象できると言明してしまう政治的陥穽をするどく指摘した。さらにスピヴァクは、サティー(寡婦殉死)禁止をめぐる議論の分析にすすみ、イギリス植民地政権やキリスト教宣教師による「白人の男性たちが茶色い女性たちを茶色い男性たちから救い出している」、サテ

ィーを擁護する現地人男性による「女性たちは実際に死ぬことを望んでいた」という二つのセンテンスを抽出し、いずれにおいても、サティーを行う当事者である女性の声が抹殺されていると主張する。そしてスピヴァクは、サティーの慣習についてヴェーダやヒンドゥー法の規定、プラーナ(ヒンドゥー聖典)までさかのぼり、自殺、殉教といった側面を検討していった。締めくくりとしてスピヴァクが取り上げたのが、一九二六年にカルカッタで自殺した若い女性プヴァネーシュワリーのエピソードである。自死行為を生理中に合わせたことによって、通常、若い女性の自死が、認められない恋愛、妊娠と結びつけられることを回避しようとしたのだとスピヴァクは解釈する。のちに彼女が反英武装闘争グループに加わっており、政治的暗殺の任務を果たせなかったために自殺したことがわかるが、彼女の近しい縁者にすら理解されなかった。こうしたことから、スピヴァクは「サバルタンは語ることができない」と結論づけたのだった。

スピヴァクの論考とほぼ同時期に発表された、サティー禁止にいたる議論を分析したマニによる研究もまた、サティー当事者の不在を指摘している。彼女によれば、サティーを批判する植民地政権やキリスト教宣教師、さらにヒンドゥー社会側の改革者にせよ、サティーを擁護するヒンドゥー保守主義者たちにせよ、彼らの関心は、真のヒンドゥー教や伝統、植民地支配下におけるあるべきヒンドゥー社会の在り方にあった。そうした議論では、当然ながらサティーのエージェンシー(行為主体性)に関心が払われることはなく、「女性は聖典・伝統・法に関するさまざまなヴァージョンが練られ、競われる場(sites)となる」のであるとマニは指摘した(Mani 1989: 115)。

サバルタンは語れるか

「ポストコロニアル研究でもっとも難しい問題の一つは、植民地化された主体、サバルタンのエージェンシーであり、それがポストコロニアルの知識人によって回復され表象され得るかである」(Loomba 1998: viii)とされるように、スピヴァクの「語ることができるか」論考は広汎な議論を呼び、さまざまな批判も引き起こした。プヴァネーシュワリーは都市部のミドル・クラスであって「サバルタン」とはいえない、語れないといいながら実際のところスピヴァクは彼女の意図を読み取っている、といった指摘から始まり、サバルタンの声が抑圧される構造的なメカニズムをあまりに絶対化しすぎており政治的に問題であるという、より根源的な批判まで含んだ(Moore-Gilbert 1997; モートン 二〇〇五：七〇-七一頁)。また、プヴァネーシュワリーが急進的民族運動に関わっていたことにスピヴァクは関心を示していないとも批判された。サバルタン・スタディーズにせよ、ポストコロニアル研究にせよ、政治的な介入をめざす研究者にとって、サバルタンの政治的主体をどこにどのように見出すのかは決定的に重要な問題であった。

のちに、スピヴァクは「サバルタンは語ることができない」と断言したのは得策でなかった、と衝撃的ともいえる告白をしているが[8](スピヴァク 二〇〇三：四四八頁)、サバルタン、とりわけ何重にも声が否定されるジェンダー化されたサバルタンの声を安易に代弁・表象する営為に潜む無意識の権力に敏感であることに変わりない。彼女は、サバルタンの沈黙化について、自らが共犯関係にあることに自覚的であることが重要だとも述べる(スピヴァク 二〇〇三：四四九頁)。

スピヴァクが提案する「処方箋」は、「語ることができるか」論考においては、次のようなものであった。「〈耳を傾けたり、代わって語るというよりは〉語りかけるすべを学び知ろうと努めるなかで、ポストコロニアルの知識人はみずから学び知った女性であることの特権をわざと「忘れ去ってみる」(unlearn)」(スピヴァク 一九九八：七四頁。強調は原文)。最近では、下から学ぶということを学ぶ、とも述べている(Spivak 2000; 2005)。スピヴァクの論考は、たしかに、サバルタンの声が抹殺される構造を強調するだけに終わる数多くの研究を生んだが、サバルタンへの接近法について研究者に徹底的に思慮を深める方向で刺激を与えたことに間違いはない。

スピヴァクもマニも実際のところ、インド女性の内部に存在する階級的、カースト的な亀裂に対しては関心を払っていない。サティーを行った、多くの場合上位カーストである女性たちの声が抹殺されたとすれば、ダリト(「元不可触民」)などの下位カーストの女性の声はさらに顧みられることはない。グハが『サバルタン・スタディーズ』第五巻(一九八七年)に寄せた「チャンドラの死」で光を当てたのは最下層の女性である。同論文は、歴史研究に対するサバルタン・スタディーズの立ち位置を明確に示すのみならず、第四巻でスピヴァクがジェンダー視角の欠如を批判した後に創設メンバーとしては初めて、ジェンダーの問題に取り組んだ論考という点でも重要である(Guha 2009b[1987])。

同論文は、西ベンガルの農村社会においてカースト的にも階級的にも周縁におかれたバグディに属する寡婦チャンドラが堕胎行為の結果、死に至った一八四九年の出来事を扱ったものである。妊娠させた男性(チャンドラの夫の姉妹の夫)から、堕胎かカーストからの追放かの選択を言い渡されたチャンドラの母、妹をはじめとする親類縁者が、堕胎に関わった。この出来事を伝えるのは、チャンドラの死を「殺人」事件とする裁判に関連して残された、被告となったチャンドラの母、妹、堕胎薬を提供した隣人男性による不完全で断片的な証言のみである。グハは、司法が「犯罪」として取り込もうとする証言を、危機に対応しようとする家族の集合的な努力として読み替えようとする。

グハは、バグディたちが置かれた社会的・経済的地位や、婚姻慣習/親族ネットワーク、農村社会におけるさまざまな家父長的規制などを詳細に検証することで、出来事のコンテクストを確定していく。そして、カースト追放ではなく、堕胎を選択した上の努力のなかに、極貧農民女性たちの団結と家父長制への抵抗を読み取った。叛乱に関与した農民やトライブたちに分析を集中していたことが初期サバルタン・スタディーズの限界であったとすれば、グハの論考はそれを乗り越える試みだといえよう。そして、こうした「小さな声」を無視してきた従来の歴史研究への批判でもあることをグハは論文で明言している。(9)

ヨーロッパ中心主義・歴史主義・モダニティ

チャクラバルティは一九九二年の論考「ポストコロニアリティと歴史の術策：誰が「インド」の過去を語るのか？」で初めて、「ヨーロッパを地方化する」という企図を提起した。(10) チャクラバルティは、大学というアカデミックな舞台において、あいかわらず「ヨーロッパ」が歴史の主体として君臨していると指摘する。そうした状況において、インド史を含む非西洋・第三世界の歴史自体が「サバルタン性」を帯びる。ヨーロッパの政治的歴史が無言のうちにモデルとされ、インドや中国の歴史も結局はヨーロッパ史のマスター・ナラティブの変種にすぎない。サバルタン性の第一の徴候は、非ヨーロッパの研究者はヨーロッパの学問潮流をフォローする圧力のもとにある一方、逆はないという現実である（「無知の不均等性」とチャクラバルティは表現する）。第二に、ヨーロッパ史の中から生まれた社会科学の理論や概念が、非ヨーロッパ社会を理解するツールとして十分であると当然のように受け入れられていることである。チャクラバルティは、ヨーロッパ史を参照軸とする思考を、「歴史の移行ナラティブ」として批判する。これによれば、インド史における事象は常に、ヨーロッパ史からの「遅れ」、「欠如」、「未完」として評価されることになる。ここで、サバルタン・スタディーズの「マニフェスト」にさえ、インド史を「未完」とみなす兆候があると指摘されている点が注目される。マニフェストは、インド・ブルジョワジーや労働者の未成熟がための、「ネイションとしての自己実現の歴史的失敗」、「植民地期インドの歴史研究に関する核心的問題となるのはこの失敗の研究である」(Guha 2009a[1982]: 7. 強調は原文) といった文言を含んでいた。こうした批判からチャクラバルティは、ヨーロッパそのものを「地方化」するプロジェクトを唱える。かれが強調するのは、ここで「ヨーロッパ」というのは、実体としての地理的なヨーロッパではなく、帝国主義ならびに（第三世界の）ナショナリストたちが共同し、また暴力をともなって普遍化したヨーロッパ（チャクラバルティは「ハイパーリアルなヨーロッパ」と表現する）である。

この論考は(少なくとも第三世界の歴史に関心のある)英語圏の研究者に大きな刺激を与え(ハント 二〇一九:四二一–四三頁)、サバルタン/ポストコロニアル研究の参照枠のひとつとなったが、さらに大きな影響を与えたのが、「ヨーロッパを地方化する」をタイトルとした著書である。同書の導入章でも、政治的モダニティを示す概念やカテゴリーが、ヨーロッパの歴史的経験に起因していること、ならびに、西洋で最初に興《おこ》ったとされる資本主義、モダニティ、啓蒙主義を普遍とする「歴史主義」(historicism)が批判される。[11]「歴史主義」は進歩のメタナラティブともされ、ヨーロッパのモデルに達していない非ヨーロッパを、「歴史のなかにしつらえられた想像上の待合い室」に止めおく。

また、ホブズボームなどによるマルクス主義歴史叙述において、農民らを「前–政治的」とみなしたことを批判し、植民地期の農民意識や行動を「政治的」であると主張したグハを、チャクラバルティは評価する。チャクラバルティが最後に強調しているのは、地方化するプロジェクトは、ヨーロッパの思想を拒否することではなく、それらの思想が、非ヨーロッパの経験した政治的モダニティを考えるには、「不可欠であると同時に不適切」であるということである(Chakrabarty 2007[2000]: 16; チャクラバルティ 二〇〇〇:二四頁)。

こうしたモダニティや発展段階論的な歴史観を批判する文脈で、サバルタン、もしくはサバルタンの過去は、近代的な歴史言説の限界を指し示す存在として位置づけられる[12](Chakrabarty 2007[2000]: 110, 112)。

チャクラバルティは本書のなかで、マルクスの議論から、資本の論理が貫徹する、いわゆる「(資本主義への)移行のナラティブ」である歴史1と、資本のロジックには完全に包摂されない歴史2という二つの歴史を導きだす。そして、後者の事例として第五–八章において、植民地期ベンガルにおけるミドル・クラスの生活世界の諸側面を分析する。そこでは、西洋ブルジョワ的近代の基本概念であるドメスティシティや個人主義その他が、いかに翻訳されるかを示すことによって、チャクラバルティがいうところの、「世界に存在する様々な仕方」(diverse ways of "being-in-the world")が例証される(Chakrabarty 2007[2000]: 21)。

ナショナリズムの想像力

西洋をモデルとする歴史像に対する批判は、チャタジーの『ネイションとその諸断片』にも明らかである[13](Chatterjee 1993)。かれは、影響力のあるベネディクト・アンダーソンの「想像の共同体」論における第三世界のナショナリズム理解に異議を唱える。かれの批判は、アンダーソンの議論において、アジア・アフリカは、南北アメリカ、ヨーロッパで形成されたナショナリズムを「モジュール」として採用するだけであるかのように想定されている点に向けられる。彼によれば、それでは、非ヨーロッパの人間にとって「想像」すべき何物も残されていないことになる(Chatterjee 1993: 5)。

チャタジーは、反植民地主義のナショナリズムが示したもっとも力強く創造的な想像力は、西洋の模倣ではなく、それからの差異にあったと主張する。かれによれば、政治的なナショナリズムの登場に先行して、反植民地ナショナリズムは、社会的諸制度や実践の領域を、物資的な領域(ソト)と精神的な領域(ウチ)に区分し、後者における自らの主権を確立したのだという。物質的領域、すなわち経済、科学、国家機構などの領域における西洋の優越については認め、その取り入れに努力せねばならないとされるものの、ウチなる精神的領域は、文化アイデンティティとして植民地政権の介入をナショナリストたちは拒否した。ウチなる領域もそのまま維持されたわけではなく、モダンではあるが西洋的ではない、ナショナルな文化を醸成するプロジェクトが進められた。さらにチャタジーは、ウチとソトに女性性と男性性の対応関係を重ね合わせる。ウチの領域で精神的な文化を体現し、維持するのは「女性」の責務とされたというのである。チャタジーは、一九世紀末から「女性問題」がインドの公けの場で議論されることがなくなった理由を、ナショナリストたちがウチの領域へのイギリスの介入を拒否したことに見出す[14](Chatterjee 1989; 1993)。

「ヨーロッパの地方化」は可能か?

「ヨーロッパを地方化する」という表現は、挑戦的な響きと喚起力を有し、ポストコロニアル研究のスローガン的地位を占めることになったといえるのではないかと思うが、批判も少なくない。一つは、(チャクラバルティを含む)ポストコロニアル研究は実際、ヨーロッパを「地方化」していないという批判である。むしろ、批判の対象として平板で均質的な「ヨーロッパ」を立ち上げることによって、ヨーロッパのヘゲモニーを再生産してしまっているとする(Cooper 2005; Gandhi 2019)。それと同時に、ヨーロッパからの差異を強調することは、しばしば土着主義、「オリエンタリズム」に近似してしまうという矛盾も指摘される。[15]

第二に、特定の目標に向かった「発展」や「進歩」、目的論を批判したのちに描かれる具体的な歴史像はどのようなものになるか、という問いである。「大きな物語」を回避し、断片に注視したり、幾つかのテクストを精緻に読み込んで生み出す歴史叙述は、大きな歴史的変化のなかにどのように位置づけられるのか?とも問われる[16](ベイリ 二〇一八:一四〇頁)。「非目的論的な歴史、内的な衝動のない歴史は、面白いのだろうか」という疑問は、やや主観的とはいえ不思議ではない(ハント 二〇一九:九〇頁)。「大きな物語」をしばしば構成する西洋啓蒙時代に登場する平等、自由、市民権といった諸価値の限界を強調する議論は、そうした諸価値に依拠しつつ運動してきたサバルタン諸集団の営為をどう評価するのか、という問題にもつながる。インドの場合、ダリトの知識層から、近年、サバルタン・スタディーズに対する批判の声があげられている。彼ら・彼女らの批判は、サバルタン・スタディーズがカースト差別の問題やダリトたちによる異議申し立ての歴史を軽視したのみならず、歴史家自身がカースト的に特権的な地位にいることに無自覚であることにも向けられる(Jangam 2015)。

第三に「言説」レベルの分析が精緻になればなるほど、物質的、経済的な分析と乖離してしまうという問題も指摘できよう。

「歴史における小さな声」は、グハの論文タイトルであり、論集のタイトルにもなっている(Guha 2009c[1996])。そうした声への注視はサバルタン・スタディーズの特質であるが、「小さな声」を変化の諸相のなかで位置づける歴史像はいまだ示されていない。植民地ベンガルを舞台としたミドル・クラスたちの西洋近代的モダニティとの交渉を描いた『ヨーロッパを地方化する』の第五—八章は、すぐれた社会史であり、さらにいえば、感性や情感の変化・継続を読み込んでいるという点からは、昨今注目されている「感情史」としても読むことが可能である。今後さらに求められるのは、サバルタンたちによって「生きられた近代」(戸邉 二〇〇八：六六頁)に肉薄する研究であろう。

四、二一世紀の「サバルタン・スタディーズ」

チャタジーは、「「サバルタン」という用語がインド全土、海外において職業的歴史家や大学院生のあいだで、社会的・政治的な不正義に対するあらゆる大義を表象するために受容され始めている」ことに、新たな主観主義の再来として懸念を表明している(Chatterjee et al. 2014: 13)。同様の不満はすでに一九九〇年代半ば、スピヴァクによっても示されていた(スピヴァク 一九九九：八二頁)。実際、チャタジーは、サバルタン・スタディーズは時代の産物であって、社会経済的な変容に見合った新たなプロジェクトが必要とされると主張し、最近では大衆文化や現代民主主義の分析に軸足を移してきた(Chatterjee 2012; 2020; Chatterjee et al. 2014)。同様に、スピヴァクはグローバル資本のさらなる展開を背景として登場している「新たなサバルタン」といった議論を開始している(17)(Spivak 2001; 2005)。

一方、ポストコロニアル研究が批判力を弱め、グローバル・スタディーズの興隆の前に影を薄くしつつあるという危機感が一九九〇年代から表明されてきた(Loomba et al. 2006[2005]; Majumdar 2010: 150)。そうしたなかで、グローバル・ヒストリーの導入書である近著において、コンラートがヨーロッパ中心主義を批判するポストコロニアル研究の視座を重視し、サバルタン・スタディーズの研究に言及している点は注目に値する(コンラート 二〇二一)。こうした動向は、今日グローバル・ヒストリーとサバルタン・スタディーズとの接合が求められていることを示しているといえるのではないだろうか。

一九三〇年代までに、地球の地表面積の八四・六%を植民地、元植民地が占めた(Loomba 1998: xiii)。ホールはパレスチナとイスラエル、湾岸諸国、イラク、イラン、アフガニスタンなどの現状に言及しながら、「植民地的なもの」は終わっていないということを確認した(ホール 二〇〇二:一二三頁)。日本に目を向ければ、ヘイト・スピーチや日本軍「慰安婦」の問題などが「植民地的なもの」として直ちに思い浮かべられる。ハントは、現代は「歴史に取り憑かれた時代」だと述べているが(ハント 二〇一九:一頁)、「植民地的なもの」に直接的・間接的に連関して、多種多様な歴史が書かれつつある。インドを例に挙げれば、一方ではダリトたちが、自らの尊厳と解放のために、他方ではヒンドゥー至上主義者たちが、反ムスリム感情を煽り、「ヒンドゥーの」過去の栄光を称えることによってヒンドゥーとしての求心力を高めようと、「神話的」ともいえる歴史を生産している(栗屋 二〇〇四、二〇一七a)。それらは、アカデミックな歴史研究の手続きを無視することがしばしばであるが、専門的な歴史家による研究よりも影響力ははるかに広く及ぶ。「歴史戦争」とも呼べる状況に、サバルタン/ポストコロニアル研究がいかに介入できるかが問われている(Chakrabarty 2008)。

サバルタン・スタディーズの軌跡を振り返るとき、グラックがグローバル論的転回について使った表現を借りれば、サバルタン・スタディーズの提起は、パラダイムの転換というよりも、方法論の拡大であったと思われる(グラック 二〇二〇:七〇―七一頁)。しかし、過去の植民地支配の歴史的事実とその継続に限らず、支配と従属の局面が存続する限り、チャクラバルティが断言するように、サバルタン・スタディーズが強調した「サバルタン諸階層の生活と政治に対する一般的な関心は生き続ける」(Chakrabarty 2013: 27)であろうし、サバルタン・スタディーズが提起した問題・視座は、批判を糧にして深められていくのではないだろうか。

注

(1) 筆者はこれまでに「サバルタン・スタディーズ」グループについてたびたび論じてきた(粟屋 一九八八、一九九九、二〇〇七、二〇一七b)。本稿にはそれらと重なる部分があることを予めお断りしておきたい。サバルタン・スタディーズの軌跡と評価については、(井坂 二〇〇二、二〇二〇)も参照のこと。

(2) この文章は(グハその他 一九九八:一六頁)に訳出されているが、訳は改めた。

(3) 当初、論集は三巻で終了するはずであった。第六巻までの編者はグハ、以降は編集委員会の構成メンバーが複数で編集にあたった。「サバルタン・スタディーズ」関連の選集は、これまでに四冊刊行されている(Guha and Spivak 1988; Guha 1997; Chaturvedi 2000; Ludden 2002)。

(4) チャクラバルティは、インドにおけるマルクス主義歴史学の伝統がなければ、サバルタン・スタディーズのプロジェクトは考えられなかっただろうと述べている(Chakrabarty 2007[2000]: 47)。

(5) サバルタン・スタディーズの創設メンバーがすべてこうした変化に従ったわけではない。たとえば、オリジナル・メンバーであるイギリス人研究者の後期サバルタン・スタディーズへの批判は(Hardiman 2007; Arnold 2015)参照。

(6) ポストコロニアル理論の御三家としてしばしば挙げられるのは、スピヴァク、エドワード・サイード、ホミ・バーバである。ポストコロニアル研究の定義については、論者によって異なるとする概説書が多いように、定まらない(Cf. Majumdar 2010: 4)。過去、現在の植民地(帝国)主義に抗し、変革、正義を追求するという政治的コミットメントが強調されるようだ。

(7) 文学批評の分野を中心とする英語圏におけるポストコロニアル研究の興隆については、「第一世界」において「第三世界」の知識人が職を得て、存在感を強めたという現象や、アカデミアでのポストコロニアル研究の「市場価値」などが指摘されてきた。こうした外在的な条件のみでポルトコロニアル研究の興隆を理解することは不十分であろうが、さまざまな学問潮流の盛衰に関して、アカデミックな領域におけるアメリカのヘゲモニーを看過すべきではないだろう。

(8) 「語ることができるか」の最終部分を削除した背景を、上村はスピヴァクの一九八九年以降の状況認識と問題関心の変化にあったと推察している（上村 二〇〇二：二四〇頁）。

（9） スピヴァクは同論文にかんして、卓越した論文としながらも、「家父長的な慈悲と批判と響きあう」とそっけない（Spivak 2000: 325）。

（10） 同論文の短縮版は、後述する『ヨーロッパを地方化する』の第一章となっている。なお、同書に所収された論文は、第八章のように既刊論文に大幅な修正が加えられている場合がある。基となった論考（Chakrabarty 1993）には、男性エリートの感性の家父長制的な表出をそのまま肯定するような箇所が少なくない。西洋近代からの差異が、ジェンダー言説によって表現されるという現象を示しており興味深い。

（11）『トレイシーズ』創刊号に訳出された論文は、（Chakrabarty 2007[2000]）の導入章とほぼ重なる（チャクラバルティ 二〇〇〇）。

（12） 非ヨーロッパの知識人のモダニティに対する屈折し、複雑な感覚については（Chatterjee 2010b[1994]）を参照。

（13）「断片」という用語・概念は、サバルタン／ポストコロニアル研究におけるキーワードの一つでもある（Pandey 1997[1992]）。これは、グラムシがサバルタンの歴史とは必然的に断片化され、エピソード的なものとなると理解したことに符合する（グラムシ 一九九八：一一〇頁）。

（14） ウチとソトの議論へは、フェミニスト研究者から批判も出されてきた。たとえば、「女性問題」が公けの場から姿を消したという事実認識は、女性が公共の場に登場する二〇世紀初頭以降、同問題が大いに議論されたという事実を無視しているという批判である。とはいえ、初期のフェミニストたちが、自らの要求や行動が西洋の物まねで、インドの「精神的文化」からの逸脱であるという非難に対処せねばならなかったことは看過できないであろう。

（15） インドの文脈では、とくに一九八〇年代から台頭したヒンドゥー至上主義の主張に取り込まれる危険性が憂慮されてきた（Sarkar 1997）。

（16） ベンガルのエリート男性の言説がコロニアル状況を示す言説に一般化される傾向への批判も少なくない（Gopal 2004: 155）。

（17） 一方、チャクラバルティは今世紀に入ってから、気候変動や人新世をめぐる議論へと関心を大きく転換し、「グローバル」と区別される、人間以外の存在をも包摂した「惑星的な」（planetary）視座を提示している（チャクラバルティ 二〇二〇、Chakrabarty 2018; 2021）。

参考文献

粟屋利江（一九八八）「インド近代史研究にみられる新潮流――「サバルタン研究グループ」をめぐって」『史学雑誌』九七編一一号。

粟屋利江（一九九九）「『サバルタン・スタディーズ』の軌跡とスピヴァクの〈介入〉」『現代思想』二七巻八号。

粟屋利江（二〇〇四）「インドにおける歴史教科書論争をめぐって」『歴史と地理』五七四号。

粟屋利江（二〇〇七）「「サバルタン・スタディーズ」と南アジア社会史研究」『メトロポリタン史学』三号。

粟屋利江（二〇一七a）「神話的歴史（mytho-history）――インドのダリトの事例を中心に」『歴史学研究』、九五九号。

粟屋利江（二〇一七b）「サバルタン・スタディーズの射程」歴史学研究会編『第4次現代歴史学の成果と課題 第一巻 新自由主義時代の歴史学』、績文堂出版。

井坂理穂（二〇〇二）「サバルタン研究と南アジア」長崎暢子編『現代南アジア1 地域研究への招待』、東京大学出版会。

井坂理穂（二〇二〇）「「近代」の知を問いなおす――歴史学・歴史叙述をめぐる問い」東京大学教養学部歴史学部会編『東大連続講義 歴史学の思考法』岩波書店。

上村忠男（二〇〇二）『歴史的理性の批判のために』岩波書店。

グハ、R、G・パーンデー、P・チャタジー、G・スピヴァック（一九九八）『サバルタンの歴史――インド史の脱構築』、竹中千春訳、岩波書店。

グラック、キャロル（二〇二〇）「転回するグローバル・ターン」梅﨑透訳、成田龍一・長谷川貴彦編『〈世界史〉をいかに語るか――グローバル時代の歴史像』岩波書店。

グラムシ、アントニオ（一九九九）『知識人と権力――歴史的‐地政学的考察』上村忠男編訳、みすず書房。

コンラート、ゼバスティアン（二〇二一）『グローバル・ヒストリー――批判的歴史叙述のために』小田原琳訳、岩波書店。

スピヴァク、ガヤトリ・C（一九九八）『サバルタンは語ることができるか』上村忠男訳、みすず書房。

スピヴァク、C・ガヤトリ（一九九九）「サバルタン・トーク」吉原ゆかり訳、『現代思想』二七巻八号。

スピヴァク、G・C（二〇〇三）『ポストコロニアル理性批判――消え去りゆく現在の歴史のために』上村忠男・本橋哲也訳、月曜社。

チャクラバルティ、ディペシュ（二〇〇〇）「インド史の問題としてのヨーロッパ」大久保桂子訳、『トレイシーズ』第一号。

チャクラバルティ、ディペシュ（二〇二〇）「気候と資本――結合する複数の歴史」坂本邦暢訳、成田龍一・長谷川貴彦編『〈世界史〉

をいかに語るか——グローバル時代の歴史像』岩波書店。
チャタジー、パルタ（二〇一五）『統治される人びとのデモクラシー——サバルタンによる民衆政治についての省察』田辺明生・新部亨子訳、世界思想社。
戸邉秀明（二〇〇八）「ポストコロニアリズムと帝国史研究」日本植民地研究会編『日本植民地研究の現状と課題』アテネ社。
ハント、リン（二〇一九）『なぜ歴史を学ぶのか』長谷川貴彦訳、岩波書店。
ベイリ、C・A（二〇一八）『近代世界の誕生——グローバルな連関と比較一七八〇—一九一四』上・下、平田雅博・吉田正弘・細川道久訳、名古屋大学出版会。
ホール、スチュアート（二〇〇二）「「ポスト・コロニアル」とはいつだったのか？——境界にて思考すること」『思想』小笠原博毅訳、九三三号。
モートン、スティーヴン（二〇〇五）『ガヤトリ・チャクラヴォルティ・スピヴァク』本橋哲也訳、青土社。
ルーンバ、アーニャ（二〇〇一）『ポストコロニアル理論入門』吉原ゆかり訳、松柏社。
Arnold, David (2015), "Subaltern Studies: Then and Now", Alf Gunvald Nilsen and Srila Roy (eds.), *New Subaltern Politics: Reconceptualizing Hegemony and Resistance in Contemporary India*, New Delhi, Oxford University Press.
Chakrabarty, Dipesh (1992), "Postcoloniality and the Artifice of History: Who Speaks for 'Indian' Pasts?", *Representations*, No. 37.
Chakrabarty, Dipesh (1993), "The Difference-Deferral of (A) Colonial Modernity: Public Debates on Domesticity in British Bengal", *History Workshop Journal*, No. 36.
Chakrabarty, Dipesh (2007[2000]), *Provincializing Europe: Postcolonial Thought and Historical Difference*, Princeton, Princeton University Press.
Chakrabarty, Dipesh (2008), "The Public Life of History: An Argument out of India", *Public Culture*, Vol. 20, No. 1.
Chakrabarty, Dipesh (2011), "Belatedness as Possibility: Subaltern Histories, Once Again", Elleke Boehmer and Rosinka Chaudhuri (eds.), *The Indian Postcolonial: A Critical Reader*, London and New York, Routledge.
Chakrabarty, Dipesh (2013), "Subaltern Studies in Retrospect and Reminiscence", *Economic and Political Weekly*, Vol. 48, No. 12.
Chakrabarty, Dipesh (2018), *The Crises of Civilization: Exploring Global and Planetary Histories*, New Delhi, Oxford University Press.
Chakrabarty, Dipesh (2021), *The Climate of History in a Planetary Age*, Chicago, University of Chicago Press.

Chatterjee, Partha (1989), "The Nationalist Resolution of the Women's Question", Kumkum Sangari and Sudesh Vaid (eds.), *Recasting Women: Essays in Colonial History,* New Delhi, Kali for Women.

Chatterjee, Partha (1993), *The Nation and Its Fragments: Colonial and Postcolonial Histories,* Princeton, Princeton University Press.

Chatterjee, Partha (2010a), "Reflections on 'Can the Subaltern Speak?': Subaltern Studies after Spivak", Rosalind C. Morris (ed.), *Can the Subaltern Speak?: Reflections on the History of an Idea*, New York, Columbia University Press.

Chatterjee, Partha (2010b[1994]), "Our Modernity", Nivedita Menon (ed.), *Empire and Nation: Selected Essays,* New York, Columbia University Press.

Chatterjee, Partha (2012), "After Subaltern Studies", *Economic and Political Weekly*, Vol. 47, No. 35.

Chatterjee, Partha (2020), *I am the People: Reflections on Popular Sovereignty Today*, New York, Columbia University Press.

Chatterjee, Partha, Tapati Guha-Thakurta and Bodhisattva Kar (eds.) (2014), *New Cultural Histories of India: Materiality and Practices*, New Delhi, Oxford University Press.

Chaturvedi, Vinayak (ed.) (2000), *Mapping Subaltern Studies and the Postcolonial*, London and New York, Verso.

Cooper, Frederick (2005), *Colonialism in Question: Theory, Knowledge, History*, Berkeley, University of California Press.

Gandhi, Leela (2019), *Postcolonial Theory: A Critical Introduction*, second edition, New York, Columbia University Press.

Gopal, Priyamvada (2004), "Reading Subaltern History", Neil Lazarus (ed.), *The Cambridge Companion to Postcolonial Literary Studies,* Cambridge, Cambridge University Press.

Guha, Ranajit (1983), *Elementary Aspects of Peasant Insurgency in Colonial India*, New Delhi, Oxford University Press.

Guha, Ranajit (1997), *A Subaltern Studies Reader 1986–1995*, Minneapolis and London, University of Minnesota Press.

Guha, Ranajit (2009a[1982]), "On Some Aspects of the Historiography of Colonial India", Partha Chatterjee (ed.), *A Small Voice of History: Collected Essays,* Ranikhet, Permanent Black.

Guha, Ranajit (2009b[1987]), "Chandra's Death", Partha Chatterjee (ed.), *The Small Voice of History: Collected Essays.*

Guha, Ranajit (2009c[1996]), "The Small Voice of History", Partha Chatterjee (ed.), *The Small Voice of History: Collected Essays.*

Guha, Ranajit (2009d), "Subaltern Studies: Projects for Our Time and Their Convergence", Partha Chatterjee (ed.), *The Small Voice of History:*

Collected Essays.

Guha, Ranajit and Gayatri Chakravorty Spivak (eds.) (1988), *Selected Subaltern Studies*, New York and Oxford, Oxford University Press.

Hardiman, David (2007), *Histories for the Subordinated*, Oxford, Seagull Books.

Jangam, Chinnaiah (2015), "Politics of Identity and the Project of Writing History in Postcolonial India: A Dalit Critique", *Economic and Political Weekly*, Vol. 50, No. 40.

Loomba, Ania (1998), *Colonialism/Postcolonialism*, London and New York, Routledge.

Loomba, Ania, Suvir Kaul, Matti Bunzl, Antoinette Burton, and Jed Esty (eds.) (2006[2005]), *Postcolonial Studies and Beyond*, Ranikhet, Permanent Black.

Ludden, David (ed.) (2002), *Reading Subaltern Studies: Critical History, Contested Meaning, and the Globalisation of South Asia*, Ranikhet, Delhi, Permanent Black.

Majumdar, Rochona (2010), *Writing Postcolonial History*, London, Bloomsbury Academic.

Mani, Lata (1989), "Contentious Traditions: The Debate on the *Sati* in Colonial India", Kumkum Sangari and Sudesh Vaid (eds.), *Recasting Women: Essays in Colonial History*, New Delhi, Kali for Women.

Moore-Gilbert, Bart (1997), *Postcolonial Theory: Contexts, Practices, Politics*, London and New York, Verso.

Pandey, Gyanendra (1997[1992]), "In Defense of the Fragment: Writing about Hindu-Muslim Riots in India Today", Ranajit Guha (ed.), *A Subaltern Studies Reader 1986-1995*, Minneapolis and London, University of Minnesota Press.

Sarkar, Sumit (1997), "The Decline of the Subaltern in *Subaltern Studies*", *Writing Social History*, New Delhi, Oxford University Press.

Spivak, Gayatri Chakravorty (2000), "The New Subaltern: A Silent Interview", Vinayak Chaturvedi (ed.), *Mapping Subaltern Studies and the Postcolonial*, London and New York, Verso.

Spivak, Gayatri Chakravorty (2005), "Scattered Speculations on the Subaltern and the Popular", *Postcolonial Studies*, Vol. 8, No. 4.

集点 Focus

環境社会学の視点からみる世界史
――先住者の生活戦略から探る持続可能な社会

金沢謙太郎

一、〈人と環境〉の歴史

「人新世」(Anthropocene)という新語にみられるように、人間活動の影響は地層に痕跡を残すほどに及んでいる。二〇一五年には世界一五〇ヵ国を超える国連加盟国の首脳が参加して、「持続可能な開発目標」(SDGs)が採択された。今日、持続可能な社会を目指すという掛け声は社会のあらゆるセクターから聞かれるようになった。しかしながら、それを目指すのであれば、まずは現代社会が持続不可能な社会であることを認めなければなるまい。その上で、人と環境の関係を見つめ直し、社会のあり方を総点検するところから始める必要がある。

人と環境は深い関係をもってきた。それにもかかわらず、歴史学においては、文字史料以外の対象にも目を向けざるをえない環境を正面から扱おうとする動きは鈍かった(水島 二〇一六：ii頁)。しかしながら近年、医学や生物学をはじめとする自然科学の研究者が、グローバル・ヒストリーという言い方で、従来のワールド・ヒストリーとしての世界史とは異なる著作を次々に発表し、あらたな歴史学を探る動きとして注目を集めている(成田・長谷川 二〇二〇：v頁)。詳細は本巻「展望」を参照いただきたい。日本国内でも、池谷和信編『地球環境史からの問い』(二〇〇九年)

や湯本貴和編『環境史とは何か』(二〇一一年)などが刊行されている。人類学者の池谷は、さまざまな空間スケール・時間スケールにおいて、いかにヒトは自然との間に密接な関係を保ち現在の自然景観をつくりあげてきたのかを探究する。他方、生態学者の湯本は、日本列島における人と自然の環境史を明らかにするため、資源利用における破綻の事例を集めて、自然をめぐる人と人との葛藤の歴史を論じている。

社会学も歴史学と同様に、長らく環境を正面から扱うことを敬遠してきたということができる。そのなかで、飯島伸子は一九六〇年代後半に環境問題の社会学的研究を始めている。日本が「公害大国」と呼ばれていた当時、深刻な健康被害を生み出した水俣病事件などのように、加害―被害の対立関係は熾烈であった。環境問題を扱う社会学者は加害―被害の対立関係に踏み込まざるを得ず、研究者にとって精神的にも経済的にも社会的にも負担の大きい研究対象であった(飯島 一九九五:一一頁)。その一方で、民俗学や人類学・地域研究が牽引した環境共存(環境文化)の視点からアプローチする研究が登場してくる(金沢 二〇二二年刊行予定)。それらは自然環境と調和して共存してきた社会の特徴を探究する研究領域であり、環境問題が発生した地域の環境再生の試みや資源循環型の町づくり、グローバルなレベルにおける人間社会と自然との共生などのテーマ群を含む。世界的に環境問題が大きく報じられる中で、環境問題の社会学研究に加えて、環境共存の社会学研究への注目度は増しており、二大研究対象領域と呼ばれるようになる(飯島 一九九八:二頁)。一九九〇年代に入って、飯島を初代の学会長として日本環境社会学会が組織化された。ここに至って、旧来の社会学の研究対象から外されてきた自然的、物理的、化学的、生物的環境を射程に入れて、それらと人間集団との関係を研究する新たな社会学分野が確立した。日本環境社会学会は、公害問題への対応とその教訓から、当事者(被害者/生活者/居住者)の視点を重視しつつ、「環境問題の解決に貢献する」という人文社会科学系の学会としては異色の会則を掲げている。

飯島の学部生向けの講義は、大場秀樹の『環境問題と世界史』(一九七九年)から始まった。同書は、人類の歴史はそのまま環境破壊の歴史ではないかと問うものである。環境破壊の原点は、古代文明、すなわちメソポタミア、エジプト、インダス、中国の各文明にあるとし、それぞれの衰退の要因に都市建設や燃料需要に伴う森林伐採や農業灌漑《かんがい》による土地の塩害化を指摘している。飯島は、最古の文明がたどった道筋を、現在の人類文明そのものがたどっているのではないかと問いかけた。飯島自身、『公害・労災・職業病年表』(一九七七年)や『環境問題の社会史』(二〇〇〇年)などを著し、目前で展開している現象のほかに社会史的な検討を通して環境問題の本質に迫ろうとしていた。社会史研究とは、環境問題の社会的側面に注目しながら、時系列的に検討し問題の社会的特徴を明らかにすることである(飯島 二〇〇〇:一七頁)。本稿では、環境共存の社会学研究領域に焦点を当て、自然環境と調和し共存してきた社会の特徴を先住者たちの社会史から考察する。

二、先住者たちの社会

地球は周期的に、寒冷な氷期と温暖な間氷期を繰り返している。地質学でいうところの第四紀は、約一万一〇〇〇年前を境に更新世と完新世とに区分される。更新世は氷河時代とも呼ばれ、何度かの寒冷な氷期があり、海水面は現在に比べて一〇〇メートル余りも低下していた。そのため、日本列島は北方でサハリンと南方で朝鮮半島と陸続きであった。完新世へ移行するころ、地球全体が温暖化に向かい、日本列島は大陸から切り離され、現在のような形になった。縄文時代の前期(約六〇〇〇―五〇〇〇年前)には気候温暖化はピークに達し、東日本では針葉樹に代わりブナ・ナラ型の落葉広葉樹林の森が広がった。落葉広葉樹林帯にはクルミやトチノキ、ナラなどの堅果類を産する樹種が多く、食料をほとんど生産しない針葉樹と比べて食料の生産量が増大していったと考えられる(小山 一九九六:一一四頁)。

世界史の区分では、ほぼ更新世に属する時期を旧石器時代(打製石器のみ使用)と、石器を磨いて利用している新石器時代と呼ばれる。日本史では、「縄文」という撚《よ》り合わせたひもを土器の表面に転がしてつけた文様が数多く見られるため、新石器時代の代わりに、縄文時代という名称が定着している。日本の縄文時代の特色は、それが長期間持続したことにある。従来は農耕文化の大陸からの伝播が遅れたという他律的な要因だけで説明されてきたが、近年では縄文社会自体のポテンシャルを評価するようになってきた。高校日本史の教科書を例にみよう。一九九三年には、縄文の後・晩期について「自然の資源の限界もあって、きびしい生活がつづき、縄文社会はながく停滞した」(尾藤他 一九九三『改訂日本史』東京書籍)とあるが、二年後には「社会のしくみを大きく変えることはなく、数千年にわたって持続した」(尾藤他 一九九五『日本史B』東京書籍)に変わった。二〇〇三年になると、「三内丸山遺跡に代表されるような大規模な集落が出現し、各地で長さ二〇メートルを越す大型の長方形建物が確認されるなど、発展・充実した時期となった」(山本他 二〇〇三『日本史B』東京書籍)となる。低湿地の遺跡では、通常残りにくい有機質の遺物、例えば獣や魚の骨・樹木・種子などが大量にみつかっている。肉眼では確認できない細かな花粉や珪藻などの植物化石も出土している。これらを調べることで、遺跡周辺の自然環境を復元したり、先住者たちのくらしの痕跡が得られたりする。加えて、人骨や歯から当時の食生活を明らかにする研究も進展している。三内丸山遺跡の縄文時遊館という展示室には、「世界の中のJOMON」というパネルが掲げられている(二〇二〇年九月訪問時)。

三内丸山遺跡にムラが営まれた紀元前三〇〇〇〜紀元前二二〇〇年頃、世界では各地に文明が出現しました。(中略)ヨーロッパやアジア、アメリカの各大陸でも人びとの生活の跡が確認されています。縄文文化は、土器や漆などの優れた技術と、土偶などに見られるように豊かな精神世界をもち、本格的な農耕や牧畜をもたず、採集、狩猟、漁労によって食料を得ていました。自然と共生した縄文文化は約一万年以上続きました。

一万年もの長い期間、安定した社会を維持してきた先住者の歴史を宣伝すべく、岡村道雄は「縄文ユートピア論」

を唱えている(岡村 二〇一八)。また、縄文時代とそれ以前の「平和で戦争のない社会」にもっと深く思いを致すべきとし、古谷嘉章は縄文文化の現代的読み直しを「縄文ルネサンス」と呼ぶ(古谷 二〇一九)。そして二〇二一年七月、「北海道・北東北の縄文遺跡群」は国連教育科学文化機関(ユネスコ)の世界文化遺産に登録された。縄文社会はなぜ長期にわたり安定的に持続したのかという基本的な問いを探究するためには、日本史のなかにとどまっているのではなく、「世界史」のスケールで環境共存の比較史を組みたててみることが必要である。そのために、熱帯域に現存する狩猟採集者集団に対する行動観察や聞きとりのデータとの比較を行うこととする。縄文時代の民も熱帯雨林の民もいずれも狩猟採集を生業とする先住者である。彼らの生活戦略、すなわち自然環境あるいは社会環境の変化に対して、集団単位で生き残っていくために生業や生活形態を選択していく行動に焦点を当てる(金沢 二〇一二、Kanazawa 2021)。

なお、狩猟採集を生業とする世界各地の先住者たちは、近代文明との接触により次第に変容し、吸収されてきた。現在では熱帯雨林や砂漠、極北など一部の地域にだけ残存している。東南アジアで狩猟採集民とされてきた集団に属する人口はボルネオ島に約二万五〇〇〇人、フィリピン諸島に約一万五〇〇〇人、マレー半島に約七〇〇〇人、スマトラ島に約五〇〇〇人、ラオスとタイの国境付近など大陸部に数百人程度とされる(小泉 二〇一七:七三頁)。狩猟採集をやめた人びとを含めても六万人弱であり、六億三〇〇〇人を超える東南アジアの人口の〇・〇一%にすぎない。

三、食の生活戦略

ボルネオの森の民

ボルネオは東南アジアの赤道直下に位置する世界で三番目に大きな島である。北東部にマレーシア領のサバ州とサラワク州、サラワク州に挟まれるようにブルネイがあり、その他はインドネシア領である。これまで筆者がフィールドワークを行ってきたのはマレーシア、サラワク州のバラム河流域である。ウル・バラムと呼ばれるバラム河の最上流域はサラワク州では唯一まとまった原生林が残っている地域である。海岸部のミリから双発プロペラ機に乗って約一時間で山間部の町の飛行場に降り立ち、数時間山道を進むと周囲八メートルを超える樹幹が次々と現れてくる。その森に暮らし、森を守ってきたのは、狩猟採集民のプナン(Penan)人たちである。筆者はこの四半世紀、彼らのもとに通い、その森林資源の利用状況を調べてきた(金沢 二〇〇五、二〇〇九a、二〇〇九b、二〇一五、二〇一七)。

狩猟の道具は吹矢である。堅い材質の木材から作られる吹矢は、長いもので二メートルを超える。大型の野生動物を射る際には、クワ科やマチン科の植物から採集した樹液を矢毒として使う。誤って矢毒が人体に入ってしまった場合、解毒用の薬草もある。また、跳ねわなも使う。動物の通り道に木の皮で作った紐を仕掛ける。動物が足を突っ込むと紐が締まり、動物が吊し上げられる。吹矢猟も跳ねわな猟も、プナン人が使う道具はすべて森から調達する。狩猟のターゲットは、イノシシやシカ、サルなどである。彼らはもともと一カ所に定住せず移動を繰り返す遊動民であった。今日ではほとんどのプナン人が拠点となる家をもつが、数日から数週間単位で森の中を遊動することも多い。その理由は、狩猟ではなく、炭水化物源となるサゴ・デンプン(サゴヤシからとれるデンプン)の確保のためである。サラワク博物館のトム・ハリソンによると、「コメが入ってきた際に、プナン人は焼畑[陸稲の栽培]に向かわず、今日まで続いているようにサゴが豊富な地域に依存する生活を選んだ」という(Harrison 1949: 133)。フィリピン諸島やマレー半島、スマトラ島などではヤムイモが主な炭水化物源である。ただし、ヤムイモなどの根茎類は貯蔵性が低いため、頻繁に収穫を行う必要がある。一方、ボルネオ島ではヤムイモの利用は限定的で、ヤシから得られるデンプンを主に利用している。樹幹の髄部にデンプンを蓄積するヤシはサゴヤシと呼ばれ、一四属が知られている(サゴヤシ学会 二〇一〇:一頁)。ヤシは多年生本木で気候の変動や病虫害を受けにくく、一年中安定して利用できる。サゴとは「デンプン質の粉」を意味する。プナン人が特に好んで利用するのは、ボルネオ島の内陸部に広く分布し、急な斜面や尾根に群生しているサゴヤシの一種、チリメンウロコ・ヤシ(*Eugeissona utilis*)である。

サゴヤシの加工利用

サゴ・デンプンの生産・加工過程をみておこう[図1]。男女分業の工程から始まる。男たちは、斧でサゴヤシを切り倒し、それぞれの幹を一メートル前後に切り分ける。その場でナイフを使い皮を剝ぐ。次に川べりで山刀と棒を使って、幹を縦方向に真っ二つに割る。そして、幹の中につまっているサゴヤシの髄《ずい》をかき出す。続いて、女たちの作業が始まる。川辺で細い木を敷き詰めて二メートル四方の土台を作る。籐《とう》の敷物を敷き、その上にかき出した髄を盛る。水をかけながら、裸足で軽くステップを踏むようにして髄を押し洗いする。この作業は数時間続けられ、下に敷いてあるシートにデンプンが沈澱《ちんでん》するまで、さらに数時間待つ。沈澱し終わったデンプンは大きな塊にまとめられる。水分を含むサゴ・デンプンは煮るなり、焼くなり、揚げるなりしてすぐに食される場合もある。しかし、大半は乾燥・保存という工程を経る。すなわち、沈澱後の塊を四—五時間遠火にかけて、ゆっくりと水分を飛ばした後、粉状に砕く。乾燥させれば一定期間保存が可能になり、集落内で融通し合える。このように、サゴの加工・保存利用には社会維持機能が含まれている。

サゴの粉を調理する際は、加減を見ながら湯を入れて攪拌《かくはん》する。これでナオというプナン人の伝統的な主食が完成する。アティプという先の割れた箸を使って、ナオをくるくると巻いて食べる[図2]。餅と寒天を足して二で割った食感に、少々金気を感じる。マラリアなど感染症にかかると血清中の鉄が減少する(石 二〇一四：六三頁)。鉄は人にとって必須栄養素であるが、細菌の増殖にも使われる。つまり、サゴに含まれる鉄はマラリアには諸刃の剣となるが、少なくとも鉄欠乏

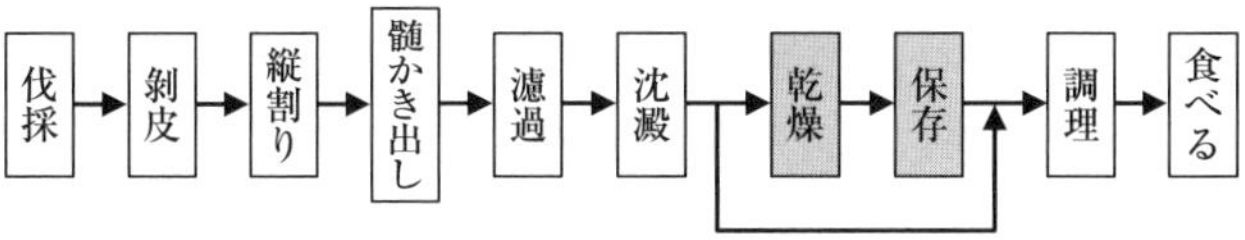

図1　サゴヤシの加工利用

図2　サゴ食(筆者撮影)

性による貧血を防ぐ効果はある。現在では、多くのプナン人が焼畑を始めており、陸稲も食べるが、年配の人ほどコメ食よりサゴ食を好む。また、肉類のおかずにはサゴ食、魚類のおかずにはコメ食という組み合わせで食べることもある。

縄文の民

縄文時代、現在のように四季がめぐるようになると、春の野山には山菜が芽吹き、秋には木の実が豊富になった。森にはシカ、イノシシ、クマ、ノウサギ、タヌキなどさまざまな動物が棲み、海には魚介類のほか、オットセイやアシカなどの海獣類が生息していた。秋から冬にかけては川にサケが遡上するなど、季節に応じて、採集・狩猟・漁労を組み合わせて多様な食料を獲得した。たくさんの木の実を入れるカゴや食料を干すためのムシロなどが編まれた。狩猟には弓矢が多く使われた。遺跡の発掘で見つかる狩猟道具に石鏃《せきぞく》(石で作った矢じり)がある。石鏃の素材は黒曜石であり、どの縄文遺跡からも出土している。また、縄文時代のほぼ全期間を通じて、落とし穴猟も使われた(戸沢　一九八五：四七頁)。落とし穴は山の尾根、湧き水の周囲、谷沿いなどに多い。

人間の歯の構成比は、臼歯六〇%、切歯二五%、犬歯一五%である。健康を保つためには、歯の構成比に比例した約六〇%の摂取カロリーを穀物、すなわち炭水化物でとるのが理想とされる。ただし、縄文人はデンプン質系のものを食べる率が高かったために虫歯が多かったとされる(永山　一九九九：一〇頁)。他方、北海道の縄文人は虫歯が極端に少ないことから、本州以南と北海道では食生態が古くから異なっていたと考えられる(大島　一九九六：三九一頁)。花粉分析・樹種同定の結果から、縄文人がよく食べていたのはドングリやクルミ、トチノキなどの木の実であった。

俗にドングリと称される木の実はブナ科の果実の総称である。また、ヤマイモなどの根茎類やマメ類、山菜、キノコ、ヤマブドウも食料に利用していた。掘り棒や打製石斧などが出土していることから、これらでヤマイモなどの根茎類を掘り起こして採集していたと考えられる。その他、ヒョウタンやアズキなども発見されている。

縄文前期中葉には、クリやウルシのほか、トチノキなど、人びとが生活に利用できる植物を計画的に管理していた林が見つかっている。なかでもクリは、食料や木材としてもっとも多く利用されていた。また、低地林の縁にそってトチノキ林が広がり、その林を人間がある程度利用しやすく管理していたと考えられる(佐々木 二〇二〇：七八頁)。そのため、縄文人は豊かな狩猟採集民ではなく、「狩猟栽培民」とも呼ばれている(小畑 二〇一九：二二八頁)。かつて藤森栄一は『縄文農耕』(藤森 一九七〇)において縄文時代における農耕文化の可能性を追求した。縄文人はイネの存在は知っていたであろう。しかし、ヒエやアワなどイネ科の植物栽培が本格的にとり組まれていたという証拠は見つかっていない。むしろ、なぜ本格的な稲作に向かわなかったのかという問いのほうが重要であろう。縄文時代の人びとは自然資源のあらゆるものを食料としていたため、一種ごとの量は農耕社会と比べて少量である。村の周辺に植栽したクリの林だけで全員が食べるのに十分な量を確保することは難しい。質のよい自然環境があれば、ある食料が不足してもすぐに代替の食料を見つけることができる。彼らは、定住集落を形成しつつも、一定の遊動性を発揮して食料を共有することで、気候変動に強く、飢饉につながりにくいという生活の安定性を確保していた。

木の実の加工利用

縄文時代の住居は台地上に直径四―六メートルくらいの浅い穴を掘って作った竪穴式住居である。縄文の遺跡からは、住居の他に、ドングリやトチ、クリなどの木の実を貯蔵した穴が数多く見つかっている。土の中は年間を通して温度や湿度の変化が少なく、保存に適している。なかには穴の入口をせまくし、中を広くしたフラスコ形のものもある。穴の上から枝や粘土などを被せて蓋をし、できる限り外気や日光に直接触れないようにして、木の実などを保存していたと考えられる。ドングリ類は、調理しやすく、食べたとき消化しやすくするため、石皿や磨石で粉状にすりつぶされた。これらの道具は安山岩が素材として使われ、現在のすり鉢やすりこ木、石臼やまな板のような役割を果たしていた。長野県の栗林遺跡の発掘調査で見つかった主な貯蔵穴の直径は一三〇センチメートル、深さ一二〇センチメートルほどの円筒形である。深さの半分程度を使えば五万個ものクルミを保存することができる。同県の報告書では、六人家族の約二カ月分の約七八万キロカロリーに相当すると試算されている。その一方で、同報告書は「なぜ貯蔵穴からトチがほとんど発見されなかったのであろうか」との疑問を付している（長野県・長野県道路公社・長野県埋蔵文化財センター　一九九四：五七三頁）。

西日本の照葉樹林帯では、シイ類やカシ類などのように、水にさらすか、そのまま食べられる木の実もあるが、落葉広葉樹が卓越する東日本でとれるドングリやトチノキは食べるために加工する必要がある。なかでもトチノキは、木の実の中でも強い渋みをもつため、水漬けにして虫を殺し、殻をむいた後、灰と合わせたり、煮沸や流水にさらしたり、たくさんの手間をかけてアク抜きをしなければならない。実際、栗林遺跡では、湧き水をためる木組みのアク抜き施設（水さらし場）が発掘されている。そこでは、澄んだ水で作業するため、まず掘り下げた谷底に石が敷き詰められた。二メートル四方の角には杭を打ち込み、底に板材を敷く。材の一部に炭化痕跡があることから、材の腐食を防止するためにあらかじめ加工を施した。こうして、湧き水がさらし場に流れ込み、編み籠などに入れたドングリのアクが抜ける。アク抜きにかかる時間と労力は大幅に軽減したはずである。

堅果類のアク抜きに関する聞きとり調査の記録を参照しよう（渡辺　一九七五）。**図3**は新潟県と長野県で行われているミズナラ類の加工工程である。A系列では、殻剝き後に水さらしに加えて加熱処理を伴っている。ミズナラにはタンニンが多く含まれるが、水に溶ける性質のため、加熱したり、水にさらしたりすれば、ある程度アクは抜ける。A

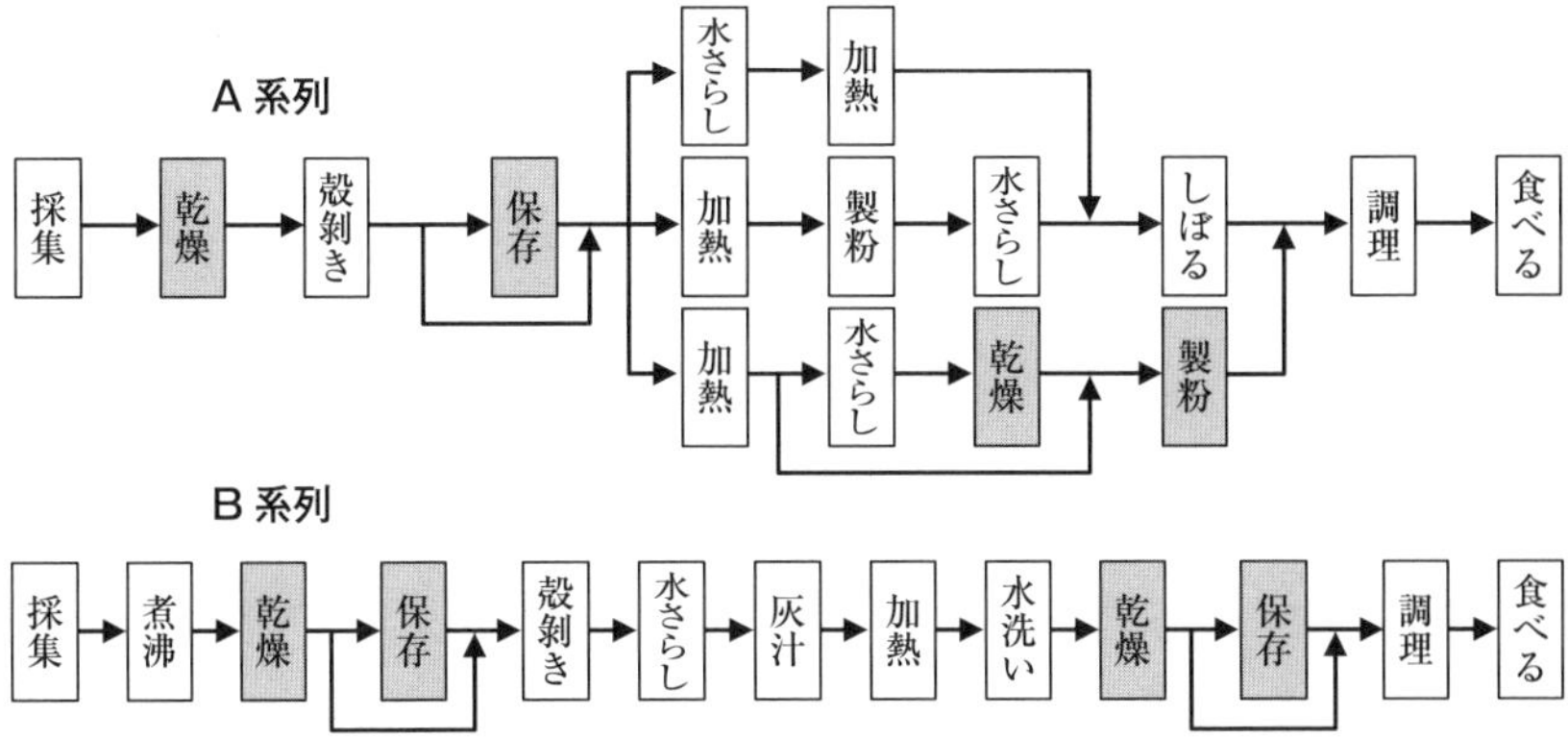

図3 ミズナラ類の加工利用(渡辺 1975:104,第15図をもとに作成)

系列は、加熱、水さらし、製粉の工程の前後関係によって、三分類される。B系列では、最初に煮沸し、よく乾燥させることによって、より長期の保存が可能になる。また灰汁を用いる点に特色がある。サポニンなど水に溶けないアクの成分を中和させるためには、アルカリ性の灰汁が必要である。アク抜きに要する時間は、B系列では二日である。こうした民俗事例のように、縄文時代の人びとも乾燥・製粉加工をした上で保存していたのではないか。B系列には製粉過程はないものの、アク抜き後、天日で完全に乾燥させている。乾燥が十分であれば数年間、味が変わることなく保存できる(渡辺 一九七五:一〇三頁)。A系列、B系列以外に一週間ほど時間をかけて灰汁につけてアクを抜いたという事例もあるという(渡辺 一九七五:一〇六頁)。

さきの貯蔵穴からトチがほとんど発見されなかった理由として、トチの実の殻はさきのA系列のように、貯蔵前に剝かれて、加工前の処理がなされた状態で保管されていたのではないか。新潟県津南町の沖ノ原遺跡には竪穴式住居跡のほかに三基の長方形家屋跡があり、アク抜きを伴う共同作業施設と考えられている(渡辺 一九七五:一六三頁)。積雪の多い時期には、集落総出で乾燥・製粉等の作業を行ったり、貝や魚を干物やくんせいにしたりしていたと考えられる。共同作業によって得られた食料は平等に分配されたはずである。収穫の少ない時や非常時に備えて、必要な食料は確保しておかねばならず、こうした共同作業や分配は一種の社会保障にもなっていただろう。

筆者は長野県松本市の「縄文士楽会」のメンバーである遠藤キヨ子さんらの指導のもと、アク抜きしたドングリで「縄文クッキー」を調理してみた。縄文クッキーという名称は、お菓子のクッキーのように堅果類を材料に使い、発酵を伴い、焼くという工程が食料塊の炭水化物の分析から明らかになったことに由来する(宮下 一九九六：九五頁)。材料が揃っていれば調理自体はむずかしくはない。潰しておいたドングリにクリとクルミを適量混ぜて、すりおろしたヤマイモを加える。ハチミツや塩で味付けをし、水を少しずつ加えながら、混ぜ合わせる。一センチメートルほどの厚さで形を整えた後、土器に脂をひき両面を焼く。モチモチとした食感で食べ応えがあり、山菜やキノコなどの汁や焼肉などとの相性は非常によいと感じた。

四、交流の生活戦略

森の市

ボルネオ島のバラム河流域では、一九七〇年代まで採集民であるプナン人と農耕民との間で「タム」(Tamu)と呼ばれる物々交換の市がもたれていた。それは、プナン人と顔見知りのごく限定された近隣の農耕民集団との間で行われていた。プナン人がタムの場に持参したものは、編組製品の原料である籐やお香のもとになる沈香《じんこう》や龍脳《りゅうのう》のほか、ロウソクや潤滑油の代わりとなるイリペナッツ、接着剤となるダマールやグッタペルカといった樹脂類などであった。薬のもとになる動物の胃石や蜜蠟《みつろう》、吹矢などを持っていくこともあった。これに対して、プナン人は森からは得られない鍋やヤカン、衣類、塩、タバコ、ビーズなどの生活物資や嗜好品を農耕民から入手した。タムに食料品が持ち込まれることはなかった。

七〇年以上前の記録において、プナン人からいつも沈香を買い付けていたクニャ人やブラワン人が政府役人に不満をこぼしている(Harrison 1949: 145)。プナン人が他の買い付け人に沈香を流していることが不満の原因である。遊動プナン人は近隣のエスニック集団からぞんざいな扱いを受けると、彼らへの林産物の提供を拒み、他の場所に移動してしまう。プナン人は近隣のエスニック集団の世話を受けることはあっても、無条件の忠誠を誓っていたわけではなく、互いの信頼感と適正な対価を求めた。採集民と農耕民は、タムを通じて、それぞれの生態的知識や道具、技術などの情報を交換し、それぞれの生業や生活を維持・発展させてきた。

一八三九年、イギリスの探検家、ジェームズ・ブルック(James Brooke)がサラワクに到着した。サラワクは後に一八四一年から一九四六年の間ブルック家によって統治されることになる。ブルック政府はタムを定期的に開催し、監督する制度を発足させた。先住民を統治下に組み入れる支配の手段という側面もあったであろう。タムの場にプナン人は自由に参加することができたが、農耕民はプナン人が顔を知る者に限られた。政府役人は、プナン人が持参してきた林産物の重さを量り、値段を推定した。また、農耕民がもってきた町の品々の値段が適正かどうかを確認した。役人はその場で林産物の形で徴税を課していた(Brosius 1999: 352)。政府からは県長や医務局、農業局、その他関係機関の担当者が現地に赴いた。政府は採集民と農耕民の利害を調整し、合意形成を促す監督者の役目を果たしていた。

当時、タムの開催予定日と場所については政府が決め、農耕民とプナン人に伝えた。農耕民には村長へ手紙を出すなど比較的簡単に伝達できた。一方、プナン人に対する伝達方法は工夫を要した。具体的には、「トゥブク」(Tebuku)と呼ばれる一本の籐に結び目を作って開催日までの日数を伝えた。結び目の数が開催日までの日数を意味していた。開催日までの時間、プナン人は森で林産物を集め、籐のカゴや敷物を編む。農耕民はプナン人と交換する日用品などを町へ出かけて買い揃えておく。

数日間行われるタムでは、政府役人とプナン人、農耕民との間でコミュニケーションがはかられた。タムはプナン

図4　沈香(筆者撮影)

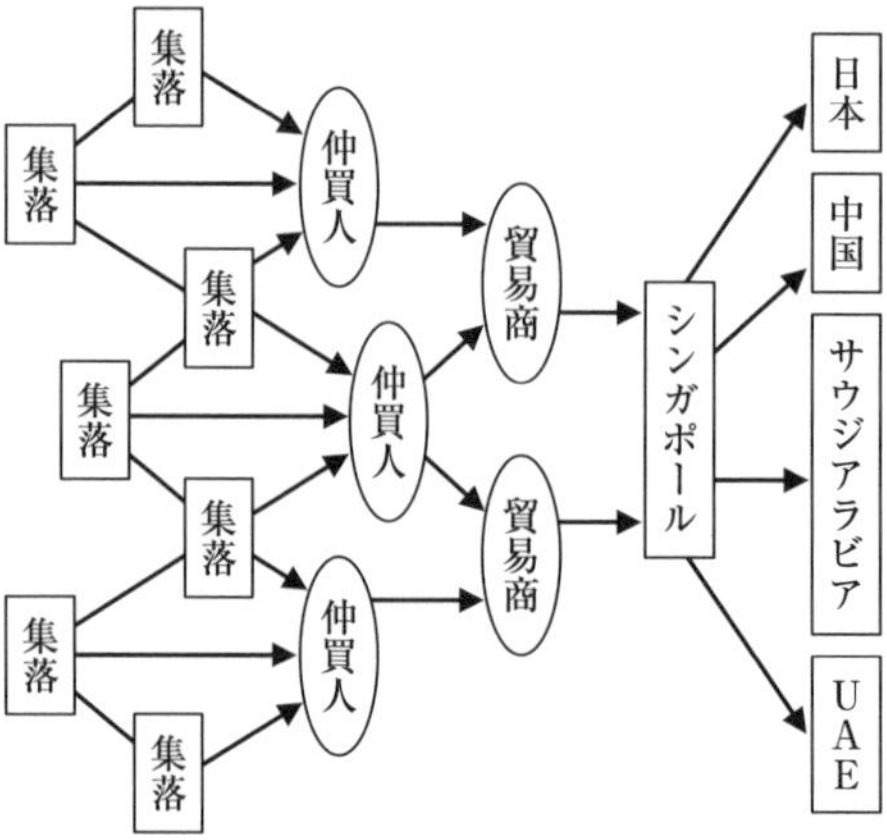

図5　沈香の流通システム

人が自分たちの問題を政府に伝える唯一の機会であった。行政側も奥地の住民情報を得ることができる。プナン人は監督者の同席を歓迎していたという(Langub 1984: 14)。毎回タムが終わると、参加集団は参加したすべての人びとを歓待するために踊りを披露した。タムは、自然と社会に定着した交換の場であると同時に、会合の場であり、文化祝祭の場であった。

タムが行われなくなった現在でも、林産物、とりわけ沈香はプナン人にとって貴重な収入源である。東南アジアの熱帯雨林にのみに産する沈香とはジンチョウゲ科ジンコウ属の樹木に由来する。その樹木に稀に幹の一部から樹脂がにじみ出て黒い塊になる[図4]。その黒い塊が沈香であり、火をつけ、燻《いぶ》すことによって、清澄で幽玄な香りが発生する。プナン人は樹脂の部分だけを切り取って立木を残す持続的な採取方法を実践してきた(Kanazawa 2017)。沈香はアジアの社会や文化、宗教とのかかわりが深く、その市場価値は極めて高い。室町時代に始まった香道は日本独特の遊芸として今日まで受け継がれている。香道では、沈香の産地や積出した港の名などを参考にして、六つの産地に、そして香りを五つの味に分類種別する。これを「六国五味」と呼んでいる。

筆者は沈香の買い付けの場に立ち会ったことがある。近隣の顔なじみの農耕民の仲買人がやってくることが多いが、他にも複数の仲買人がいる。飛行場近くなどアクセスのいい場所には、遠方の町から華人商人が村まで直接やってくることもある。仲買人は現物を手にとり、その場で等級(品質)を見定め現金で買い取る。プナン人たちは、それぞれの仲買人の買値を覚えていて、場合によっては仲買人を選ぶイニシアティブをもつ。三〇年前から定期的にプナン人集落を回っている仲買人に聞いたところ、プナン人との信頼関係がないと取引は続かないという。日常的にプナン人集落間の情報共有は行われていて、仲買人の評判もその話題となる。沈香は、町の貿易商を通じて、シンガポール経由で中東諸国や中国、日本などに輸出されている[図5]。沈香をはじめとする林産物には、木材に比べ森林生態系を壊すことなく、はるかに適正な価格で取引され、長年にわたり森にかかわる人びとに利益が還元されてきた歴史がある。非木材の森林産物の流通システムが長く続いてきた背景として、関係者の間で環境的にも経済的にも社会的にも守るべき一定の基準が共有されてきたことが大きい。ところが近年では、外部からの侵入者による過剰採集により、沈香の乱伐や品質低下が懸念されている(Kanazawa 2017)。

黒曜石の交易

旧石器時代から縄文時代にかけての人びとは食料となる動物を捕獲し、調理し、さまざまな作業を行うために石材を利用した。代表的な石材として、黒曜石、珪質頁岩《けいしつけつがん》、サヌカイト、安山岩、下呂石などがある。黒曜石はマグマが急に冷えてできた、天然のガラス質の岩石である。旧石器時代の狩猟道具として、黒曜石を装着した槍が使われていた。縄文時代になると、狩猟道具の中心は弓矢となり、矢の先に石鏃が装着されるようになる。黒曜石は剝片の縁辺部が鋭利で、かつ矢じりに要求される微細な加工調整が可能であるため、重宝された。さらに縄文人は黒曜石に実用性を超えた価値を見出し、精神文化とのかかわりや一種のブランド志向があったともいわれている(小林 二〇〇八：一三三頁)。近年では理化学的手法の進展により一定の精度で黒曜石の原産地推定が可能になった。原産地と分布に関する理化学的証拠をつき合わせることで、石材あるいは石器の移動や流通が明らかになり、文字史料のない縄文社会史を探る手がかりとなった。

縄文前期以前の狩猟採集民は自給自足的に石材を調達していたが、次第に石材を交易の対象物とみなすようになる。信州産黒曜石の交易ルートを例にみておこう（金山 一九九三）。黒曜石は山麓の集落に一端集中し、それから各地に分散する。黒曜石の原石や石核、剝片類の点数から、大規模集落に黒曜石の保有量が多く、小規模集落にはそれが少ない傾向がみられる。信州産黒曜石が関東へ流通する場合、中継ルートとなるのは群馬と山梨である。石器の製作工程の連鎖に注目してみると、縄文前期に関して大きく三段階に分けられる（大工原 二〇〇二、二〇〇七）［図6］。第一段階（縄文時代前期前葉から中葉）の交換のシステムは、互酬型ないし複数の集団が交換を繰り返す互酬連鎖交換型と考えられる。第二段階（前期後葉）では、石鏃の形態が細身から幅広になり、製作技法も変化した。群馬西部には中野谷松原遺跡のような流通の中継拠点になる大規模な環状集落が出現する。もはや互酬交換による流通ではなく、拠点集落の交易従事者が積極的に介在した交易が行われていたと推察される（大工原 二〇〇二：一一九頁）。第三段階（前期末葉から中期初頭）では、八ヶ岳南麓に天神

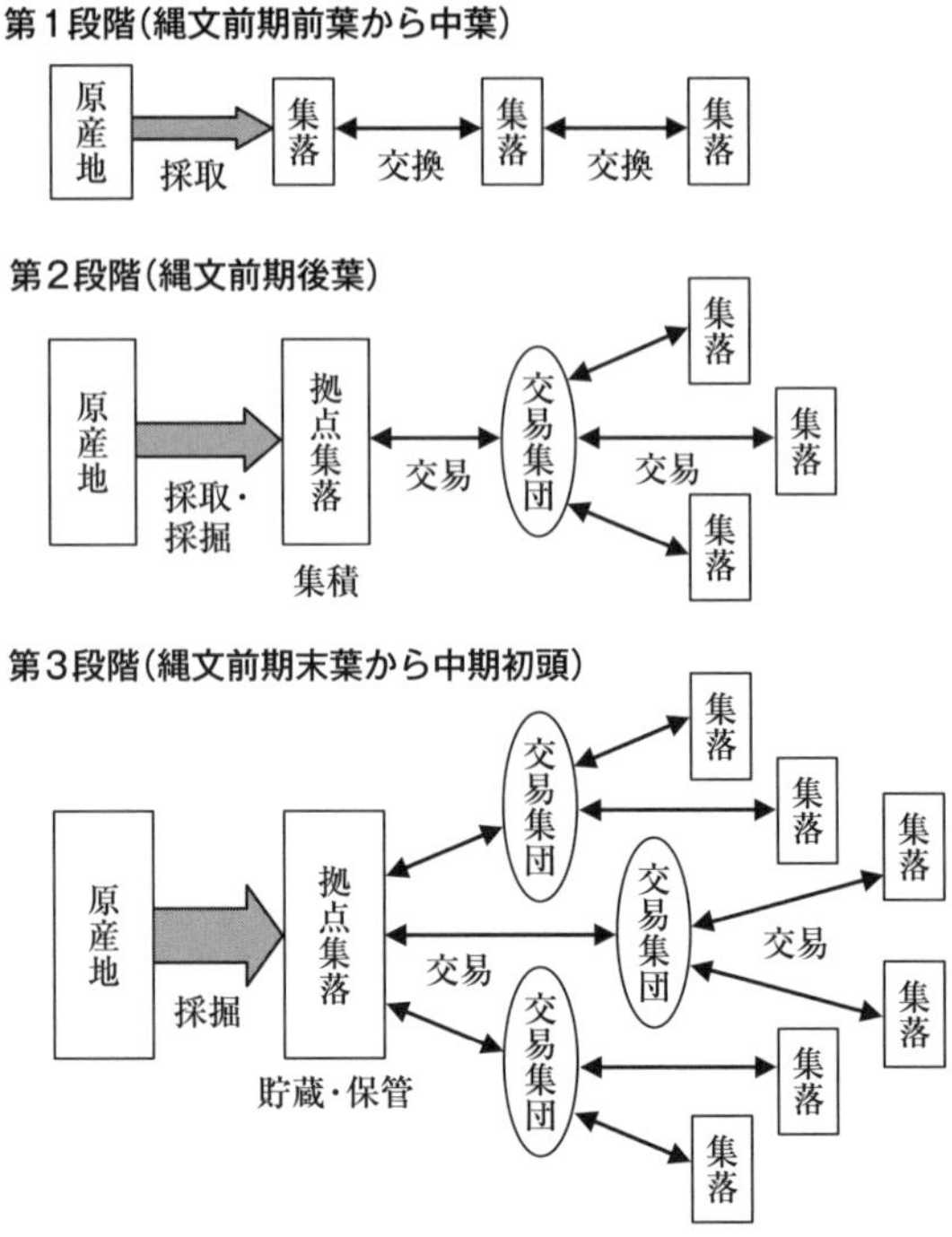

図6　黒曜石の流通システム（大工原 2002：120-121，図35をもとに作成）

遺跡のような大規模な中継拠点が出現する。また、甲府盆地に中継拠点の花鳥山遺跡、長野盆地には松原遺跡のような中継拠点が成立し、それぞれの流通ルートが整備される。この時期には山梨系の土器が遠隔地に搬入されている例が多く認められることから、山梨の交易集団が各地に出向き仮設市場を運営していた可能性がある(大工原 二〇〇七:一六六頁)。すでに旧石器時代から信州中央高地と関東平野を結ぶエリアにおいて、冬季は黒曜石原産地を閉鎖し平野部に下り、初夏から秋にかけて中央高地へと標高移動を繰り返す人びとがいたとも考えられている(堤 二〇一一:三〇―三〇一頁)。また、黒曜石以外にも、ヒスイやコハク、アスファルトなどを扱う「縄文商人」が介在していたとする仮説もある(小山・岡田 二〇〇〇)。頻繁に交易集団が往来し、複数の交易集団が競合するようになると、原産地や拠点集落はより適正な対価を交易相手に求めたであろう。沈香でみられた等級(品質)の評価のように、黒曜石もサイズ、品質ごとに選別、管理がなされていた。交易が活発になるにつれ、原産地や流通、石器製作などの情報交換はもちろん、人的交流も進んでいたに違いない。

五、世界史から探究する持続可能な社会

本稿は、持続可能な社会のあり方を探るための準備作業として、先住者たちの生活戦略に着目して、比較考察を行った。ボルネオの民と縄文の民は、ともに恵まれた自然環境において、低い人口密度で遊動的な生活様式を志向した。食料は基本的に自給自足であり、プナン人の場合は、サゴヤシという植物から、縄文人の場合は、木の実から植物質食料を確保してきた。いずれも清冽な水の流れを利用したり、ある程度しっかりした構造物を水辺に作ったりして、デンプンを抽出している。また、乾燥や製粉といったデンプンを保存するための加工作業を共同で行う。まさに「誰ひとり取り残さない」という分配を保障する社会であった。

複数の人が共に生活し、集落の枠組みができてくると、集落内だけでなく、外との交流が始まる。プナン人の年輩者は今もタムの慣習を憶えている。彼ら林産物採集者にとってタムは貴重な収入源であり、情報源であった。一方、黒曜石の原産地推定ができるようになると、流通ルートや交易集団、石器製作の技法などが明らかになってきた。黒曜石は一定の品質管理のもと、適正な対価と交換されていたと考えられる。加えて、交易は顔の見える相手との情報交換の場であり、モノを介して繰り返される交流パターンでもあった。縄文時代にすでに地域集団間の社会的ネットワークができていた。

かつて人と環境の関係がどういうものであったのか。そして、現在それがどういう状態におかれているのか。モノは本来どこから来てどこへ行くのか。それらを見定める知恵や想像力を私たちは世界史から学ぶ必要がある。今後さらに、石器などの遺物研究に加えて、医学や生物学、他の自然科学など、分野を超えた多面的な探究が期待される。

参考文献

飯島伸子（一九七七）『公害・労災・職業病年表』公害対策技術同友会。

飯島伸子（一九九五）『環境社会学のすすめ』丸善ライブラリー。

飯島伸子（一九九八）「環境問題の歴史と環境社会学」舩橋晴俊・飯島伸子編『講座社会学 12 環境』東京大学出版会。

飯島伸子（二〇〇〇）『環境問題の社会史』有斐閣。

池谷和信編（二〇〇九）『地球環境史からの問い――ヒトと自然の共生とは何か』岩波書店。

石弘之（二〇一四）『感染症の世界史』洋泉社。

大島直行（一九九六）「北海道の古人骨における齲歯頻度の時代的推移」*Anthropological Science*, 104-5.

大場英樹（一九七九）『環境問題と世界史』公害対策技術同友会。

岡村道雄（二〇一八）『縄文の列島文化』山川出版社。

小畑弘己（二〇一九）『縄文時代の植物利用と家屋害虫――圧痕法のイノベーション』吉川弘文館。

金沢謙太郎（二〇〇五）「サラワクの森林伐採と先住民プナンの現在」池谷和信編『熱帯アジアの森の民――資源利用の環境人類学』人文書院。

金沢謙太郎（二〇〇九ａ）「熱帯雨林と文化――沈香はどこから来てどこへ行くのか」池谷和信編『地球環境史からの問い――ヒトと自然の共生とは何か』岩波書店。

金沢謙太郎（二〇〇九ｂ）「熱帯雨林のモノカルチャー――サラワクの森に介入するアクターと政治化された環境」信田敏宏・真崎克彦編『みんぱく 実践人類学シリーズ６ 東南アジア・南アジア 開発の人類学』明石書店。

金沢謙太郎（二〇一二）『熱帯雨林のポリティカル・エコロジー――先住民・資源・グローバリゼーション』昭和堂。

金沢謙太郎（二〇一五）「平和の森――先住民族プナンのイニシアティブ」宇沢弘文・関良基編『社会的共通資本としての森』東京大学出版会。

金沢謙太郎（二〇一七）「東南アジア島嶼部における狩猟採集民と農耕民との関係」池谷和信編『狩猟採集民からみた地球環境史――自然・隣人・文明との共生』東京大学出版会。

金沢謙太郎（二〇二二年刊行予定）「人類学・地域研究からの問いかけ」井上真編『環境社会学事典』丸善出版。

金山喜昭（一九九三）「縄文時代前期における黒曜石交易の出現」『法政考古学』二〇号。

小泉都（二〇一七）「人類を支えてきた狩猟採集」井上真編『東南アジア地域研究入門――環境』慶應義塾大学出版会。

小林達雄（二〇〇八）『縄文の思考』ちくま新書。

小山修三（一九九六）『縄文学への道』日本放送出版協会。

小山修三・岡田康博（二〇〇〇）『縄文時代の商人たち――日本列島と北東アジアを交易した人びと』洋泉社新書。

サゴヤシ学会編（二〇一〇）『サゴヤシ――二一世紀の資源植物』京都大学学術出版会。

佐々木由香（二〇二〇）「植物資源利用からみた縄文文化の多様性」『季刊考古学別冊31 縄文文化と学際研究のいま』雄山閣。

大工原豊（二〇〇二）「黒曜石の流通をめぐる社会」安斎正人編『縄文社会論』上巻、同成社。

大工原豊（二〇〇七）「黒曜石交易システム」小杉康・西田泰民・水ノ江和同・谷口康浩・矢野健一編『ものづくり――道具製作の技術と組織』〈縄文時代の考古学〉、同成社。

堤隆（二〇一一）『最終氷期における細石刃狩猟民とその適応戦略』雄山閣。

戸沢充則編（一九八五）『縄文人は生きている――原始との対話』有斐閣。

長野県・長野県道路公社・長野県埋蔵文化財センター（一九九四）『県道中野豊野線バイパス志賀中野有料道路埋蔵文化財発掘調査報告書――長野県中野市内　栗林遺跡・七瀬遺跡』長野県埋蔵文化財センター。

永山久夫（一九九九）『縄文食の復権――わたしたちは何を食べてきたのか』れんが書房新社。

成田龍一・長谷川貴彦編（二〇二〇）『〈世界史〉をいかに語るか――グローバル時代の歴史像』岩波書店。

藤森栄一（一九七〇）『縄文農耕』學生社。

古谷嘉章（二〇一九）『縄文ルネサンス――現代社会が発見する新しい縄文』平凡社。

水島司編（二〇一六）『環境に挑む歴史学』勉誠出版。

宮下健司（一九九六）「縄文食に関する理化学的研究の動向――縄文クッキーの復元実験の成果」『長野県立歴史館研究紀要』二号。

湯本貴和編（二〇一一）『環境史とは何か』〈シリーズ日本列島の三万五千年――人と自然の環境史〉、文一総合出版。

渡辺誠（一九七五）『縄文時代の植物食』〈考古学選書13〉、雄山閣出版。

Brosius, J. P. (1999), "Locations and Representations: Writing in the Political Present in Sarawak, East Malaysia", *Identities*, 6.
Harrison, T. (1949), "Notes on Some Nomadic Punans", *Sarawak Museum Journal*, 15-1.
Kanazawa, K. (2017), "Sustainable Harvesting and Conservation of Agarwood: A Case Study from the Upper Baram River in Sarawak, Malaysia", *Tropics*, 25-4.
Kanazawa, K. (2021), (in press) "Life Strategies of Hunter-Gatherers: A Comparative Social History of the Indigenous Peoples of Borneo and Jomon-period Japan", *Journal of Borneo-Kalimantan*, 7-2.
Langub, J. (1984), "Tamu: Barter Trade between Penan and Their Neighbours", *Sarawak Gazette*, 110 (1485).

焦点｜Focus

「感染症の歴史学」と世界史

――パンデミックとエンデミック

飯島　渉

はじめに

本稿の課題は、二一世紀初期の歴史学研究において、「感染症の歴史学」がどのような役割を果たすことができるかを展望することである。また、二〇二二年度から新設される高等学校「歴史総合」で、二〇世紀に流行した感染症の教材化が求められていることをうけ、「感染症の歴史学」がどのような知見を提供できるかについても言及したい。しかし、これらは平時の課題設定であった。

二〇二〇年の世界は、新興感染症であるCOVID-19のパンデミック（世界的な流行）によって翻弄された。この文章を書いている二〇二一年初めにおいても、その収束を見通すことができない。そのため、感染症の歴史を冷静に見つめることができなくなっている。それを示すのが、「感染症は世界を変えた（変える）」という言説で、よく引かれる事例は、一四世紀から一七世紀の数百年にわたってヨーロッパなどを席巻したペストの流行である。そもそも、黒死病と呼ばれたこの病気がペストだったかどうかをめぐっても議論があるが、一四世紀半ば、当時のヨーロッパ人口の三分の一にあたる約二〇〇〇万人から三〇〇〇万人が死亡したと推定され、海港検疫など現在でも行われている対策が開始された。この時期、東アジアにおいてペストが流行したかどうかについては議論が定まっておらず、日本での流行は確認できない。その意味で、日本における感染症の流行の代名詞がペストだというのは不可解だが、これは、「感染症の歴史学」がヨーロッパ中心主義の下で進められてきたからであろう。たしかに、日本の「感染症の歴史学」の先達たちの多くは西洋史家であった。

阿部謹也は、『ハーメルンの笛吹き男』(阿部 一九七四/一九八八)において、ドイツの都市で一二八四年に起きた一三〇人の子どもが笛吹き男によって連れ去られた事件が、ペストの流行の中で、一三七四年になって思い出されたことの歴史的意味を論じた。笛吹き男の本来の仕事はネズミ捕りで、町の人々が報酬の支払いを渋ると、子どもたちを連れ去ってしまった。阿部の主な関心は、都市下層民の生活史、特に女性と子どもの暮しにあったが、同書は、事件をめぐる記憶の推移をペストを舞台回しとして論じていたため、感染症の社会史としても読まれ、以後、日本の歴史学では、感染症は社会史の課題として意識されることになった。

COVID-19のパンデミックで意識されるようになったのは、感染症の流行がきわめて大きな影響を政治・経済や文化に及ぼし、それは一人一人の生活にも及ぶということであった。それでは、「感染症の歴史学」は、どのような知見を歴史学とその方法に提供できるのだろうか。そもそも、感染症の流行は、「世界を変えた(変える)」のだろうか。本稿では、一四世紀のペストのパンデミックをとりあげ、この問題を再考してみることにする。

一、ペストの歴史学

ヨーロッパ史とペスト

ペスト菌(*Yersinia pestis*)を病原体とするこの感染症は、二一世紀初期の現在でもアフリカ、南北アメリカ、アジアの各地で散発的な発生がある。二〇〇四年から一五年には、世界で五万六七三四人の患者が発生し、四六五一人が亡くなっている(死亡率は八%を超える)。マダガスカル、コンゴ、タンザニアでの発生が目立ち、アジアでは、ベトナム、インド、ミャンマー、中国などで患者が報告されている。(1) 抗菌剤も有効であり、衛生条件の改善やペスト菌をヒトに媒介するネズミやノミの駆除が進んだため、現在では、世界がその管理に成功している感染症となった。

世界史の中では、ペストは最も多くの人を死亡させた感染症の一つであり、その流行には三回のピークがあった。第一次流行は東ローマ帝国の皇帝も罹《かか》ったため、「ユスティニアヌスのペスト」と呼ばれる六世紀から八世紀の流行である。医学史の古典の一つであるシゲリスト『文明と病気』は、その流行の中でイスラーム社会がヨーロッパに進出し、地中海世界の転換点となったと述べる。しかし、その後しばらくのあいだは、ヨーロッパでの流行はみられなくなった(シゲリスト 一九四三/一九七三:上巻、一七一頁)。

第二次流行は一四世紀から一七世紀で、一四世紀には、死者数は二〇〇〇万人から三〇〇〇万人、当時のヨーロッパの人口のおよそ三分の一が亡くなるという大きな被害を出した。シゲリストは、中世都市の発達とともに起きた劣悪な衛生条件を指摘しながら、「その結果鼠が都市を荒し、十四世紀から十七世紀まではペストの流行はひんぴんと起こり、生命という重税をとりたてた」(シゲリスト 一九四三/一九七三:上巻、五六—五七頁)と述べた。英仏百年戦争も休戦せざるをえなくなり、ペストの流行を契機として、中世は崩壊のきざしを見せはじめることになった(同上:一七一—一七四頁)。

ペストは中世を崩壊に導いたのか。科学史家の村上陽一郎は、「ヨーロッパ中世の崩壊」を副題とした『ペスト大流行』の中で、中世社会を象徴する「荘園制度の変化が黒死病によってもたらされた、という歴史的因果関係を設定することは明らかに誤りである。しかし、黒死病の流行がこの変化の動きを決定的にしなかった、というのも明確に誤りである」と述べる(村上 一九八三:一六〇頁)。こうしてみると、社会への衝撃の大きさとその内実はもっとていねいに見る必要がある。ペストの衝撃の因果連関をどのように理解するかは、他の感染症の場合にも応用が可能である。

日本の西洋史研究は、ヨーロッパ諸国の膨大な研究成果を参照し、「一三四九年の大黒死病は、大量死を招いたが、それ自体としては、顕著な永続的影響を残さなかった。しかし、その後の、度重なるペスト禍と、それに伴う深刻な人口消耗は、一三七〇年頃になると、人口復原力を上回るにいたり、人口の減少の恒常化はしだいに厳しい経済的影響をおよぼす要因となった。その結果としての、低落した農産物価格と高騰した手工業製品価格間のはさみ状格差、農業労働賃金と手工業労働賃金の格差は、全ヨーロッパを通じて、ほぼ一世紀半の期間中保たれたのである。それに伴って、農民の都市流入は激化し、都市の人口喪失分は農民の移住によってすぐに補充されたが、農村内部でも移動は顕著で、それにともなって村落の共同体性は大いに動揺し、新参者と土着農民とのあいだで紛争が絶えなかった」とペストの影響を要約している(瀬原 二〇〇六:六七－六八頁)。その影響を過大に見積もることなく、しかし、構造的変化の背景となったという評価である。この論文はすこし時間がたっているものの、研究文献を詳細に紹介し、ヨーロッパ諸国の状況がどのような資料によって分析されてきたかを知るためにたいへん有益である。こうした中で、ペストの起源については、中央アジアのバルハシ湖、イリ川、イシク・クル湖周辺のげっ歯類の一種であるタルバガンがペスト菌を媒介するノミをもっていたとするのが多数派である(宮崎 二〇一五:二七－二八頁)。

「感染症が世界を変えた」という表現は、為政者などの死という事件ではなく、中長期的な時間軸の中での構造的な変化から理解されるべきであろう。クロスビーの言う、「コロンビアン・イクスチェンジ」にともなう天然痘や麻疹《はしか/ましん》の南北アメリカへの伝播と先住民社会への壊滅的な影響が代表的な事例である(Crosby 1972)。

ペストの「発見」――第三次のパンデミック

第三次流行は、東アジアから世界に広がった。一九世紀後半、「鼠疫《そえき》」と呼ばれた感染症が雲南から広東省の各地に広がり、広州から香港に伝播して(一八九四年)、以後、パンデミックとなった。香港での感染爆発は、腺ペストがエンデミックとして雲南や広東省を中心に地方的に流行していた状況からパンデミックへと転化する起点となった。「鼠疫」の流行を、植民地統治を揺るがす危機ととらえた英仏、そして日本も香港に学者を派遣し、調査研究を進めた。この結果、一八九四年に病原体としてのペスト菌が発見された。一九世紀後半から二〇世紀前半に数多くあった病原体の発見をめぐる競争の一コマで、勝利したのはA・イェルサン(A. Yersin、一八六三—一九四三年)である。イェルサンは、フランス統治下のインドシナで船医として働いていて、フランス政府とパストゥール研究所の依頼によって香港に向かった。日本の伝染病研究所から派遣された北里柴三郎(一八五二—一九三一年)は、イェルサンよりも早くペスト菌の特定に成功していた。*Lancet*(ランセット)(=手術用メス)という名前を持つ国際的な医学雑誌に双方の研究成果が報告されると、病原性の強いグラム陰性菌を発見していたイェルサンの報告が学界に認知される。一八九七年には、台湾で研究していた緒方正規《まさのり》(東京帝国大学医学部衛生学教授、一八五三—一九一九年)と英領インドのカラチで研究していたフランス人のP=ルイ・シモン(Paul-Louis Simond、一八五八—一九四七年)が、ノミがヒトへペスト菌を媒介することを発見した。

第三次流行の中で、ペストの「細菌学説」が確立され、今日的な意味でのペストの歴史が意識されるようになった。このことは、「細菌学説」以前の感染症は、それが何なのかを特定できないということでもある。そのため、症状や伝播の形態からの類推によって、「痘瘡《とうそう》」が現代の医学用語に言う「天然痘」(smallpox)だと比定される。瘡蓋《かさぶた》などの特徴がはっきりしている「痘瘡」はいいとしても、高熱を発するから「マラリア」(malaria)だとすることはできない。症状だけからでは、インフルエンザ、マラリア、ペストも区別がつかない場合もある。このことは、「感染症の歴史学」に対して、深刻な問題を惹起する。なんらかの感染症が流行していたにもかかわらず、それに気づくことができず、

記録などが全く残らない場合もあったかもしれないからである。(2)

一九世紀末、ペスト菌とノミによるヒトへの媒介という感染のメカニズムが発見され、「鼠疫」史はペスト史となった。一九世紀半ば、清朝統治下の雲南から広東省全域に拡大した腺ペストは、香港から中国沿海地域、台湾、日本へ、また、東南アジア・インドへ、ハワイから北米へと広がった(飯島 二〇〇〇)。腺ペストは、インド洋をこえ、南アフリカなどにも伝播した。その背景には、華商や多くの契約労働者が南アフリカに渡ったことがある。腺ペスト対策として進められたアフリカ人の隔離がアパルトヘイト(人種隔離政策)のきっかけになったことはもっと知られてよい(峯 一九九六:一二三―一二四頁)。

ペストの第三次流行では、日本でも外国貿易を行っていた港湾都市を中心に散発的な発生があった。しかし、その規模は小さかった。香港や台湾でも流行があったが、人口動態に影響するものではなかった。中国大陸でも同様で、腺ペストの流行が衛生事業の制度化の起点となったことや植民地主義の展開と関係していたことは事実だが、人口動態に影響を及ぼすものではなかった。このことは、第二次流行におけるヨーロッパの状況とは大きく異なる(飯島 二〇〇〇)。例外はインドで、数千万人が犠牲になったとされる。栄養不良や劣悪な衛生条件などをその要因として指摘することは可能だし、妥当だろう。しかし、根本的な原因は不明である。このことは、COVID-19のパンデミックの中で、インドでの感染規模の大きさが目立つのに対して、東アジアではかなり抑制されていることと類似している。また、インドでの被害が大きかったとしても、それがインドの歴史を変えたとする研究はほとんどない。

ペストの医学史

輸入学問として西洋医学を導入した日本は、医学史(日本では、医史学)も導入した。草創期にそれを担ったのは、富《ふ》士《じ》川《かわ》游《ゆう》(一八六五―一九四〇年)である。富士川は広島に生まれ、藩校をへて、広島県立中学から広島医学校に学び、明治生命の保険医となり、『中外医事新報』の編集に従事しながら、膨大な医学史関係の資料を渉猟し、『日本疾病史』(富士川 一九一二/一九六九)を残した。(3)

『日本疾病史』の冒頭にある「日本疾病史序論」で、富士川は、一八世紀後半から一九世紀前半のヨーロッパ、とくにドイツにおける感染症(富士川の言では、「流行病」)の歴史研究を振り返り、日本における疾病の由来などを論じた書物を紹介しつつ、「系統的の著述をなし、これによりて我が邦の歴史的病理学を興したものは未だこれにあらず」(同上:一一頁)と断じた。そして、ドイツなどの例に倣うのではなく、天然痘をはじめとしていくつかの感染症をとりあげ、「その各個の疾病につきて、名義、原因、証候、及び療法等の歴史を叙述し、流行病にありては、疫史の一章を設けて、流行の歴史を詳かに記したり」(同上:一三頁)という姿勢をとった。同書は、実際には「感染症の日本史」であった。しかし、ペストへの言及はない。富士川が同書を刊行したのは一九一二年のことで、一八九四年の香港での感染爆発以後、小規模ではあったが日本でもペストが発生していた。つまり、富士川が論じている六世紀から一九世紀半ば、日本でのペストの発生はなかったという理解である。

医学史(医史学)という学問は、ビッグ・サイエンスとしての医学の発達とその社会的な影響を明らかにすることを課題としている。日本の医学史(医史学)は、富士川から酒井シヅにいたる研究者や日本医史学会による多くの研究蓄積をもつ。しかし、医学部に講座がないという状況が続き、蓄積の割には、医学教育に適切に位置づけられていない。また、医学史と歴史学の関係も希薄である。日本における医学(史)博物館は、製薬会社のエーザイが運営している内藤記念くすり博物館(http://www.eisai.co.jp/museum/index.html)や蘭学の伝統を持つ順天堂大学が運営する日本医学教育歴史館(http://www.juntendo.ac.jp/jmehm/)をのぞくとたいへん貧弱である。これは、「感染症の歴史学」にとっても大きな課題であり、目黒寄生虫館や長崎大学熱帯医学研究所の熱帯医学ミュージアムがかろうじて社会との接点の役割を果たしている。

二、ペストの中国史

伍連徳とポリッツァーのペスト研究

第三次流行の中で、一九一〇年から一一年に満洲で発生したペストの流行をきっかけに、奉天(当時、現在の瀋陽)で国際ペスト会議が開催された。この時の流行は、シベリアに生息していたタルバガンとノミが媒介したもので、その後、飛沫感染も発生し肺ペストも流行した。シベリア鉄道や南満洲鉄道などの鉄道網の整備を背景として感染が拡大し、後に、北京や山東省などにも流行が広がった。

国際ペスト会議は、ロシアや日本による満洲での権益の拡大という帝国主義的な角逐の中で開催された。しかし、開催を計画したのは清朝であり、会議に英国や米国などからの代表を招くことによって、ロシアや日本の勢力拡大を牽制することがその目的だった。日本からも北里柴三郎などが出席する中で、中国側責任者となったのは伍連徳であった。国際ペスト会議には、多くの研究者が参加し、英語、中国語、日本語の報告書が刊行された。この会議を起点として、二〇世紀前半にペスト研究は飛躍的な進展をみせる。

伍連徳(一八七九－一九六〇年)は、ペナンで生まれ(祖籍は広東省新寧県)、イギリス系の学校で教育を受け、ケンブリッジ大学で医学を学んだのち、一九〇七年から天津の陸軍軍医学堂の副監督となった。一九一一年、国際ペスト会議の運営にあたり、一九一二年から東北防疫処総弁として中国の衛生行政の確立を担った。一九三〇年から海港検疫管理処長兼上海検疫所長となる。日中戦争の激化の中でペナンに戻り、一九六〇年死去。中華医学会の創設(一九一四年)にも尽力した(Wu Lien-teh 1959)。

ペストの歴史をたどっていくと、伍連徳がさまざまな知見を提供していることに気づく。そして、その知見を紹介したのが、一九三〇年代に伍とともにペスト対策に従事し、二〇世紀後半にはWHOでペスト対策に従事したポリッツァー(R. Politzer)であった(4)(Wu et al. 1936; Politzer 1964)。また、伍の知見は、中国語でも発表されたため、中国語圏における影響力は圧倒的であった。伍は、ヨーロッパでのペストの流行と同時期に中国でも流行があったと理解しており、その起源は中央アジアで、ペストは中央アジアから中国に伝播したと考えていた(伍 一九三六：一〇四二頁)。

マクニールの雲南起源説

『疫病と世界史』(マクニール 一九七六、一九八五／二〇〇七)は、感染症と人類の関係をはじめて体系的に整理し、現在でも大きな影響力を持っている。マクニールによれば、一四世紀のペストは雲南からモンゴル帝国によってヨーロッパへと運ばれた。着想の背景には、ペスト菌が確定された第三次流行の起源が雲南だったことがある。マクニールに資料を提供したのは、チャー(Joseph H. Cha)という華人学者で、主として典拠とされたのは、一九三九年刊行の『中國歴代天災人禍表』(陳高傭 一九三九／一九八六)であった。この文献は、歴代王朝ごとの「天災」を水災・旱災・其他、「人禍」を内乱・外患・其他に分けて年表としたもので、疫病は「天災」の其他に収められている。他の「天災」は、雹害《ひょうがい》、台風、蝗害《こうがい》(イナゴ)などであった(5)。

マクニールにとって問題だったのは、モンゴル軍の雲南への侵攻が一二五二年であり、チャーが提供した資料からはその時期の感染症の流行を確認できなかったことである。しかし、一三三一年からは、元から明への王朝交代にかけて感染症の流行を確認できた。そこで、マクニールは、ペスト菌が中国に侵入したのは一三三一年だったとして、それが西漸したと主張した(マクニール 一九八五／二〇〇七：下巻、二七頁)。一三三八年から三九年、中央アジアのイシク・クル湖近くのネストリウス派キリスト教の商人集団で感染症が発生した。それは、後年、ロシアの考古学者の調査によって、腺ペストだったと推定されたものである。そして、そこで引用されたのがポリッツァーの文献である

(同上：下巻、三〇頁)。つまり、一三三一年から四七年までのあいだに、雲南起源のペストが隊商によって都市から都市へと伝播し、ペストは、一三四七年クリミア半島に到達した。こうして、「悪疫は一三四七年、通商都市カッファを包囲攻撃していたモンゴルの一君主が率いる軍隊に突発した。このためモンゴル軍は攻囲を解いて引き揚げることを余儀なくされた。その時すでに疫病はカッファ市内に侵入していて、ここから船舶によって全地中海世界、そして間もなくヨーロッパの北部と西部に広がった」とマクニールは記述したのである(同上：下巻、三二―三三頁)。

マクニールが提起した雲南起源説はペストの西漸説でもあり、一五世紀末以後の「コロンビアン・イクスチェンジ」にともなう天然痘などの旧世界から新世界への伝播、ユーラシア大陸と南北アメリカ大陸の疫学的な条件の統一＝「細菌による世界の統一」(ル・ロワ・ラデュリ、一九七三／一九八〇)との連続性という意味からも魅力的である。マクニールは、ポリッツァーの文献も参照しており、伍連徳などが主張した中央アジアから雲南への東漸説も知っていたと思われる。しかし、マクニールは、チャーの提供した資料にもとづいて、伝播の方向を逆転させた。

現在でも雲南説が参照されるのは、DNA分析を利用した研究がその起源を現在の中国領域内の中央アジアなどとしているため、雲南も含め「中国」起源説と一括りにされ、結果として、マクニールの主張が補強されたと誤解されているからである。感染症の専門家として医療協力の現場でも活動し、『感染症と文明』の著者である山本太郎は、初発地域は中央アジアだとし、中国に伝播した感染症が一三三四年に浙江で大流行を起こしたとする。他方、天山山脈の西北を経由したクリミア半島への伝播ルートも指摘しており、起源と伝播の理解は錯綜している。マクニールが参照したチャーの資料には、一三三四年の感染症の記録はなく、浙江での流行は、その前後では一三〇八年と一三六〇年である。つまり、一三三四年の浙江での流行の根拠は明らかではない(6)(山本 二〇一一：六四頁)。なお、ペストの西漸説は加藤茂孝『人類と感染症の歴史』にも言及がある(加藤 二〇一三：四七頁)。

山本や加藤が依拠したのは、モレリーらによるDNA分析を利用した研究である(Morelli, G., et al., 2010)。山本は、それにもとづき、ペスト菌の起源が中国である可能性が高いこと、シルクロード経由でユーラシア大陸を横断し、明代に鄭和の南海遠征によっても伝播した可能性があるとした(山本 二〇一一:五五―五六頁)。こうした理解は、マクニールの雲南起源説のバリエーションとして、ペスト菌の西漸説の一つの解釈である。しかし、後に述べるようにペストの初発地をめぐっては、ヨーロッパとの近接性から中央アジア説が妥当だと思われる。コンスタンティノープルなどでの流行が顕在化した第一次流行との関係からも理解しやすい。

中国史上のペスト

中国史研究において、ペストの衝撃を強く主張しているのは、曹樹基と李玉尚で、中世ヨーロッパにおけるペストの流行を参照し、同時期に中国でもペストの流行があったかどうかを問うものであった(曹・李 二〇〇六)。同書は、マクニールの主張を導入しながらも、その起源は雲南ではなく熱帯アフリカであるとして、「風土病」として土着化したペストが、中近東や中央アジアから東漸したとする伍連徳の考え方にたちもどりつつ、二〇世紀半ばに中国各地で実施された感染症に関する体系的調査を数多く紹介している。[7] 第二次流行の際に、中国でもペストが流行したと主張する根拠の一つは、「疫」の死亡率が高かったと推測されるからである。しかし、それ自体は感染症がペストだったことの証拠とは言い難い。

ペストの第二次流行の時期、中国で流行があったかどうかを検討したのは、C・ベネディクトであった。その研究は、一九世紀以後に雲南からはじまった中国のペストが、中世ヨーロッパのペストに匹敵する規模のものだったのではないかという関心から出発している。一九世紀後半、ペストの流行は、雲南から広東省全域に広がり、一八九四年の香港での感染爆発以後、中国沿海地域から台湾、日本、また、東南アジア、インド、アフリカ、北米へと拡大した。しかし、前述のように、大規模な流行があったのはインドで、中国では、その後、満洲や山西省での流行があったものの、時期的にも限定されていて、全国的な流行はなかった。

中国社会は、正史において「疫」の記述がたくさん確認できるため、また、王朝交代や政治的な変動と「疫」の関係が意識されることが多く、感染症の流行によって多くの人々が死亡したと考えられがちである。しかし、感染症の流行とその影響の程度はもっとていねいに分析される必要がある。ベネディクトは、一九世紀以前に中国においてペストが流行した明確な記録を発見できなかった(Benedict 1996: 11)。つまり、雲南から中国の各地にペストが伝播した可能性を否定し、仮に、感染症の流行があったとしてもそれは、別の感染症だったというわけである。曹・李の主張を明確に批判し、一九世紀以前の中国ではペストの流行を確認できないとする研究も発表されている(Hymes 2014)。これらは、一九世紀の雲南のペストは中央アジアから東漸したものだと考えているので、結果として、雲南起源のペストが西漸したとするマクニールへの批判ともなっている。

ペストの起源はどこか?

第二次流行の起源、すなわち、ヨーロッパへのペストの伝播をめぐっては、ここ一〇年ほどのあいだに大きな進展があった。転機となったのは、前述のモレリーのDNAの解析やCuiによる同様の研究である(Cui, et al. 2013)。

こうした研究は、ヨーロッパを中心に、亡くなった人々の遺骨からDNAを抽出し、現在のペスト菌の遺伝子情報と対照して、ペストの起源に迫ろうとした。そして、歴史学の手法によって、DNA研究を解釈し、ペストをめぐる歴史学研究を一変させつつあるのがモニカ・グリーンである。歴史学の研究では、ペストの起源をめぐっては中央アジア説と雲南起源説が並立していた。マクニールが主張した雲南起源説は少数派だが、そのダイナミズムが魅力的である。こうした研究は、文献資料に依拠していたが、DNAが示す意味に衝撃を受けたグリーンは、歴史学者として遺伝子研究の成果を精力的に取り入れて研究を進め、マクニールの雲南起源説を否定し、再度、中央アジア説を提起した。一九世紀の第三次流行の起源とされる雲南にも、中央アジアから伝播したという理解である。その研究は、マクニールの西漸説を逆転させ、再度、東漸説を提起したものである(8)。

グリーンとは別に、チベット高原北東部の青海が一四世紀のペストの初発地であるとして、気候変動の下でのユーラシア大陸における政治と社会の変化を「大遷移」(Great Transition)として描いたのがブルース・キャンベルである(Campbell 2016)。同書については、諫早庸一による紹介がある(諫早 二〇二〇)。キャンベルは、この時期の大きな変化と覇権の盛衰の要因を気候変動のもとでの環境の変化に求め、ペストの流行もその一つの要素として描いている。そして、キャンベルがペストの青海起源説を採用した根拠も前述の Cui の研究なのである。

三、「歴史総合」という契機——パンデミックとエンデミック

パンデミックの世界史

世界史において感染症の流行はたびたびあった。キィ・パーソンの命を奪ったことも多かった。しかし、冷静に考えてみれば、世界を変えたと言い切れる感染症はそれほど多くない。むしろ、感染症の流行はたびたびあったにもかかわらず、また今後もそれが起こりうるにもかかわらず、決定的な影響を及ぼした感染症は多くなかったと見るべきである。感染症の歴史において、「世界を変えた」という表現がぴったりなのは、「コロンビアン・イクスチェンジ」にともなってヨーロッパから天然痘や麻疹などの感染症が、免疫性のない南北アメリカに持ち込まれ、先住民社会の人口を激減させ、スペインやポルトガルによる植民地化を促進したことである(飯島 二〇一八：三九—四〇頁)。

二〇世紀においても、第一次世界大戦末期のスペイン・インフルエンザ、また、結核やＨＩＶ／ＡＩＤＳなどが流行した。死因としての結核の位置づけは巨大であった。ＨＩＶ／ＡＩＤＳと結核は二一世紀になってもマラリアとと

もに三大感染症としてその制圧に向けてさまざまな対策が進められている現在進行形の感染症である。しかし、現在、日々の生活の中で結核の流行を意識することは稀であり、スペイン・インフルエンザのように、流行の際には、人々は多くの関心を寄せるが、それが収束すると忘れられてしまった(クロスビー 一九八九/二〇〇四、速水 二〇〇六)。

「歴史総合」という契機

二〇二二年度から高等学校地理歴史科の科目が大きく改編され、「歴史総合」が新設される。その内容を定めた「学習指導要領」では、「歴史総合」において取り扱うべき項目をあげ、「D グローバル化と私たち」の中で感染症を取り上げることを明示している。高校生が資料の活用、課題の追求や解決のための活動に取り組み、技能や思考力、判断力、表現力等を身につけること、「〔中略〕伝染病患者数などに関する統計や主題図、感染の拡大防止に向けた国際協力に関する資料を提示し、二〇世紀の感染症被害が大規模となった理由や感染症の広がりに対する国際社会の対応など、生徒が歴史的な見方・考え方を働かせて資料から情報を読み取ることができるように指導を工夫する。生徒は、それらの情報を読み取ったりまとめたりしながら、感染症の拡大の背景と生活や社会の変容との関連性について考察する」[9]ことを求めている。「学習指導要領」が想定している感染症は、スペイン・インフルエンザやＨＩＶ/ＡＩＤＳ等であろう。二〇世紀は、一〇〇年ほどの間に人口規模が十数億からおよそ七〇億人へと激増する中で、感染症による人的被害も大きかった。結核は工業化とあいまって、多くの人命を奪った。しかし、天然痘の制圧(ＷＨＯによる天然痘根絶宣言、一九八〇年)に象徴されるように、二〇世紀には感染症への対策も進展し、栄養水準の向上にともなって、疫学転換(健康転換)が起こり、平均寿命が延び、人々は感染症で死亡するよりも生活習慣病で命を落とすことが多くなったことも事実である。先進国と発展途上国の間の健康格差は依然として大きな問題だが、感染症によって人命が失われることは次第に減少しつつある。[10]

「歴史総合」においてどんな感染症を取り上げるかは、本来、平時の課題であった。科目の再編は、二〇二〇年のCOVID-19のパンデミックよりも前から議論されていた。しかし、感染症のパンデミックを経験する中で、「感染症の歴史学」への関心が高まっている。「感染症の歴史学」の仕事は、取り上げることができる感染症の事例を豊富に提供することである。他方、「歴史総合」においてどのような感染症を取り上げるのが適切かは、「感染症を材料として何を教えるか」を考える高等学校の課題である。その際には、地域における感染症の流行（それを体現しているのは風土病である）が大切で、感染症の取り上げ方は、教材化の中で成熟していくことになろう。どんな感染症を取り上げるかについては、生徒の知的好奇心を喚起すると同時に、「感染症の歴史学」との対話も必要である。また、疾病全般、精神疾患などの医学史上の大きな課題や公害病（環境破壊）との距離感にも配慮する必要があろう。

エンデミックという課題

二一世紀初頭の現在、SDGsの第三目標である「すべての人に健康と福祉を」の課題の一つとされているのがNTDs＝Neglected Tropical Diseases（顧みられない熱帯病）とされる二〇程度の感染症である。この中には、二〇世紀の日本がその制圧に成功した日本住血吸虫症やリンパ系フィラリア症、マラリアなどの風土病が含まれている。

パンデミックを引き起こしたペストや天然痘、また、マラリアなどもはじめは風土病（エンデミック）であった。しかし、何らかの原因のためパンデミックとなった。日本住血吸虫症は、古くから世界中で蔓延している住血吸虫症の一つで、中国、日本、フィリピンで流行した。この寄生虫の中間宿主である巻貝（オンコメラニア）が生息していたからである。こうした寄生虫症の拡散も、ペストの伝播と同様に世界史的な課題である。マクニールも『疫病と世界史』の中でそれに言及している。クロスビーの「コロンビアン・イクスチェンジ」を敷衍すれば、日本住血吸虫症の伝播は、中国大陸と日本列島とのあいだの人的交流にその要因を求めることも可能で、これを倭寇などの人的交流との関係の中で考えることも可能である。マクニールの向こうを張って「海賊の交換」(Pirates Exchange)と呼ぶことも可能かもしれない(飯島 二〇一八、二〇二〇b)。

感染症は社会史の課題として意識されることが多かった。日本の歴史学への導入の経緯を考えるとそれは自然なことだったが、COVID-19のパンデミックによって明らかになったことは、感染症と個人・社会・国家や国際社会との関係という広がりを、個々の感染症の特徴に即して、ていねいに分析・記述することの必要性である(飯島 二〇二〇a)。その意味では、日本の歴史学に与えられた課題の一つは、ヨーロッパ中心主義ではない、「日本から見た感染症の世界史」を構築することであろう。

おわりに——「ユニバーサル・ヒストリー」としての「感染症の歴史学」

ペストをめぐるDNA研究を歴史学に本格的に導入したモニカ・グリーンは、大学における歴史学教育のシラバスも提示している。「感染症の歴史学」を多元的に再構築することが意識され、そのゴールは、「健康のグローバル・ヒストリー」(Global History for Health)だという。

二〇二〇年のCOVID-19のパンデミックへの対策として選択されたのは、実はたいへん古典的な手法であった。感染のリスクを減少させるための行動変容は、患者を遠ざけ、感染症がはやっている地域から逃げるという古くから行われてきた対策の延長線上にある。他方、「寝食を共にしながら生活し、協力してモノや価値を創造し、交換し、時にはそれを遠くの地域(人々)とも行う、海を越えて行う場合もある」という文明化を支えてきた行為それ自体が制限されたことの意味は大きい。多くの人々が外出を制限され、海外渡航もほぼ不可能になった。それは、あたかも「鎖国」状態だった(である)と言ってよい。こうした事態を、文明史の問題としてどのように考えるか、という課題に答える義務が「感染症の歴史学」にはある。

二〇二〇年のCOVID-19のパンデミックが歴史的事実として記録され、記憶されるかどうかはまだわからない（飯島二〇二〇a）。COVID-19のパンデミックに世界が震えているのは、二〇世紀になって、それだけ感染症が制圧され、人間が感染症によって命を失うことに耐えられなくなっているからでもある。実際には、感染症が世界を変えたことはあまりない。しかし、感染症がさまざまな変化を促したことはたくさんあった。COVID-19のパンデミックの中で明らかになったように、感染症の流行は、既存の制度、秩序や規範などの持つ構造的な問題を顕在化させる（可視化させる）からである。その意味では、「感染症の歴史学」は、疫病史観という単純化を避けながら、ていねいに適切な立ち位置を探す必要がある。COVID-19のパンデミックについて言えば、現在起こっているさまざまな出来事を記録し、記憶も含め、まず資料を保存しておくことから始めることが大切である。その役割を担う責任は歴史学にある。

「感染症が世界を変えるか」という点について言えば、重要なことは、変える選択をするのは人間だということである。もし、AIがより進化して、アルゴリズムを自己拡大できるようになったとすると、感染拡大に順応して、人間の意思とは別に感染症対策を設定するかもしれない。しかし、短期的には感染症を利用して人間が社会を変えるということは変わらない。但し、一つの例外を除いて。つまり、新興感染症の拡大によって人類が全滅したとすると、感染症は明らかに世界を変えたといえるであろう。しかし、この場合には世界が変化したこと自体を認識できない。COVID-19のパンデミックは、そうした可能性さえも感じさせるものなのである。

注

（1）国立感染症研究所（https://www.niid.go.jp/niid/ja/kansennohanashi/514-plague.html）、最終閲覧日二〇二一年二月二四日。

(2)(浜野 二〇〇四)は、後述する『日本疾病史』を中心に、感染症の流行状況を数値化しようとした。日本の場合、一八世紀以降に感染症の流行が顕在化したのは、流行性感冒を意識するようになったからである(四四一頁)。しかし、これはあくまでも記録された感染症の流行で、実態を示すわけではない。

(3) 富士川が収集した資料は、現在、京都大学附属図書館、慶應義塾大学信濃町メディアセンター、東京大学大学院教育学研究科・教育学部図書室が所蔵している。三館の所蔵資料をデジタル化し、新たな技術の下で統合的に利用するためのプロジェクトが進行中である。本稿の内容とは直接関係しないが、歴史学や資料をめぐる新たな動きであるため、特に紹介しておく(https://www.kulib.kyoto-u.ac.jp/rdl/digital_fujikawa/index.html、最終閲覧日二〇二一年二月二六日)。

(4) Robert Politzer はオーストリア人の医師で、第一次世界大戦中にロシアの捕虜となった。伍連徳との関係は、ハルビンの研究所での仕事に応募してきたことがきっかけで、伍は係累のないポリッツァーの面倒を公私にわたってよくみた。ポリッツァーは、伍の満洲時代、また、上海での検疫所の仕事に付き従い、第二次世界大戦後には、WHOでのポストを得ることになった(Wu Lien-teh 1959: 385)。

(5) 感染症の流行について、人類は膨大な知見を蓄積してきた。文字資料の豊富な中国社会は、中国医学を発達させるとともに、感染症の流行を記録してきた。正史などには膨大な「疫」が記録され、医学書もさまざまに感染症を記述している。中国社会が多くの人口を抱えていたことは、感染症の流行の可能性を高めた。また、文明化や医学の体系化の中で、感染症の記録が残りやすかったことも重要である。(佐藤 一九九三)は、正史から災害に関する記述を摘出したものである。中央研究院漢籍電子文献(https://hanji.sinica.edu.tw)に代表される漢文資料のデータベース化によって、こうした作業は、より広範に、かつ効率よく処理できるようになった。しかし、正史などの記録から、感染症の流行の構造を再構成することは難しい。(Morabia 2009)を見る限り、感染症の専門家と歴史学の専門家との本格的な対話が必要であり、疫学的資料の共有が必要である(飯島 二〇二一)。

(6) 山本の典拠は、おそらく(村上 一九八三:六二頁)の「中国大陸では、一三二〇年代終わりごろから、干ばつや洪水、地震、蝗害、飢饉に襲われ続けたが、一三三四年浙江地域で大干ばつのあと、恐るべき悪疫が五〇〇万に上る人々の生命を奪った、という記録が残されている」という記述だと思われる。しかし、村上の記述の典拠は示されていない。

(7) 中国政府がこうした調査を行ったのは、中国共産党が公衆衛生事業を統治の正統性を確保するための政策として位置付けたこと、朝鮮戦争において米軍が中朝国境地帯で細菌を散布したと主張したからであった(飯島・澤田 二〇一〇:三〇―三一頁)。

（8）　グリーンの研究は膨大だが、近作の(Green 2020)では、マクニール説を否定する根拠となったDNA研究を紹介しながら、関係の歴史研究の文献を網羅的に紹介している。同論文のポイントの一つは、一四世紀とされてきた腺ペストの伝播をもっと古い時代の一三世紀だとしていることである。その根拠の一つは、一二三二年のモンゴル軍と金軍との開封をめぐる攻防、「大疫」をペストだと考えることである(二七―二八頁)。開封にいた高名な中国医学の医師である李杲《りこう》(一一八〇―一二五一)の『内外傷辨惑論』にもとづくが、この文献が「大疫」をペストと断じているわけではなく、中国語の研究史においては、ペスト説への疑問も示されている(王・鄭 二〇一九：一五二―一五六頁)。(濱田 二〇二〇)は、COVID-19のパンデミックの中で出版されたが、その内容は、ペストの起源をめぐる議論で、中央アジア説をとっている。

（9）　文部科学省『高等学校学習指導要領(平成三〇年告示)解説 地理歴史編』平成三〇年七月、一七〇―一七三頁。

（10）　「歴史総合」における日本史と世界史の融合については懸念もある。日本の「世界史」が持つ蓄積が安易な総合によって失われてしまうのではないかという懸念である。感染症はやすやすと国境を越えるから、総合という文脈に合致しやすく、とりあげるべき課題とされたのだろうが、そもそも「日本の世界史」には日本の歴史が刻印されているというのが私の考え方である(飯島 二〇一〇／二〇二〇)。

参考文献

阿部謹也(一九七四／一九八八)『ハーメルンの笛吹き男――伝説とその世界』平凡社／後に、ちくま文庫。

飯島渉(二〇〇〇)『ペストと近代中国――衛生の「制度化」と社会変容』研文出版。

飯島渉(二〇一〇／二〇二〇)「外国で「世界史」を語る」『じっきょう 地歴・公民科資料』七五号、二〇一〇年四月／後に、『「中国史」が亡びるとき――地域史から医療史へ』研文出版、に付記とともに再録。

飯島渉(二〇一八)『感染症と私たちの歴史・これから』清水書院。

飯島渉(二〇二〇a)「COVID-19と「感染症の歴史学」」歴史学研究会編『コロナの時代の歴史学』績文堂出版。

飯島渉(二〇二〇b)「フィラリアの制圧と二〇世紀日本の熱帯医学――風土病の制圧から国際保健へ」秋田茂・脇村孝平編『人口と健康の世界史』ミネルヴァ書房。

飯島渉(二〇二一)「感染症の歴史学――世界史のなかのパンデミックとエンデミック」嘉糠洋陸編『パンデミック時代の感染症研

究』実験医学増刊、三九（二）。

飯島渉・澤田ゆかり（二〇一〇）『高まる生活リスク――社会保障と医療』〈中国的問題群〉10、岩波書店。

諫早庸一（二〇二〇）「一三―一四世紀アフロ・ユーラシアにおけるペストの道」『現代思想』二〇二〇年五月、四八（七七）。

加藤茂孝（二〇一三）『人類と感染症の歴史――未知なる恐怖を越えて』丸善出版。

佐藤武敏（一九九三）『中国災害史年表』国書刊行会。

瀬原義生（二〇〇六）「大黒死病とヨーロッパ社会の変動」『立命館文學』五九五号。

濱田篤郎（二〇二〇）『パンデミックを生き抜く――中世ペストに学ぶ新型コロナ対策』朝日新書。

浜野潔（二〇〇四）「『日本疾病史』データベース化の試み」『関西大学経済論集』第五四巻第三・四号合併号。

速水融（二〇〇六）『日本を襲ったスペイン・インフルエンザ――人類とウイルスの第一次世界戦争』藤原書店。

富士川游（一九一二／一九六九）『日本疾病史』一九一二年初版、後に、平凡社東洋文庫。

峯陽一（一九九六）『南アフリカ――「虹の国」への歩み』岩波新書。

宮崎揚弘（二〇一五）『ペストの歴史』山川出版社。

村上陽一郎（一九八三）『ペスト大流行――ヨーロッパ中世の崩壊』岩波新書。

山本太郎（二〇一一）『感染症と文明――共生への道』岩波新書。

王星光・鄭言午（二〇一九）「也論金末汴京大疫的誘因与性質」『歴史研究』第一期。

伍連徳（一九三六）「中国鼠疫病史」『中華医学雑誌』第二二巻第一一期。

曹樹基・李玉尚（二〇〇六）『鼠疫：戦争与和平――中国的環境与社会変遷（一二三〇～一九六〇）』済南：山東画報出版社。

陳高傭（一九三九／一九八六）『中國歴代天災人禍表』上海：国立暨南大学叢書之一、後に、上海書店影印。

Benedict, Carol (1996), *Bubonic Plague in Nineteenth Century China*, Stanford: Stanford U.P.

Campbell, Bruce M. S. (2016), *The Great Transition: Climate, Disease and Society in the Late-Medieval World*, Cambridge: Cambridge U.P.

Crosby, Alfred W. (1972), *The Columbian Exchange: Biological and Cultural Consequences of 1492*, Conn.: Greenwood.

Crosby, Alfred W. (1989), *America's Forgotten Pandemic: The Influenza of 1918*, Cambridge U.P.（A・W・クロスビー『史上最悪のインフルエンザ――忘れられたパンデミック』西村秀一訳、みすず書房、二〇〇四年）

Cui, Yujun et al. (2013), "Historical variations in mutation rate in an epidemic pathogen", *Yersinia pestis, PNAS*. Jan. 8, 110(2).

Green, Monica H. (2020), "The Four Black Deaths", *The American Historical Review*, Volume 125, Issue 5, December.

Hymes, Robert (2014), "Epilogue: A Hypothesis on the East Asian Beginnings of the Yersinia pestis Polytomy", Monica H. Green (ed.), *Pandemic Disease in the Medieval World, The Medieval Globe*, Vol. 1.

Le Roy Ladurie, Emmanuel (1973), *Le territoire de l'historien*, Paris: Gallimard. (E・ル・ロワ・ラデュリ『新しい歴史――歴史人類学への道』樺山紘一ほか訳、新評論、一九八〇年)

McNeill, William Hardy (1976), *Plagues and peoples*, N. Y.: Anchor Press. (W・H・マクニール『疫病と世界史』佐々木昭夫訳、新潮社、一九八五年/後に、中公文庫、上下、二〇〇七年)

Morabia, A. (2009), "Epidemic and population patterns in the Chinese Empire (243 B. C. E. to 1911 C. E.): Quantitative analysis of a unique but neglected epidemic catalogue", *Epidemiology and Infection*, Oct; 137(10).

Morelli Giovanna et al. (2010), "Yersinia pestis genome sequencing identifies patterns of global phylogenetic diversity", *Nature Genetics*, 42(12), October.

Politzer, R. (1954), *Plague*, WHO, Genva.

Sigerist, Henry E. (1943), *Civilization and Disease*, Cornell University. (H・E・シゲリスト『文明と病気』松藤元訳、岩波新書、上下、一九七三年)

Wu Lien-teh(1959), *Plague Fighter: The Autobiography of a modern Chinese physician*, Cambridge.

Wu Lien-teh, J. W. Chun, R. Politzer & C. Y. Wu (1936), *Plague: a manual for medical and public health workers*, Shanghai.

集点｜Focus

ヨーロッパの歴史認識をめぐる対立と相互理解

吉岡　潤

一、危機の三〇年

ヨーロッパ史を戦争と和解の歴史と理解してみるとき、二度の世界大戦の惨禍を経て二〇世紀の後半以降に進展するヨーロッパ統合の過程は、戦争の繰り返しに終止符を打ち、いわば和解の共同体を構築する試みだったと言えよう。長年にわたり対立し、幾度となく戦火を交えてきた独仏間の和解はその出発点でもあり、和解の共同体としての統合ヨーロッパの象徴でもあった。こうした共同体構築の過程では、自民族中心的なナショナル・ヒストリーが批判され、歴史認識の相対化と接近・共有が模索されることとなった。国家間・民族間の歴史認識の相違の存在を自覚し、自民族の無批判な美化を忌避することが「ヨーロッパ・スタンダード」として意識されるようになっていったのである。この和解の共同体は一九九〇年代にＥＵという組織へと結実し、そのＥＵは社会主義体制からの転換を図る東欧諸国を二〇〇〇年代以降に迎え入れ、共同体の範囲を東方へと広げることになった。

しかし、東方へと拡大したＥＵが、そのまま直線的に和解の共同体となり今日に至っているかというと、評価はそう単純ではない。東欧諸国が位置する一帯は、歴史的には複雑に入り組む民族構成を有していた多民族空間であり、国境線の変更や強制移住を含む住民移動など人々の国家的帰属の転変にも目まぐるしいものがあった。それだけに、これらの地域に関する歴史叙述においては、ナショナル・ヒストリーに回収されきることのない無数の襞《ひだ》が、地域や集団など目線を切り替えるごとに立ち現れる。歴史認識の相違や衝突は、一国内にも、また隣接諸国との間にも伏在していた。東欧諸国では、ソ連を筆頭とする社会主義国どうしの友好関係を前面に掲げるイデオロギー的締めつけの下、民族問題をはじめ多くの人の多くの過去・記憶が封じ込められた。これらの封印された過去が、体制転換後の言論自由化や、ソ連、チェコスロヴァキア、ユーゴスラヴィアといった社会主義連邦国家の解体に伴う新興独立国の登場を背景とする、歴史の見直しの過程で表面化することになった。

ソ連の解体やドイツの統一をみた冷戦後の国際関係において、多くの東欧諸国はそれぞれの隣接諸国との関係を改めて構築する必要性に迫られたものの、封印されていた民族問題の溶出が国家間関係の再構築を遅らせる負の要因となる場面もみられた。とりわけ、新興独立国家が封印された過去を持ち出して新たなナショナル・ヒストリーを構築しようとする場合、その多くは他国家・他民族集団のナショナル・ヒストリーと衝突し、善隣関係の構築にとってのいわば棘《とげ》となった。

こうした状況下でも、東欧では、EU加盟に象徴されるヨーロッパ統合への参加を求めていた間は「ヨーロッパへの回帰」を合言葉に、西欧において時間をかけて錬成されていった歴史認識に関するヨーロッパ・スタンダードを受容していこうとする向きもあった。他国との衝突をもたらす自民族中心主義的なナショナル・ヒストリーの構築が行われる一方で、そうしたものへの批判的再検討もまた同時進行で行われていたのである。例えば、一九九〇年代前半のポーランドは、西ではドイツの統一、南ではチェコスロヴァキアの解体、東ではソ連の解体の結果、全方位で新たに生まれた隣国との関係の構築や再構築を余儀なくされたが、ほとんどの隣国との間で何らかの歴史論争や少数派民族問題を抱えていた。このとき、ポーランドでは国家の利害を民族の利害に優先させ、現行国境線の保全と少数派民族問題の国内問題化を図るというヨーロッパ・スタンダードに沿った政策を展開し、歴史解釈をめぐる国家レベルでの非難の応酬を回避しつつ、諸隣国との早期関係構築に成功した（Snyder 2003: 256-276）。ヨーロッパ・スタンダードという規範力が、歴史や過去・記憶という拘束力に対し優勢に作用した時期は、確かに存在していた。

他方で、多くの東欧諸国がＥＵ加盟を果たした二〇〇〇年代半ば以降、ＥＵ加盟のためのヨーロッパ・スタンダードという切り札的スローガンがその規範力を減じ、抑制傾向だった自民族・自国中心史観が国内的にも国際的にも表出する事例が多く観察されるようになった。ヨーロッパ政界でポピュリズムが勢いを増すにつれて、歴史や過去・記憶の問題が政治資源としての性格を強め、国内諸集団間での歴史認識の乖離《かいり》が目立つようになるのである。

また、ＥＵが東方へと拡大する過程で和解の共同体からいわば外部化されたロシアが、二〇一〇年代に「第二次世界大戦の帰結の不可侵性」を強調するようになり、第二次世界大戦の評価をめぐる認識を異にするバルト諸国やポーランドなどとしばしば対立している。バルト諸国やポーランドでは、第二次世界大戦後の社会主義化を、ナチスに続くもう一つの全体主義による支配の確立過程とみなし、戦後の社会主義期を全否定する「二つの全体主義」論が唱えられている。興味深いのは、ロシアをいらだたせているのが、バルト諸国やポーランドなどの主張を欧州議会やＥＵが受け入れ、一九三九年の独ソ不可侵条約の締結日である八月二三日を「スターリニズムとナチズムの犠牲者を追悼する欧州記念日」とする欧州議会決議を採択するなどしていることである。西欧から東方拡大するヨーロッパ・スタンダードを受容した東欧から、今や二つの全体主義論が西方拡大しているのである。

このように、一時は歴史認識問題に翻弄される東アジアにとっての模範ともされたヨーロッパは、現在激しい歴史認識の分断と亀裂に見舞われている。以下では、ヨーロッパにおける歴史認識問題の展開と終始深く関わり続けているポーランドを事例に、冷戦終結後三〇年の歴史認識のありようと歴史論争の諸相を素描してみたい。ポーランドをみることで、歴史認識をめぐる分断線が、国家間・民族間だけでなく、同一国民内にも引かれている現実をみることになるだろう。

二、ポーランドにおける歴史

「歴史」の存在感

ポーランドは近世においてヨーロッパ有数の大国として隆盛を誇った後、一八世紀後半のポーランド分割で独立を失った。第一次世界大戦後に一二三年ぶりに独立を回復したのも束の間、第二次世界大戦では過酷な占領支配を受け、さらに戦後も四五年間にわたって共産党体制下でソ連の勢力圏に組み込まれた。その間、共産党体制を揺るがす「連帯」運動の誕生をみ、一九八九年に東欧諸国の先陣を切って体制転換を果たした後に、二〇〇四年にEUの一員となった。こうした起伏の激しい歴史において、国境線の度重なる変更をはじめ、住民構成の変化など国のかたちを刻々と変化させてきたポーランドだが、現在陸続きの国境で接する隣国は七カ国に及び、歴史認識の違いによる隣国との歴史論争も少なくない。こうしたポーランド史のどの局面を重視し強調するかで、同じポーランド史でも見方は大きく変わる。そうした振れ幅の中で、過去という素材が組み合わされ、多様な歴史認識が形成されている。

歴史を認識する主体となるポーランドの人々という点でも、歴史に対する関心は総じて高い。二〇一六年にポーランドで実施された歴史認識に関する世論調査によると、歴史への関心の高さについての回答は、「とても高い（歴史に関するほぼすべてのことに関心がある）」が五%、「高い（歴史に関する多くのことに関心がある）」が二〇%、「普通（歴史に関する最重要問題のみに関心がある）」が四九%、「あまりない（どちらかというと歴史に関心がない）」が一八%、「まったくない（歴史にはまったく関心がない）」が八%と、歴史への何らかの関心を示す前三者で回答者の七四%を占めた（CBOS 2016a: 3）。また、ポーランドでは、体制転換を果たした一九八九年から二〇一七年にかけての国会で、三六八もの記憶や記念に関する決議が採択された。これは、同期間に採択された国会決議総数の一八・五％に該当する。後述するように「歴史政策」の推進を掲げた「法と公正」（ＰｉＳ）が政権を獲得した二〇〇五年以降に絞れば、その割合は約二八％にまで増す（Nijakowski 2017: 95）。

このように歴史への感度が高いポーランドでは、さまざまな場面で頻繁に歴史への言及がなされ、多くの人によって歴史が消費されている。政治的な闘争にも歴史が喚起され、歴史認識の相違が政治闘争を助長するという、ある種の悪循環も観察できる。ここでは、一九八九年の体制転換以降、政治闘争の場でいかなる過去が争点化したのか、その背景とともに概観していく。

ポーランド現代史を捉える認識パターン

冷戦期のポーランドでは、ソ連統制下の共産党一党体制において、歴史叙述に明確な方向性が指定され、史料や取り上げるテーマ、書き方などに制限が課されていた。この体制公認の認識パターンを、ここでは「ソ連規格」と呼ぶ。ソ連規格に則った歴史認識においては、例えば第二次世界大戦は反ファシズム解放戦争と捉えられ、一方でソ連をその絶対的な勝者にして解放者と、他方でドイツを絶対的な敗者とするものだった。そこでは、共産党がファシストからの民族解放と、戦前の政治的・社会的・経済的旧弊からの人民解放という二重の解放を成し遂げた真の解放者として描かれた。これに比して、敗者ドイツに対してなされたソ連軍兵士による略奪や暴行、ポーランド戦後政権が遂行した戦後領土からのドイツ人の強制移住(1)、また「解放」の名の下に共産党政権によって行われた反体制派の弾圧などについては、沈黙が強いられた。

体制転換によりソ連規格による統制が外れると、それまで看過され、また隠蔽もされてきた共産党体制にとって不都合な過去が、「歴史の白斑《はくはん》」として解明の対象となった。これには、第二次世界大戦中の亡命政府系抵抗運動の実態や、ソ連による東部ポーランド占領支配と抑圧の実態、カティン事件(2)やワルシャワ蜂起(3)に際してのソ連の動向の実態、共産党政権の運営と反体制派の活動の実態、社会主義期の反体制派による抵抗運動の実態、戒厳令布告過程の実態などが含まれる。

こうした事態への対応をめぐって、歴史認識のあり方という点で大きく二つの方向性が浮かび上がった。一つは「民族の規格」、もう一つは「EU規格」とそれぞれ名づけうる認識パターンである。

民族の規格に基づく歴史認識は、ソ連規格からの反動という側面があり、抑圧されていたナショナル・ヒストリーの再構築と言い換えることができる。現代史に関していえば、共産党政権成立の物語に不都合ということで否定された戦前の旧体制や、戦時中の亡命政府と国内抵抗運動の再評価が行われ、その上でソ連から被った非道が強調された。第二次世界大戦期の抵抗運動や社会主義期の反体制運動は、一九世紀の分割期以降の、ロシアをはじめとする占領者に対し犠牲をいとわず果敢に立ち向かった蜂起の伝統と重ね合わされた。そうして、カティン事件やワルシャワ蜂起といったタブーにも一転して光が当てられるようになり、ソ連がポーランドに与えた破壊的影響が強調された。ソ連規格に基づく歴史認識では否定の対象となっていた組織や事件の関係者が、敗北者ならぬ、現在の自由ポーランドの礎となる尊い犠牲者として顕彰の対象となったのである。こうした受難の連続と、国民や国家のための犠牲的行為に重きを置く歴史の見方は「受難・英雄史観」と呼ばれている。他方で、この民族の規格に則り受難・英雄史観に彩られた歴史叙述からは、第二次世界大戦中のポーランド人によるホロコースト加担や、第二次世界大戦終結前後にドイツ人を国境外へと強制移住させたことなどの、加害者としての側面には目を閉ざす傾向があった。

これに対して、EU規格に基づく歴史認識は、和解の共同体たるEUに加盟し、その中で人権や少数派への配慮といったいわゆる普遍的価値観の共有を掲げ、国境の相対化や隣接諸国との関係改善を促そうとする歴史の見方である。そこでは、ドイツ占領下のポーランド人を含む現地住民によるホロコーストへの加担や、敗者ドイツに対して行われた非道などの加害の事実を直視することが対話を促進するとされた。ナショナル・ヒストリーを批判的に再検討し、自国史をヨーロッパの文脈へと接合させていこうとする方向性である。

言論自由化後のポーランドでは、民族の規格に則る保守的で自国中心主義的な歴史認識と、EU規格に則るよりリベラルでヨーロッパ志向の歴史認識の二つが競合し、職業的歴史研究者のみならず、一般社会や政治を巻き込んでの論争が活発に繰り広げられることになる(吉岡 二〇一八:九五―九七頁)。以上を踏まえて、体制転換後のポーランドにおいて具体的に何を争点として歴史論争が展開したのか、見ていこう。

三、ポーランドにおける「過去をめぐる戦争」

第一次「過去をめぐる戦争」

一九八九年に他の東欧社会主義国に先駆けて非共産政権を樹立したポーランドでは、一九九三年の総選挙で共産党(ポーランドでは「ポーランド統一労働者党」)の後継政党を中心とする政党連合「民主左翼同盟」(SLD)が勝利をおさめ、体制転換後四年にしてポスト共産主義政権の樹立をみた。こうした政治情勢も背景として、一九九七年までの時期、すなわち体制転換後の憲法が制定され、同年の総選挙で「連帯」系の政党連合が政権を奪還するまでの時期の歴史論争では、前述の「歴史の白斑」への対処と並んで、社会主義期の共産党体制の正統性が争点となった。共産党体制を否定する立場からは、一九八一年の戒厳令布告に象徴される体制の犯罪的な性格やソ連への従属、文化的な異質性、経済的な機能不全などが問題視された。他方のポスト共産主義系政治家をはじめとする共産党体制を弁護する立場からは、ドイツの脅威の前にソ連との同盟は必然だったという地政学的宿命論が唱えられ、工業化や都市化など近代化を推進した「実績」が強調された。さらに共産党政府が自ら漸進的に自由化していった結果、体制転換への扉を開くことになる一九八九年の円卓会議という歴史的な成果をあげえたとの主張がなされた。

このときの歴史論争で象徴的な争点となったのは、一九八一年一二月に布告された戒厳令である。非共産党系の自主独立労組「連帯」を公認したことで一党支配体制を動揺させていた党が、ソ連による軍事介入の危険性をちらつかせながら発令し、「連帯」を弾圧したのが戒厳令だった。これをめぐり、一方では戒厳令の発令は共産主義者が発動したポーランド国民との戦争だったとの主張があり、他方ではこれに対し、戒厳令発令はソ連の軍事介入という最悪の事態を回避するための「より小さな悪」だったとの主張が対峙していた。

戒厳令の評価をめぐって歴史学的に明確な決着がついたわけではないが、共産主義の過去については、一九九七年に制定された「ポーランド共和国憲法」の前文で一つの方向性が打ち出された。憲法の前文には、一九八九年以降の体制を「第三共和国」と言及しているくだりがあるが(畑・小森田 二〇一八：五二五頁)、これは現行体制が、第一共和国と称されるポーランド分割前の「共和国」の伝統と、第二共和国と称される両大戦間期の体制の伝統とを継承することの表明である。すなわち、戦後社会主義期はポーランドの正史における正統性のナンバリングから除外されたのである。こうして共産党体制という過去はいわば公的に否定されることとなった。

しかし、一部の旧反体制派の間で強く主張されていた徹底した非共産化が、以後一直線に進行するわけではない。先に争点として例示した戒厳令の評価を見ても、事件から三五年後の二〇一六年に実施された世論調査で、戒厳令導入の決定が正しかったとする回答は全体の四一％に及んでいる(そのうち、「絶対的に正しかった」は九％)。過去の調査と比較すれば「正しかった」とする回答の割合は漸減しているものの、否定派が打ち出す「社会全体vs.共産党体制」の構図に、自らの意見を重ね合わせない層が少なからぬ割合で存在し続けていることを示している(CBOS 2016b：7)。また、共産党関係者や旧体制への協力者などの公職追放を趣旨とする「浄化」と呼ばれた人的な非共産化も徹底せず、ポスト共産主義勢力も引き続き有力政党として存在感を示し続けた。

ここで見た体制転換以降の約一〇年間を、前述の三つの認識パターン間の関係性で説明してみれば、ソ連規格に基づく歴史認識を、それに取って代わるEU規格と民族の規格とが共同して公的な言説から排除していった過程ということになろう。現実政治においても、政権を窺いうる実力を保つポスト共産主義勢力の存在感を前に、ポスト「連帯」系諸勢力は、歴史認識を含む方向性の相違を多く抱えながらも選挙協力によって政権を奪還した。そしてこのポスト「連帯」系政権時に、浄化のための調査・実行機関である「国民記憶院」(IPN)の設置法が制定され、浄化裁判も本格化するのである(小森田 二〇一二：一四一—一四六頁)[4]。

旧「連帯」陣営は政治的に離合集散を繰り返し、二〇〇一年までによりリベラルでEUに親和的な「市民プラットフォーム」(PO)と、より保守的でEUに懐疑的な「法と公正」の二大勢力へとまとまっていく。この過程では、歴史認識の相違も両勢力間に働く遠心力の一つとなった。旧「連帯」陣営の分裂は、歴史論争を次の段階へと進めることになる。

第二次「過去をめぐる戦争」

体制転換後のポーランドにおいて政治状況と連関しながら繰り広げられる歴史論争で、戒厳令導入の評価に次いで争点となったのは、一九八九年四月に妥結した円卓会議の評価だった。円卓会議とは、政権運営に行き詰まった党・政府が一九八九年二月に反体制派との対話の場として設け、およそ二カ月間の協議の結果、「連帯」を再び合法化すること、国会に上院を設置し、その全議席と下院の三五％分の議席を自由選挙で選出する総選挙を実施することなどで合意したものである。一般的に、後のポーランドでの非共産政権の発足と東欧の社会主義体制のドミノ的崩壊の先駆をなす重要な会議と評価されている。

円卓会議後の一九八九年六月の選挙の結果、紆余曲折を経てマゾヴィエツキ政権が発足したが、東欧初の非共産政権との「称号」とは裏腹に、政権の内実は共産党(統一労働者党)の閣僚を含む大連立政権だった。そして前述の通り、一九九三年には早くも統一労働者党の流れをくむ「民主左翼同盟」が政権与党として復権を果たした。旧「連帯」陣営の一部は、こうした非共産化のつまずきの淵源として円卓会議を批判の俎上にのせた。彼らは、マゾヴィエツキ政権を生む元となった円卓会議で、レフ・ヴァウェンサ(ワレサ)をはじめとする「連帯」のエリートが共産主義者と妥協したがために、ポーランドは今もなお、共産主義者と旧体制下の公安組織ネットワークによって統治され続けている、と訴えた。そして、かつての抑圧者と被抑圧者とがないまぜになったまま腐敗によって停滞していく改革を救うために、徹底した旧抑圧者の排除、すなわち「浄化」を訴えたのだった(吉岡 二〇一七：五八―五九頁)。

こうした、円卓会議がポスト共産主義者を延命させた致命的な妥協であり謀議でさえあったとする解釈は、後の二〇〇五年の選挙で「法と公正」が展開した「第四共和国」運動へとつながっていく。第四共和国運動とは、一九八九年以降の第三共和国がポスト共産主義者と共産主義体制への秘密協力者とによって汚染されており、こうした現状を浄化することが真の体制転換を成し遂げるために必要だとするものである。その批判の矛先は、もはや二〇〇五年の選挙以降勢力を減じることになるポスト共産主義勢力ではなく、円卓会議を肯定的に評価し第三共和国の擁護を図るポスト「連帯」穏健派、具体的には「市民プラットフォーム」に向いていた。二〇〇〇年代半ば以降、政治対立の構図も歴史認識をめぐる対抗関係も、ポスト「連帯」勢力どうしで対立する構図へと変化したのだった。

同じころ、旧「連帯」陣営内での歴史認識の相違を可視化し、前景化させたのが、二〇〇〇年に起こったイェドヴァブネ論争だった。これはアメリカのポーランド系ユダヤ人歴史学者ヤン・トマシュ・グロスが、その著書『隣人たち』の中で、ポーランド北東部に位置する小都市イェドヴァブネで一九四一年七月に起こったユダヤ人虐殺事件に、ユダヤ人の隣人たち、すなわち「普通の」ポーランド人が主犯格で関わっていたと指摘したことによって始まった激論である(Gross 2000)。ポーランド人が反ユダヤ主義に染まっていたというグロスによる挑発的な指摘とそれに続く論争は、多くのポーランド人が信じて疑わなかった、ポーランド人は命を賭してユダヤ人を救った事例を多く持つ国民だという、受難・英雄史観に基づく理解を激しく動揺させた。イェドヴァブネをめぐる歴史論争は、EU加盟を控え多様性の尊重や寛容の精神といったヨーロッパ・スタンダードが意識されていた当時の雰囲気とも重なり、ナショナル・ヒストリーの批判的再検討や歴史認識を外に開いていく方向性を強めるきっかけとなった。

しかし、それと同時に、イェドヴァブネ論争は、保守的で自国中心主義的な歴史観を台頭させるきっかけともなった。受難・英雄史観擁護に向けて議論の口火を切ったのは、保守派の論客にして歴史家のアンジェイ・ノヴァクだった。ノヴァクは、一般紙に寄稿した「ヴェステルプラッテか、イェドヴァブネか」と題した論説で、イェドヴァブネ論争以降、ポーランド現代史における「恥辱的側面」に関心が過度に集中し、強調されすぎていると指摘した。ヴェステルプラッテは、一九三九年九月一日にドイツとポーランドとの間で戦端が開かれた、第二次世界大戦勃発の地である。つまりヴェステルプラッテは、ポーランドが第二次世界大戦で最初に被った受難の地でもあり、抵抗運動が始まった英雄的行為を象徴する地でもある。にもかかわらず、ポーランドで第二次世界大戦が語られるとき、ヴェステルプラッテという単語を目にすることはほとんどないとノヴァクは指摘し、国家側からの歴史に関する発信としては、ポーランド国民の偉業的側面を前面に出し、国民共同体の建設に貢献すべきであると主張した(Nowak 2001)。ノヴァクの論説は、EU規格に基づく歴史認識が優勢を占めていたその水面下で、民族の規格に基づく歴史認識が、明白で強力な言葉を伴うある種のテンプレートとして彫琢されつつあったことを示すものだった。

ノヴァクの寄稿は、後の「歴史政策」を予告する主張だった。歴史政策とは、過去についての公的な言説を国内外で強化することを意味する。そして二〇〇五年、「法と公正」が政権の座に就くと、ノヴァクのような主張が歴史政策として具体化していくことになる。

四、歴史政策の求心力と遠心力

肯定的歴史か、批判的歴史か

二〇〇五年の総選挙の結果政権の座に就いた「法と公正」は、選挙前から歴史政策推進の必要性に言及していた。歴史政策が必要だとする背景として、当時、九・一一後のテロリズムとの戦いやアフガニスタンやイラクでの戦争、ロシアでのプーチン政権の発足、ドイツにおける被追放民団体の動きなど、ポーランドを取り巻く国際環境が不穏だとする状況認識があった。そうした中、「法と公正」陣営は、「愛国主義に欠け過去を軽視している」第三共和国のままでは、ポーランドは強力で団結した、備えも十分な国たりえないと危惧していた。また、民族の規格に則った歴史認識をおおむね共有する「法と公正」周辺では、前述のイェドヴァブネ論争の衝撃もまた、歴史政策実践への誘因として作用していた。こうして「法と公正」政権は、ポーランドとポーランド人の美名や名誉を守ること、民族的アイデンティティを再建強化することを掲げて、歴史政策を展開していくことになる。

このとき展開されようとしていた歴史政策の一つのモデルともいうべきイメージを提供したのが、二〇〇四年に開館した「ワルシャワ蜂起博物館」である。この博物館は、「法と公正」の指導者で、二〇〇五年に大統領となるレフ・カチンスキの、ワルシャワ市長在任時(二〇〇二―〇五年)肝煎りの事業であり、ワルシャワ蜂起六〇周年にあわせて開館した。マルチメディア展示や音響効果を惜しみなく使いながら、ポーランド人の誇り、勇気、犠牲、信念などを特定のストーリーと特定のメッセージにまとめあげて提示する、言うなればテーマパーク型歴史博物館である。二〇〇一年にノヴァクが主張した、肯定的歴史の一つの示し方と言えるかもしれない。

歴史政策で強調される肯定的歴史に対しては、自国・自国民史の負の側面も直視すべきという、EU規格に則った歴史認識と重ね合わせての批判が寄せられた。例えば二〇〇一年、ノヴァクの論説「ヴェステルプラッテか、イェドヴァブネか」が寄稿された数日後に、当時国民記憶院で公共教育局長を務めていたパヴェウ・マフツェヴィチが論説を寄稿し、イェドヴァブネよりもヴェステルプラッテを重視すべきとするノヴァクの主張に対して、ヴェステルプラッテもイェドヴァブネも両方とも重要だと述べた。負の過去と向き合えることこそが誇りなのであって、国民共同体の建設のためには、正負の両面を含めて自国史の真実を明らかにしなければならないと論じていた(Machcewicz 2001; 解良 二〇一一：七九頁)。

このマフツェヴィチは、「法と公正」政権から「市民プラットフォーム」政権への交代があった二〇〇七年に「第二次世界大戦博物館」構想を打ち出し、当時のドナルト・トゥスク首相の支持を得て同博物館の館長として開設準備にあたった人物である。その頃、独ポ関係は冷却した状態にあった。一方のドイツ側では、被追放民団体が自らの被害者性を強調する「追放に反対するセンター」設立要求を強めていくなど、ポーランドに対していわば攻勢をかけようとしていた。他方のポーランド側では、「法と公正」政権が保守的で自国中心主義的な歴史政策を展開させ始めていた。こうした状況下でマフツェヴィチは、ヨーロッパにおける人々の第二次世界大戦体験を示す国際的博物館を設立しようとしたのである。ヨーロッパという広がりを持たせることで、ナチ占領体制の過酷さや「ソ連体験」など、西欧に必ずしも認知されていない東欧の経験を紹介できることや、諸国民の経験が並列される中でのポーランドという形を取ることが特長だとされた(Machcewicz 2012: 249-253)。第二次世界大戦博物館構想は、ナショナルな枠に自閉しようとするドイツやポーランドでの動きへの、リベラル・ヨーロッパ志向派からの対抗案とでもいうべきものだった。

マフツェヴィチの国際博物館構想に対しては、「法と公正」側から、ポーランド「独自の」、そして「唯一無二の」経験を相対化し矮小化することへの危惧や、「ポーランド人の受難の代わりにドイツ人の恥辱を取り上げようとしている」といった批判が上がった(Machcewicz 2012: 47)。こうした政治も絡んでの応酬が影響し、第二次世界大戦博物館は二〇〇八年九月一日に形だけの発足をした後、二〇一七年三月まで開館に至らなかった。その間、二〇一五年には「法と公正」が政権に返り咲き、歴史政策の第二波の展開に着手していた。開館前の最終局面で「法と公正」政権は博物館の側に攻勢をかけ、政権に都合のよい形での機構改変や人事介入を行った。その結果、マフツェヴィチは開館後二週間も経たずして館長を解任された。その後も「法と公正」政権は博物館の常設展の展示内容にも介入し、一部の展示の変更も断行した(Machcewicz 2017: 253-286)。

以上の流れは、EU規格に則った歴史認識と民族の規格に則った歴史認識とが衝突した際の展開のパターンと、二〇一〇年代後半における両者間の力関係を示す例だと言えよう。

歴史政策のゆくえ

二〇一五年に政権を奪還した「法と公正」は、政権が長期安定化の兆候を示す中で、二〇〇五年からの第一次政権期と比べて量的にも質的にも強度を増した歴史政策の第二波を展開している。その背景として、「法と公正」周辺の歴史に関する言動が、二〇一〇年のスモレンスク政府専用機墜落事故(5)以降より感情的なものとなり、ときに過激化・粗暴化する中で、反ユダヤ主義的で排外主義的な極右の言動とも接続し、新たな広がりを見せ始めていることが指摘できる。一例を挙げると、第二次世界大戦末期から戦後初期にかけての共産党体制支配確立過程で弾圧された地下武装組織の兵士を、「呪詛された兵士たち」として顕彰する動きがある。これらの武装抵抗者は、犯罪集団に等しい場合であっても、また反ユダヤ主義的言動が確認できたとしても、さらにはドイツ占領当局との協力が疑われるような場合であっても、反共という一点で英雄視され顕彰されようとしている。

また、歴史政策が国際問題化する事例が多く見られるようになっているのも、歴史政策の第二波における特徴の一つである。例えば、二〇一八年一月二六日に制定された改正国民記憶院法は、ポーランド国民もしくはポーランド国家がナチスの犯罪に加担したと想起させるような表現や、ナチスがポーランドに建設したアウシュヴィッツなどの収容所を「ポーランドの」と呼ぶことを禁じ、違反の場合の刑事罰を定めていた。これはアメリカやイスラエルからの反発を招き、この改正は同年六月に撤回された。ポーランドでは、こうした歴史政策の展開を批判する声も強いが、同時に国際的な批判に対する反発も強い。歴史政策が国民を結束させ、そして同時に、引き裂いている。

このように攻勢をかける民族の規格に則った歴史認識に対し、EU規格に則った歴史認識は防戦一方を強いられ、低調をかこつ状況にあると言える。マフツェヴィチらが拠って立つ、EU規格に則った歴史認識と親和的な批判的歴史は、そもそも相手がいないと、つまり英雄史観など肯定的歴史を前にしないと強みを発揮できない面を持つ。民族の規格に対抗しうるような積極的なポーランド像・ポーランド国民像を提起できないでいるのである。また「誰の歴史か」を問うとき、歴史の主体たる「私たち」の範囲は、EU規格に則った歴史認識の場合、ヨーロッパなり人類なり、往々にして「国民」や「民族」の枠を超えてしまう。難民問題に揺れ、まして昨今ではコロナ禍で閉鎖的になっている状況では、人々は「国民」や「民族」という括りの方に、より実存的な現実感を覚えることもあるのかもしれない。和解の共同体として想起しうる範囲が、政治地理的にも、また一個人の想像力においても、縮小傾向にあると言えよう。

五、歴史認識問題をめぐる理想主義と現実主義

ヨーロッパの歴史認識をめぐる対立と相互理解について考察するにあたり、ポーランドを事例として、冷戦終結と体制転換以降の約三〇年間にわたる「過去をめぐる戦争」の諸相を見てきた。その過程で、ポーランドで歴史認識のずれが国内外に多様な分断線を生み、過去が政治的資源として機能している現況の一端を垣間見ることができた。こ

うした状況は、過去の克服による独仏和解という輝かしい実績を誇る、和解の共同体たるヨーロッパの中では例外的な現象なのだろうか。決してそうではなく、「世界の各所で過去が政治化され紛争化させられる実にさまざまの局面」(橋本 二〇一八：vii頁)の中にポーランドもあり、そして他のヨーロッパ諸国・地域もその中に置かれつつある。

かつてE・H・カーは、第一次世界大戦後の平和が終わりを告げようとする一九三九年に、両大戦間期の国際政治に展開した理想主義と現実主義の関係を分析し、次のように述べた(カー 二〇一一：三八頁)。

学問の発展過程では、思考が願望に与える衝撃は、この最初の非現実的な構想が挫折した後にみられるものであり、それはとりわけユートピア的時代の終焉を画するものである。すなわち願望に対するこの思考の衝撃こそ、一般にリアリズムと呼ばれるものである。初期段階での夢のような願望に対する反動を象徴するかのように、リアリズムは批判的でいくぶんシニカルな性格を帯びる傾向にある。思考の分野では、リアリズムは事実の容認および事実の原因・結果の分析に重きを置くのである。

冷戦終結後三〇年の歴史認識をめぐる諸問題の現状は、カーが「危機の二〇年」を経てユートピア的時代の終焉を喝破した当時と類似しているとも言える。それは、和解の共同体という理想が実現するかに思われたヨーロッパにおいてさえ、歴史認識をめぐる対立の滲出が覆いがたい現実となっていく「危機の三〇年」だった。

何かの問題が解決に向かうとき、そうあるべきだという道義上の動機と、そうする(もしくはそうしない)ことに利益があるという現実政治上の動機の両面がある。歴史認識をめぐる対立に「和解」という解決がもたらされるときも例外ではない(武井 二〇一七)。歴史認識問題において、対立ではなく相互理解が望ましいとするのであれば、道義のみに拠ることなく、今や過去の克服さえもが過去となりつつある現実を見つめることを出発点に、新たな戦略を立てる必要があるのではなかろうか。

注

（1）第二次世界大戦の結果ポーランドは、ソ連に領土の東部を併合された代償として、ドイツ領の一部が割譲されることとなり、ポーランドの地理的な中心が約二五〇キロメートルも西進する大幅な国境線の移動を経ることになった。戦後ポーランド領となる地域に居住していた約八五〇万人とも一〇〇〇万人とも言われるドイツ系住民は、ドイツへの移住を強いられた（ナイマーク 二〇一四、川喜田 二〇一九）。

（2）第二次世界大戦の緒戦でポーランドは、ドイツだけでなくソ連からの侵攻も受けた。このときソ連軍の捕虜となったポーランド軍将校など二万人超が、一九四〇年にソ連内務人民委員部（NKVD）によって殺害された。独ソ戦勃発後の一九四三年に、殺害された捕虜の死体がドイツ軍によって発見されると、ソ連の犯行を疑うポーランド亡命政府とソ連とが対立し、両者は断交した。この一連の事件を、捕虜の死体が発見された土地の名をとってカティン事件と呼ぶ。ソ連は捕虜殺害の事実を一九九〇年まで否定し続けた。

（3）ワルシャワ蜂起は、第二次世界大戦中の一九四四年八月一日にドイツ占領下のポーランドの首都ワルシャワで勃発し、六三日間続いた武装蜂起。蜂起は多くの犠牲者を出した末に敗北したが、このとき、自らが後ろ盾となるポーランド共産政権を発足させていたソ連は、蜂起に対し効果的な支援を与えなかった。ソ連が蜂起を見殺しにしたとの見方は戦後期を通じて強固なものであり続け、ポーランド社会における反ソ感情を強める一因となった。

（4）浄化の手続きを定めた一九九七年の法によると、公的職務を遂行する者は、公職への立候補または就任に際して、共産党体制下の公安機関に勤務または協力したか否かについての声明を提出しなければならなかった。その声明の真偽を審理するのが浄化裁判で、公安への協力者としての「前歴」を突きつけて公人を浄化裁判にかける政治的醜聞が続出した。

（5）二〇一〇年四月、カティン事件七〇周年追悼式典に向かうポーランド政府専用機がスモレンスク郊外で墜落し、レフ・カチンスキ大統領以下政軍の国家要人を含む搭乗者全員が死亡する事故が起こった。悪天候による事故と結論づけた調査報告の一方で、陰謀論まがいの説でロシアや当時の与党「市民プラットフォーム」を非難する言説も後を絶たない。

参考文献

カー、E・H（二〇一一）『危機の二十年——理想と現実』原彬久訳、岩波文庫。

川喜田敦子（二〇一九）『東欧からのドイツ人の「追放」――二〇世紀の住民移動の歴史のなかで』白水社。
解良澄雄（二〇一一）「ホロコーストと「普通の」ポーランド人――一九四一年七月イェドヴァブネ・ユダヤ人虐殺事件をめぐる現代ポーランドの論争」『現代史研究』五七。
小森田秋夫（二〇一二）「ポーランドにおける「過去の清算」の一断面――二〇〇七年の憲法法廷「浄化」判決をめぐって」『早稲田法学』八七―二。
武井彩佳（二〇一七）『〈和解〉のリアルポリティクス――ドイツ人とユダヤ人』みすず書房。
ナイマーク、ノーマン・M（二〇一四）『民族浄化のヨーロッパ史――憎しみの連鎖の二〇世紀』山本明代訳、刀水書房。
橋本伸也編（二〇一八）『紛争化させられる過去――アジアとヨーロッパにおける歴史の政治化』岩波書店。
畑博行・小森田秋夫編（二〇一八）『世界の憲法集』第五版、有信堂。
吉岡潤（二〇一七）「ポーランド――国民記憶院」橋本伸也編『せめぎあう中東欧・ロシアの歴史認識問題――ナチズムと社会主義の過去をめぐる葛藤』ミネルヴァ書房。
吉岡潤（二〇一八）「ポーランド現代史における被害と加害――歴史認識の収斂・乖離と歴史政策」剣持久木編『越境する歴史認識――ヨーロッパにおける「公共史」の試み』岩波書店。
CBOS (2016a), "Świadomość historyczna Polaków", *Komunikat z badań*, nr 68.
CBOS (2016b), "Trzydziesta piąta rocznica wprowadzenia stanu wojennego", *Komunikat z badań*, nr 168.
Gross, Jan T. (2000), *Sąsiedzi. Historia zagłady żydowskiego miasteczka*, Sejny: Pogranicze.
Machcewicz, Paweł (2001), "I Westerplatte, o Jedwabne", *Rzeczpospolita*, 9/08/2001.
Machcewicz, Paweł (2012), *Spory o historię 2000–2011*, Kraków: Znak.
Machcewicz, Paweł (2017), *Muzeum*, Kraków: Znak horyzont.
Nijakowski, Lech (2017), "Uchwały sejmowe jako mechanizm polityki pamięci", *Przegląd Humanistyczny*, nr 2.
Nowak, Andrzej (2001), "Westerplatte czy Jedwabne", *Rzeczpospolita*, 1/08/2001.
Snyder, Timothy (2003), *The Reconstruction of Nations: Poland, Ukraine, Lithuania, Belarus, 1569–1999*, New Haven & London: Yale University Press.

コラム｜*Column*

世代を越えた問いに向き合う
——満蒙開拓平和記念館

三沢亜紀

「ドイツ人という、ユダヤ人に対してこれほどの被害をもたらした民族の一員であるということは、自分にとって耐え難い……」

一瞬、空気が変わったのを感じた。静まり返った会場。一〇〇人を超える聴衆を前に行われた三時間半に及ぶシンポジウムの最後の場面だった。美しい白髪のヘルガ、八四歳。ドイツの敗戦により、当時のチェコスロヴァキアにあった生家を追われ、ソヴィエト軍に追い立てられながら弟たちと何日も歩き続けた。その「追放」は暴力的であり、当時の残虐な光景が今も彼女を苦しめている。多くの人々がその途上で家族や仲間を失い、ヘルガたちは爆撃で破壊されたケルンの街の親戚の家に辿り着き、肩身の狭い思いをしながら戦後をスタートさせた。

＊

南信州にある私たちの記念館は、風化しつつある満蒙開拓団の歴史を伝え残したいという人々の思いが結集してようやくつくられた小さな民間運営の施設である。ヘルガとの出会いは、ここを拠点につながった人たちが導いてくれたものだった。二〇一八年六月、訪問先のドイツのボンにある国立歴史博物館で、「被追放者女性同盟」の幹部であるヘルガたちと懇談の時間を持つことになったのだ。

「ドイツ人追放」。ヨーロッパにおける第二次世界大戦はドイツの敗戦で幕を閉じるが、それによって民族の大移動が始まる。戦禍を逃れて故郷を離れた人は故郷に帰る。兵士は家族のもとへ。そしてドイツ人は、ナチス・ドイツが触手を伸ばした占領地をはじめ、数世紀にわたってドイツ民族が住んでいた土地からも「追放」あるいは「移住」させられた。その数、一二〇〇万人。

ヘルガの体験は、「満州国」を追われる開拓団の姿に重なるものだ。日本が中国東北部を占領し打ち立てた「満州国」に農業移民として渡った満蒙開拓団も、ソヴィエト軍の侵攻によって土地を追われ、現地の人たちからの襲撃を受ける。女・子どもの悲惨な逃避行や、生死の極限に追い込まれた避難民収容所。そして、引き揚げ後の苦労や周りの人たちとの軋轢《あつれき》。満州からの引揚者とドイツの被追放者。ヨーロッパの方がより複雑だが（国境の移動やドイツの分割など）、敗戦国の国民が占領地（敗戦により他国の領土となった土地を含め）において背負わされたものや戦後の境遇は驚くほど似ている。

しかし、今を生きるヘルガたちの姿は圧倒的だった。ドイツの加害の側面を含め、自国の歴史を堂々と語り、自分たちがその中にどう位置付けられたか、その不条理を客観的に検

ヘルガ(右)と元開拓団の女性(記念館撮影)

証し、国の制度や教育についても言及し、さらに自らの体験を社会に還元することを使命とするという。

　被追放者たちは苛酷な体験を強いられた言わば戦争の被害者である。戦後は国境線をめぐる問題で領土返還を訴え、一部は右派のイデオロギーと結びついた。しかしドイツは国際協調へと歩み出し、ナチ政権時の大罪を自国の歴史として向き合い、近隣諸国との和解を成し遂げていく。被追放者女性同盟会長のマリアは言う。「私たちの一番の課題は、自分たちから隣人のところへ出向きお互いの経験を話し合うことである」と。彼女たちは対話と学びによって、自分たちと同じように傷ついた隣人を知り、お互いの理解を深めていったのだ。それによって、自らの被害の感情を乗り越え、加害にも向き合い、自分たちの経験をこの社会の中に還元し平和に寄与していこうとしている。

　一方で、日本の引揚者たちはどうだったのか。多くの人々はこのような機会がないまま戦後を生き抜いてきた。当事者は口を閉ざし、開拓団を送り出した社会もこの歴史に向き合おうとしなかった。彼らは個人のつらい体験を自分の責任として抱えたままなのだ。対話と学びが真実に向き合う力となり、社会の力にもなることを、ドイツの女性たちが体現してくれていた。被害の傷も、加害の痛みも、私たちの歴史として支え合いながら共に学ぶことが、和解にも繋がるはずだ。

＊

二〇一九年一〇月。ドイツから「被追放者女性同盟」の三名を招いて「対話から学ぶ歴史と未来　日本とドイツの引揚者・帰国者の戦後」と題したシンポジウムを開催した。

　ヘルガは低音の響く声で静かに語り始めた。「私たちが持っている罪。これをどうやって担っていくべきか、どういうふうに償えるのか、答えはない」。彼女は自分なりの解決の道を今も歩み続ける。ユダヤの人たちの文化や歴史について興味を持ち、交流し、友情を培う。歩み寄る勇気と貪欲に学ぼうとする行動力は、この訪日が物語っていた。シンポジウムのエンディングで、ヘルガと元開拓団の女性が手を取り合った(写真)。満場の拍手と笑顔。ヨーロッパとアジアの歴史がクロスする、心震える奇跡の瞬間だった。

　満蒙開拓とはいったい何だったのか。私たちはこの歴史の地続きに立つ。これからも学び続けよう、過去から未来への橋渡し役として。

焦点 | *Focus*

東アジアの歴史認識対立と対話への道

笠原十九司

一、東アジアの歴史認識対立構造の変容

東アジアの歴史認識対立の構図は日本が中心となって、他の国家・国民と対立する構図になっている。それは日本の歴代自民党政府を含む日本国民が、植民地支配の責任と侵略戦争の加害責任を公式に認めようとせず、被害国の国民を納得させる方法での反省と謝罪、さらには賠償、補償、すなわち「過去の克服」をしてこなかったことによる。

東アジアの歴史認識対立の基本構造から生ずる、国際化した歴史問題の発生の震源は日本側にあるが、本稿では紙数との関係で、二一世紀になって発生した東アジアの歴史認識対立の問題について論じたい。それ以前の東アジアの歴史問題については、本巻「展望」を参照されたい。

「東アジア共同体論」の登場と「東アジア史」の流行

「東アジア共同体」構想は、一九九〇年にマレーシアのマハティール首相によって打ち出された「東アジア経済グループ」(ＥＡＥＧ)構想を端緒とするが、一九九七年に東南アジア諸国連合(ＡＳＥＡＮ)に日中韓三国が加わったＡＳ

EAN＋3(APT)が成立、二〇〇五年には東アジア首脳会議(EAS)が開催された。中国のWTO(世界貿易機関)加盟(二〇〇一年)を契機に日本企業の中国進出が加速され、対中投資も増大、日中貿易総額が増加の一途をたどり経済関係は緊密化した。

韓国では二〇〇〇年六月一三―一五日、金大中《キムデジュン》大統領と金正日《キムジョンイル》総書記との初の南北首脳会談が実現して以後、南北の経済交流と人の交流が開始された。二〇〇二年九月一七日、北朝鮮を訪問した小泉純一郎首相が北朝鮮の金正日国防委員長と会談し、「日朝平壌《ピョンヤン》宣言」に調印、日本の植民地時代の過去の清算、日朝国交正常化交渉の開始などを謳った。もしも日朝国交正常化が進展していれば、東アジア共同体の形成へ向けた歴史の流れは加速されたと思われるが、北朝鮮の拉致問題が明るみに出たことから、日本の国内世論が反発、さらにアメリカのブッシュ政権が、アメリカを差し置いた「平壌宣言」に反対したため、同宣言は有名無実化した。それでも「平壌宣言」が調印されたことは、当時の交流が活発化した東アジア国際関係を示した証として記憶されて良いだろう。

以上のような東アジア国際関係を背景に、日中韓の民間往来も増加、二〇〇七年の一年間で、約三九八万人の日本人が中国を訪れ、約一一四万人の中国人が日本を訪れた。日本に留学した中国人学生は約一〇万人にのぼった。同じく二〇〇七年に日本人と韓国人の往来は、四八四万人に達し、この年は訪日韓国人数が訪韓日本人数を上回った。中国人、韓国人の訪日の増大を反映して、日本の多くの都市において、駅や道路の標識や案内板に英語に加えて中国語と韓国語の表示がなされるようになり、特急列車などでは中国語と韓国語がアナウンスされるようになった(日中韓3国共同歴史編纂委員会 二〇一二:二〇三、二〇七頁)。

経済的にはすでに緩い東アジア経済圏の基盤の形成を思わせる時代の到来により、金子勝・藤原帰一・山口二郎編『東アジアで生きよう! 経済構想・共生社会・歴史認識』(岩波書店、二〇〇三年)、和田春樹『東北アジア共同の家——新地域宣言』(平凡社、二〇〇三年)、谷口誠『東アジア共同体——経済統合のゆくえと日本』(岩波新書、二〇〇四年)、新藤榮一『東アジア共同体をどう作るか』(ちくま新書、二〇〇七年)など、東アジア共同体構想を展望する書の出版が相次いだ。さらに、日本で出版された歴史書に、「東アジアの〇〇」と「〇〇の東アジア」などと「東アジア」を冠した歴史書が流行した。

二、歴史研究者・歴史教育者による歴史対話の試み

二一世紀に入り、日中韓の大学間の学術交流、歴史学界の共同研究や国際シンポジウム企画が以前にも増して活発化し、それぞれの機関、組織、団体において、東アジアの歴史認識対立の問題を取り上げ、その対話と和解、歴史認識の共有などが模索されるようになった。これらの動向全体をまとめることは、本稿の紙数の制約から無理なので、筆者が重要と思った例をいくつか紹介してみたい。

歴史教育研究会(日本)と歴史教科書研究会(韓国)

日本の歴史教育研究会は東京学藝大学の教員とその卒業生の高校教員と大学院生を中心とするメンバーで構成され、韓国の歴史教科書研究会はソウル市立大学校国史学科の教員と教育大学院生(現職の中高教員でもある大学院生)と大学院生を構成メンバーとしている。後に両校は研究・教育交流協定を結ぶ関係になった。

両会は一九九七年一二月一三日の第一回から二〇〇五年まで、一五回にわたり「日韓歴史教科書シンポジウム」を開催した。前半では日本と韓国の歴史教科書の叙述を古代史から現代史まで比較検討し、その内容は歴史教育研究会編『日本と韓国の歴史教科書を読む視点——先史時代から現代までの日韓関係史』(梨の木舎、二〇〇〇年)にまとめられた。後半は、日韓で共通のテーマを設定し、四—六頁の範囲で、自国の高校生を意識しつつ、教材案を作成した。

共通教材作成の試みの内容は、歴史教育研究会編『日本と韓国の歴史共通教材をつくる視点——先史時代から現代までの日韓関係史』(梨の木舎、二〇〇三年)として出版された。

両会の活動は、二〇〇七年三月に歴史教育研究会(日本)・歴史教科書研究会(韓国)編『日韓歴史共通教材 日韓交流の歴史 先史から現代まで』(明石書店、二〇〇七年)を刊行して終了した。同書は、日本と韓国の高校生を対象にして、日本語と韓国語で書かれた日韓関係史の教材で、両国の市民にも読んでもらうことも想定していた。日本と韓国の歴史認識の溝を埋め、共通の歴史認識を探求しようとしたのである。

三、戦争被害者との歴史対話——中国人戦後補償裁判運動

草の根の「過去の克服」運動

筆者はかつて「草の根の「過去の克服」運動——アジア諸国民との和解への道」と題して、「戦後一貫してアジア太平洋の民衆に対する戦後処理・戦争責任問題を回避してきた日本政府に代わって、国民の側で、自覚的・良心的に「負の過去の克服」の努力と運動を推進してきたところに、国際社会における日本の孤立化をある程度救い、アジア諸国民との和解への道が(現段階では、広い道とはいえないが)切り開かれてきている」と述べた(笠原 一九九四:二二〇頁)。この指摘は、一九九〇年代後半から始められ、二一世紀に入って活発化した中国人戦後補償運動にそのまま当てはまった。

運動は一九九五年八月七日、南京虐殺・無差別爆撃・七三一部隊事件を東京地裁へ提訴したのを皮切りに、日中戦争の中国人被害者救済を目的として、中国人戦争被害賠償請求事件弁護団が結成された時から始まる。裁判は、日本の国と政府ならびに関連企業が被害者たちへ真摯な「謝罪」を表明し、その証として補償金を支払い、遺族にたいし

弔慰金を支払うことを求めた。団長には、家永三郎教科書裁判の最後の弁護団長をつとめた尾山宏、幹事長は小野寺利孝が就任したが、後に団長代行となり、弁護団の活動を牽引した。尾山が団長を引き受けたのは「三〇年を超える長期裁判となった家永訴訟の闘いを通して、アジアの国々から日本の歴史認識が厳しく問われていることを痛感し、強い危機感を抱いていた。歴史認識の基本は「事実」であるから、尾山は中国人戦後補償裁判で戦争犯罪の「加害」と「被害」の事実を明らかにすることができれば、国と国民の正しい歴史認識を確立する上で大いに役立つはずだと考え」たからである(中国人戦争被害賠償請求事件弁護団 二〇〇五：一四頁／以下本節は、同書および中国人戦争被害賠償請求事件弁護団 二〇二一による)。

弁護団は以下のように、事件ごとに組織された。①南京虐殺・無差別爆撃事件・七三一部隊事件、②中国人「慰安婦」事件、③中国人強制連行・強制労働事件(劉連仁事件を含む)、④平頂山事件、⑤旧日本軍遺棄毒ガス・砲弾被害事件、⑥海南島戦時性暴力被害事件である。

中国人強制連行・強制労働事件では、北海道、山形、新潟、群馬、長野、東京、京都、福岡、宮崎の各地方裁判所に提訴し、それぞれの地方で弁護団が組織された。それは、戦前日本へ連行されてきた中国人は、当時の企業三五社により、全国一三五カ所の事業所で強制労働に従事させられていたので、連行された事業所の所在地を管轄する裁判所へ、国と企業を被告として提訴できたからである。日本軍と企業による戦争被害全般におよんだ訴訟活動に参加した弁護士は延べ五〇〇人を超えた。

日本の市民と戦争被害者との「歴史対話」

弁護団の結成と同時に「中国人戦争被害者の要求を支える会」(以下、支える会)が市民を中心に組織され、法廷で証言する数多くの原告を日本に迎え、帰国するまでの世話から始まり、法廷外における戦争被害者の証言を聴く会などを全国各地で数多く開催し、裁判闘争と歴史認識に関する世論の理解・支持を拡げ、裁判に不可決な重要な活動を担った。

「支える会」は全国に三〇〇〇人ほどの会員を擁し、裁判で原告が来日すると傍聴の呼びかけをしたり、裁判に前後して全国各地で中国人戦争被害者の証言集会を開催した。各地で活躍した支援者が被害者の証言を聞き、それを周りに広げる活動をした。地方ではそれぞれの地元メディアが大きく取り上げ、日本軍の残虐行為の実態が次第に知られるようになった。「支える会」は法廷における被害者の証言や、証言集会において被害者が語った被害体験の記憶をパンフレットなどにまとめて、広範な人たちに配布した。その意味で、「支える会」の市民運動は、日本軍の侵略と加害の歴史について、中国人被害者、犠牲者と加害側の日本国民の歴史和解をめざした歴史対話の場になったと意義づけることができる。

一連の中国人戦争被害訴訟では、二〇〇七年四月二七日の最高裁判所の判決において、個人賠償請求については、一九七二年の「日中共同声明」を根拠に放棄された。また、損害賠償請求は不法行為から二〇年で賠償請求権が消滅する「除斥期間」に該当し、さらに「国家賠償法」(一九四七年一〇月二七日施行)前の不法行為には国は賠償責任を負わないとする「国家無答責」などの法律論で、中国人被害者にたいする謝罪と賠償の要求は棄却された。

一連の訴訟は、二〇一四年一〇月二八日、遺棄毒ガスのチチハル事件・敦化事件の最高裁の上告棄却をもって終了した。中国人戦争被害者が求めた、国家と政府の謝罪と賠償は日本の司法界の厚い壁によって認められなかったが、それぞれの裁判で法廷に提出された日本軍による加害の事実は多くの裁判所が認定した。戦争賠償訴訟で扱った事件の多くは、現在も東アジアにおける歴史認識対立の争点となっている歴史問題である。したがって、一連の裁判で、認定された加害事実の意義は重要である。日本の弁護士が中国の現場へ赴き、現地の弁護士や研究者、住民らと協力して歴史事実を掘り起こし、事実の積み重ねによって当時の日本軍や政府の不法行為を明らかにした活動は、加害者側の国民が被害者側国民との歴史対話をおこない、歴史認識の共有に到達したという一つの「歴史和解」の成立ともいえる。

弁護団が法廷準備段階で中国人戦争被害者から聞き取った証言、さらに法廷における原告中国人の証言は、総合すれば「壮大なオーラル・ヒストリー」となるものであった。

四、二一世紀の東アジアの歴史認識対立

二〇〇一年の歴史教科書問題

「東アジア共同体論」が登場し、歴史学界、歴史書出版界において「東アジア史」が流行したのは、史上もっとも良好といわれた日韓関係、そして経済を中心に活況を呈した日中関係が背景にあったからだが、それが急速に悪化する転機の一つとなった事件が二〇〇一年に発生した。

二〇〇一年四月三日、「新しい歴史教科書をつくる会」(以下、つくる会)が扶桑社から発行した『新しい歴史教科書』と『新しい公民教科書』が文部科学省の教科書検定で合格したことが発表された。「つくる会」は一九九七年一月に結成(会長西尾幹二、副会長藤岡信勝)され、保守・右翼勢力の国民運動のかたちをとって、日本の現行教科書の南京大虐殺や日本軍「慰安婦」の記述などにたいする批判攻撃を展開するとともに、日本の侵略戦争と植民地支配を肯定する歴史教科書の作成をめざして精力的な活動を開始していた。その「つくる会」の教科書が教科書検定に合格したのである。

これにたいして、韓国政府は五月八日に「つくる会」の教科書の二五カ所の記述についての修正要求を日本政府に提出した。韓国政府が第一に指摘したのは、『新しい歴史教科書』は、一九八二年一一月に日本政府が約束した「近

隣諸国条項」(本巻「展望」五九頁参照)に反していることであった。そして、①日本の歴史を美化するために韓国の歴史を貶めた、②日本軍による「慰安婦」の強制動員事実を故意に欠落させ、太平洋戦争当時の人倫に悖《もと》る残虐行為の実態を隠蔽し、③植民地支配に関する反省がない、など全体の批判をおこなったうえで、前述の要求意見を提出した(別冊歴史読本 二〇〇一:一七四―一八〇頁)。

中国政府も五月一七日に「つくる会」の歴史教科書に、八項目についての訂正要求をまとめた覚書を日本政府に提出した。たとえば、盧溝橋《ろこうきょう》事件の偶発性を強調した記述にたいして「日本は三〇年代初頭より全面的な軍事侵略を計画的に準備し始めていた」と指摘した。また南京大虐殺について根拠資料に乏しいとする記述にたいして、「日本軍が一般人や捕虜に対して計画的に大規模な虐殺を行った事実を隠している。(中略)南京大虐殺の真実性や極東国際軍事法廷の結論を疑うよう誘導する意図がある」などと批判し、記述の訂正を要求した(波多野 二〇〇一:二二四頁)。

文科省はこれらにたいし、「明白な誤りとはいえない」などの回答をして両国の反発を招いた。韓国政府は七月一二日、教科書問題への対抗措置として、一九九八年から段階的に実施していた日本文化の開放政策を停止、自治体や民間レベルの交流事業も中止された。

『新しい歴史教科書』にたいしては、日本国内において、歴史学者、教育学者を中心に研究者からも激しい批判運動が展開された。たとえば、小森陽一・坂本義和・安丸良夫編『歴史教科書 何が問題か――徹底検証Q&A』(岩波書店、二〇〇一年)、別冊歴史読本『テーマ別検証 歴史教科書大論争』(新人物往来社、二〇〇一年)、『歴史教科書問題 未来への回答 東アジア共通の歴史観は可能か』(『世界』別冊第六九六号、岩波書店、二〇〇一年一二月)などが相次いで出版され、『新しい歴史教科書』の誤りや問題点を具体的に批判した。

日本国内では、『新しい歴史教科書』『新しい公民教科書』を全国の教科書採択地区で教育委員会に採択させない市民運動が、家永教科書裁判闘争を支えた「支援する会」組織を継承、発展させて一九九八年に「子どもと教科書全国ネット21」を結成した。数千人の会員を有したこの組織を中心に、保護者、市民、教員、研究者、労働者などが参加してより広範な運動が活発に展開され、『新しい歴史教科書』の採択は五三一冊(採択率〇・〇四%)、『新しい公民教科書』は八四八冊(同〇・一%)に止めた(俵 二〇二〇：二八五頁)。

このように『新しい歴史教科書』の中学校での採択が抑えられた結果、韓国や中国の反発も鎮静化していった。

二〇〇五年の歴史教科書問題

二〇〇五年は中国の抗日戦勝利六〇周年にあたり、中国では、映画、テレビ、国際シンポジウム、記念出版、記念展示、大衆集会等々、抗日戦争に関する記念企画・記念行事が目白押しに実施され、中国国民とくに若者に日本の中国侵略・加害の歴史について、南京大虐殺をはじめとするさまざまな虐殺・残虐事件について、改めて想起させる年になった。

韓国では日本の植民地支配からの「光復」すなわち独立達成六〇周年にあたったことや竹島(独島《トクト》)問題が新たな争点になったこともあり、日本の植民地責任を問題にする機運が高まっていた。

その二〇〇五年の年四月五日、日本の文部科学省は翌年度から使用開始される中学校歴史教科書の検定結果を発表した。検定の結果、政府と「つくる会」が一体となった教科書攻撃により、一九九七年に検定合格した七社全社の歴史教科書に「従軍慰安婦」が記述されていたのが、〇五年に合格した八社(「つくる会」の教科書が加わり八社となった)の教科書から「従軍慰安婦」の用語が本文の記述から消え、「強制連行」の記述を残したのが二社だけになった。南京大虐殺事件(南京事件)の犠牲者数を二〇万人と記したのは一社だけになったのをはじめとして、侵略・加害の記述が大きく後退した。いっぽうで日本の侵略戦争、植民地支配を肯定した「つくる会」の教科書が二〇〇一年につづいて検定合格した。

同日の「NHKニュース7」の報道によれば、今回の日本の教科書検定の結果にたいして中国外務省報道官は、その日のうちに「(教科書問題の本質は)日本が軍国主義の侵略の歴史と向き合い正確な歴史観をもって若い世代を教育できるかということだ」とコメントを発表した。いっぽう、上海や天津、瀋陽、香港、深圳《しんせん》、長沙など中国各地では、青年・学生・市民などによる、抗議デモが展開された。日系スーパーマーケットのウィンドウが割られる被害も発生した。コンビニの中国チェーン店経営協会のホームページでは「一部の日本人と日本企業は歴史を認めず、過去の罪を認めようとしない。歴史教科書から南京大虐殺や日本軍「慰安婦」の記述を削除しようとしている勢力がある」として日本製品のボイコットを呼びかけた。

この時、中国では歴史教科書の検定に激しい批判が集中したが、韓国は、公民教科書と地理教科書の検定に批判が集中した。それは、「韓国とわが国が領有権をめぐって対立している竹島」という記述にたいして、「誤解のおそれがある」と検定意見がつけられ、「韓国が不法に占拠している竹島」と書き改めさせられた教科書があったように、竹島(韓国では独島《トクト》)を「日本の固有の領土である」と多くの教科書が記述したからである。韓国政府はさっそく「韓国の解放の歴史を否定するものにほかならない。日本の独島の領有権主張は、過去の植民地支配を正当化するものである」と深刻な憂慮を表明した。

五、日韓歴史共同研究と日中歴史共同研究

日本でも韓国でも大きな問題となった二〇〇一年の教科書問題への対応として、日韓両国政府は、二〇〇二年五月に日韓歴史共同研究委員会を発足させた。後述するように二〇〇七年四月に新たに日韓歴史共同委員会が発足したので、前者を第一期、後者を第二期と称するようになった。第一期は、古代、中近世、近現代の三つの分科会に分かれ

て報告と討論をおこない、二〇〇五年六月に終了した。

第一期では、日本側は「つくる会」教科書の引き起こした問題は、教科書検定制度上の問題であって歴史研究とは別であるという立場をとり、教科書編纂の参考になることを期待した韓国側と対立した。日本では日韓文化交流基金が各分科会の研究報告を簡易製本(四冊)に印刷しただけで、国民一般にはほとんど知られなかった。第一期日韓歴史共同研究は事実上決裂して終わったが、その主要な原因は政府が「一本釣り」で日本側委員の人選をおこなったことによる。日本側委員には、韓国併合条約を「合法」とみなし、日本の朝鮮半島支配の歴史を肯定的にとらえる委員がいた。

二〇〇五年の歴史教科書問題において、再び歴史認識問題をめぐって激しい応酬が展開した日韓両国の世論の鎮静化をはかるべく、第二期日韓歴史共同研究委員会が二〇〇七年六月に発足した。第二期には歴史教科書問題を検討する「教科書小グループ」が設けられた。第二期は二〇〇九年一一月に終了したが、第一期と同様、成果なく終わった。

二〇〇六年の終戦記念日の八月一五日、小泉首相が靖国神社を公式参拝したことにたいし、中国政府と国民から「首相のA級戦犯合祀の靖国神社参拝は、日本の侵略戦争を肯定するものだ」と激しい反発が巻き起こった。しかし、小泉首相はすぐに任期満了で退陣、替わって第一次安倍晋三内閣が九月二六日に発足した。安倍首相は一〇月に中国を訪問して、胡錦濤《こきんとう》国家主席に日中歴史共同研究を提起して合意を得た。日中歴史共同研究も二〇〇五年の教科書問題への対応として、外務省筋が準備したものだった(波多野 二〇一一:二二八頁)。二〇〇六年一二月、麻生太郎外相と李《り》肇星《ちょうせい》外交部長との会談で実施枠組みが決定され、同年一二月に両国各一〇名の委員の初会合が北京でもたれた。日本側委員は政府が人選し、北岡伸一が座長をつとめ、中国側座長は歩平が任じた。古代・中近世史分科会と近現代史分科会に分かれて、共同研究が開始された。二〇〇九年一二月に日中歴史共同委員会の最終会合が東京で開催され、最終確認をおこなって終了となり、翌年一月に「報告書」の公表となった。

日中歴史共同研究は日韓歴史共同研究と異なり、学問的に友好な雰囲気のなかで研究報告と討論がおこなわれたが、中国側の要請で戦後史の部分と分科会の討論内容は公表されなかった。近現代史分科会の報告書の内容は、日中戦争を日本の中国侵略戦争と規定し、南京大虐殺事件も歴史事実と認定するなど、安倍首相の歴史認識、戦争認識と相反するものであった。そのためか第二次安倍政権は日中歴史共同研究を評価せず、無視することに徹した。そのため、共同研究の近現代史分科会の成果を評価して国民に広めようと、笠原十九司編『戦争を知らない国民のための日中歴史認識――『日中歴史共同研究〈近現代史〉』を読む』(勉誠出版、二〇一〇年)を出版した。筆者の勧めもあって、北岡伸一・歩平編『「日中歴史共同研究」報告書 第1巻古代・中近世史篇』(勉誠出版、二〇一四年)と同『第2巻近現代史篇』(同前)も出版された。本来なら政府がおこなうべき出版だった。

日中歴史共同研究は、中国側委員会座長の歩平が中国社会科学院近代史研究所所長という国家機関の幹部でありながら、後述する日中韓3国共通歴史教材委員会の中国委員代表となった人物で、政府、民間を問わず、日中の「歴史対話」に熱心であったこともあり、日韓歴史共同研究とは異なり一定の成果があったが、問題は安倍政権がその成果を無視したことである。日韓の場合は、本稿で述べてきたように、民間の研究者どうしの「歴史対話」は成果を積み上げてきていた。

日韓については、国際歴史学委員会の日韓両国国内委員会が中心になって、「日韓歴史家会議」を設立し、日本学術会議史学委員会国際歴史学会議等分科会(歴史認識・歴史教育に関する分科会)が「アジア研究・対アジア関係に関する分科会」とともに、第一回「日韓・韓日歴史家会議」を二〇〇一年一一月にソウルで開催、以後毎年、「テーマ」を設定して(例えば、第一七回は「東アジアの平和思想とその実践――歴史的考察」)、日韓の研究者の報告と討論をおこない、毎回日韓文化交流基金が報告書を作成してきた。また、日本には国内の大多数の歴史学会が加入する「日本歴史学協会」という歴史研究連合体があり、ここにも「歴史教育特別委員会」という日韓歴史共同研究委員会に非常に関係の深い委員会がある。本来ならば、日韓、日中の歴史共同研究委員会の委員は、これらの日本を代表する日本学術会議や日本歴史学協会に委員の人選を付託すべきであった。

六、東アジア市民による歴史対話への道——「未来をひらく歴史」

二一世紀に入り、東アジア共同体の形成が展望された東アジアの国際関係はその後、激変してしまった。二〇一一年の東日本大震災以降、日本社会と国民の関心は国内問題に傾注するようになり、二〇一二年に民主党政権が引き起こした尖閣諸島問題が日中両国の領土ナショナリズムの煽動に利用され、中国の軍事的挑発行為に対抗した日米軍事同盟の強化、米軍の沖縄基地の強化・拡充が強行され、尖閣問題は戦後初めて日中軍事衝突の可能性のある問題にまでにエスカレートした。二〇一五年九月、安倍政権は安保関連法案を参議院で強行採決して、解釈改憲を断行、日本が集団的自衛権の名のもとにアメリカの戦争に参戦できるようにした。日本政府はまた、北朝鮮の核兵器開発の挑発に対抗するアメリカの経済制裁に加担し、北朝鮮とは断交状態にある。いっぽう文在寅《ムンジェイン》大統領政権のもと、韓国の司法裁判所は、元「徴用工」や元日本軍「慰安婦」被害者の訴えを認め、日本企業や日本政府に賠償を命ずる判決を出した。しかし、日本政府は、「慰安婦」問題や「徴用工」問題などの日韓間の財産・請求権問題は、一九六五年に日韓基本条約を締結した際の日韓請求権・経済協力協定で「完全かつ最終的に解決済み」という態度で、韓国を国際法違反と批判するだけである。そのため、「慰安婦」問題と「徴用工」問題はこれからも日韓の歴史認識対立の火種となりつづけるであろう。

いっぽう、軍事大国化した中国とアメリカは「新冷戦時代」に突入したといわれ、安保法体制の成立によって戦争できる国になった日本は、アメリカの中国包囲体制に軍事的に従属、加担する側に立って、中国に対抗する軍事強国化を目指している。こうした厳しい東アジア国際関係の到来で、本稿で紹介してきた東アジアの歴史認識をめぐる「対話」と「和解」へ向けた研究者、教育者、市民の運動や活動は、新型コロナウイルス禍の到来もあって現在は「冬の時代」にある。

本巻「展望」の最後で、「世界史実践」とは、「世界を未来に存続させていこうとする〈私たち〉と未来との対話でもある」と述べられているように、現在のように「冬の時代」にあっても、東アジア世界を平和な東アジア世界の未来につなげていく、歴史的営為を積み重ねていく努力が国民、市民の側に求められる。最後に、そのような思いをこめて、日中韓三国の研究者、教育者、市民が取り組んでいる「未来をひらく歴史」の運動と活動を紹介したい。

「歴史認識と東アジアの平和」フォーラム

二〇〇一年の教科書問題が発生した翌年の三月、第一回「歴史認識と東アジアの平和」フォーラムが「教科書問題」をテーマに中国の南京で開催された。日中韓三国の市民の側から平和な東アジア共同体の形成をめざして、相互の歴史教育、歴史認識を点検する学術討論会を継続的に開催し、東アジアの平和と未来を共有することのできる歴史認識を若い世代に育ててゆくための協力をつくりだし、発展させようという主旨であった(詳しくは〔笠原 二〇一六〕を参照していただきたい)。

このとき、日中韓三国の子どもたちが歴史認識を共有する第一歩となる共通歴史教材をつくろうという提案がなされ、以後フォーラムの開催と並行して共通教材を作成するための委員会を開催することで合意し、二〇〇三年二月に東京の早稲田大学で開催された第二回「歴史認識と東アジアの平和」フォーラムにおいて、日中韓3国共通歴史教材委員会(以下、3国教材委員会)が発足した。

同フォーラムは、二〇二〇年は新型コロナウイルス禍のため中止となったが、一九年まで、一八回のフォーラムが日中韓三国の持ち回りで開催され、毎回、東アジアで対立している歴史認識問題をテーマに取り上げ、それを「歴史対話」によってどう「歴史和解」に至らせ、平和な東アジア共同体形成の前提となる歴史認識の共有を実現させるのか、二〇〇名前後の日中韓三国の市民が参加して(中国の場合、市民の参加は限定されたが)、報告し、熱心に討論をおこなった。なお、二〇一二年「市民からはじめる東アジア平和共同体――領土ナショナリズムを超えて」のテーマで三六〇名の参加者を得て東京で開催された第一一回フォーラムから、筆者は四人の日本側代表委員の一人となった。

日中韓三国共通歴史教材の発行

①『未来をひらく歴史――東アジア3国の近現代史』

3国教材委員会には、日本・中国・韓国の研究者、教師、市民が三国にそれぞれ民間組織の歴史教材編集委員会を組織した。筆者は、日本側の代表委員三名の一人としてその企画・編集に参加することになった。3国教材委員会は二〇〇三年から『未来をひらく歴史』の編集作業に取り組み、二〇〇五年五月下旬に三国同時刊行に漕ぎつけた(日本は、高文研から発行)。同書は東アジアの歴史において、日・中・韓の市民の三国共同編集により発行された最初の三国共通歴史教材(教科書)である。

『未来をひらく歴史』は、「つくる会」の教科書を批判するために、日本の侵略と植民地支配の歴史をしっかりと記述することを目的にした。そこで、日本の戦争政策と植民地政策の展開については日本側、日本の中国侵略と抵抗の歴史については中国側、日本の朝鮮植民地支配については、韓国側がそれぞれ執筆を担当した。書きあがった原稿を三国で特に自国の読者が読むことが可能かどうかに留意して相互に批判、検討をおこない、修正した。

『未来をひらく歴史』は、日本では約一〇万部、中国では約一三万部、韓国では約六万部が発行され、英語の翻訳書(*A History to Open the Future: Modern East Asian History and Regional Reconciliation,* the China-Japan-South Korea Common History Text

Tri-National Committee, University of Hawaii at Manoa School of Pacific and Asian Studies, 2015)がハワイ大学から出版された。日本では、『未来をひらく歴史』の読者は圧倒的に市民であり、同書をテキストにした市民学習会が全国に生まれ、そのいくつかは長く続いた。

② 『新しい東アジアの近現代史』(上・下)

『未来をひらく歴史』を刊行した3国教材委員会は、二〇〇六年一一月、第五回「歴史認識と東アジアの平和」フォーラムが立命館大学国際平和ミュージアムで開催された際に編集会議をもち、歴史認識共有の第二段階を目指した新しい歴史書『新しい東アジアの近現代史』(以下、『新書』)の発行に取り組むことで合意した。『新書』は、究極的には日中韓三国共通の歴史認識の基盤となる体系的な東アジア近現代史の通史を執筆することで合意し、委員会は、日中韓3国共同歴史編纂委員会(なお前出の3国教材委員会と全く同じメンバーのため、以下同様に、3国教材委員会と略記)と称することにした。

3国教材委員会は、編集作業の過程で、時には激しく対立、激昂しながら論争したこともあった。下巻8章「戦争と民衆――体験と記憶」は韓国側執筆責任の原稿に日本側と中国側が納得せず、韓国側が先に出版したので、日本側と中国側は自国の版に、韓国の原稿が歴史認識の対立を強調しすぎ、「歴史対話」と「歴史和解」の側面を軽視しているという「意見」を付記する結果になったのは、その一例である。『新書』は三国同時発行とはならず、韓国が二〇一二年五月末、日本が九月下旬(日本評論社から発行)、中国が二〇一三年一月となった。

『新書』の上巻では、日中韓三国の国際関係の変動を、世界史の流れと関連させて体系的にとらえ、東アジア史の大きな流れを、国際関係の変動に重点をおいて叙述した。中国を中心とする伝統的な国際秩序が崩れ、日本がイニシアチブを握っていく時期、日本の侵略が植民地支配と戦争につながり、これにたいして韓国・中国で民族運動が起きた時期、第二次世界大戦後、東アジアにも冷戦体制が形成され、やがてこれが変容・解体していく時期を念頭において、八章に分けて東アジア三国をめぐる国際関係史を通観した。

『新書』の下巻では、東アジアの国際関係の中で生きる民衆の生活と交流を主題別に扱い、民衆の具体的な姿を浮かびあがらせるようにした。以下のようにテーマを設定して、制度や文物が民衆生活にどのような影響を及ぼしたのかを、三国を比較しながら、また、三国の民衆交流に着目しながら叙述した。〈憲法〉、〈都市化〉、〈鉄道〉、〈移民と留学〉、〈家族とジェンダー〉、〈学校教育〉、〈メディア〉、〈戦争と民衆〉の八つの章と、終章の〈過去を克服し未来へ向から〉からなり、テーマにそって三国の近現代史を同時に取り上げた。

『未来をひらく歴史』と『新書』の発行の間に発生した、前述のような日本と中国、日本と韓国の間の国際関係が悪化したこともあって、三国における『新書』の発行部数は『未来をひらく歴史』の一〇分の一に止まった。

英語の翻訳書は、Eckhardt Fuchs, Tokushi Kasahara, Sven Saaler(eds.), *A New Modern History of East Asia*, Volume 1 & Volume 2, V & R unipress, 2018. として出版された。ドイツで出版されたのは、ゲオルク・エッカート国際歴史教科書研究所が、『新書』が東アジアの国際歴史教科書対話に果たす役割を評価し、これを国際社会へ広げるべく、英訳本の出版を企画、援助してくれたからである。

③ 第三段階の共通歴史教材の編集

二〇一五年一〇月三一日から一一月三日まで、「戦後七〇年、東アジアの平和を沖縄から考える」をテーマに、第一四回「歴史認識と東アジアの平和」フォーラム・沖縄会議が開催された。フォーラムと並行しておこなわれた第三九回日中韓3国共同歴史編纂委員会において、『未来をひらく歴史』と『新書』に続く、第三弾の共通歴史教材(以下、『新々書』)の作成に取り組むことで合意した。第三段階の『新々書』は、高校生、大学生を対象として重視するが、一般市民も対象とした、三国共通歴史教材としての発行を目指すことにした。

日本では二〇二二年度から高等学校地理歴史科の必修科目に、日本史と世界史を合わせた近現代史を学ぶ「歴史総合」が開始される。3国教材委員会が編集、発行してきた東アジア近現代史の教材は「歴史総合」の教科書として相応しい内容であった。3国教材委員会は『新々書』が「歴史総合」の副教材として使用されることも目指して、興味をもって「考えさせる」ように、文章も読みやすく工夫した。二〇二二年四月の刊行を目指している。

筆者がかかわってきた平和な東アジア共同体の形成を目指した市民運動が各国の民主化運動と連携して影響力を強めるようになれば、歴史認識対立の思想基盤を変容させていくことは不可能ではない。東アジア共同体形成の経済基盤はすでに形成されており、あとは思想基盤としての東アジアの歴史認識の共有化が求められる。本稿で紹介した、「歴史認識と東アジアの平和」フォーラムや日中韓三国共通歴史教材の作成と普及の市民運動は、その先駆となることを願っている。

参考文献

笠原十九司(一九九四)『アジアの中の日本軍――戦争責任と歴史学・歴史教育』大月書店。

笠原十九司(二〇一六)「歴史の克服と東アジア共同体への道――日中韓3国共通教材『未来をひらく歴史』と『新しい東アジアの近現代史』の目指すもの」(土田哲夫編『近現代東アジアと日本――交流・相剋・共同体』)中央大学出版会。

俵義文(二〇二〇)『戦後教科書運動史』平凡社新書。

中国人戦争被害賠償請求事件弁護団編(二〇〇五)『砂上の障壁――中国人戦後補償裁判一〇年の軌跡』日本評論社。

中国人戦争被害賠償請求事件弁護団編著(二〇二一)『JUSTICE――中国人戦後補償裁判の記録』高文研。

日中韓3国共同歴史編纂委員会(二〇一二)『新しい東アジアの近現代史――国際関係の変動で読む　未来をひらく歴史〈上〉』『新しい東アジアの近現代史――テーマで読む人と交流　未来をひらく歴史〈下〉』日本評論社。

波多野澄雄(二〇一一)『国家と歴史――戦後日本の歴史問題』中公新書。

別冊歴史読本(二〇〇一)『テーマ別検証　歴史教科書大論争』新人物往来社。

新しい世界史教育として「歴史総合」を創る
――「自分の頭で考え、自分の言葉で表現する」歴史学習への転換

勝山元照

はじめに

高校歴史教育が転換期を迎えている。新高等学校学習指導要領(新指導要領)の告示によって、二〇二二年度から高校地理歴史科は「歴史総合」「地理総合」必修、「地理探究」「日本史探究」「世界史探究」選択制[表1]に移行する。君島和彦は今回の改訂を、戦後歴史教育改革以来、一貫して継続してきた「日本史・世界史」体制から「総合・探究」体制への大転換と位置づけている(君島 二〇一八)。

また、「歴史総合」の新教科書も完成し、高校歴史教育に関する提案や議論が活発に展開されている。高校歴史教育の新しい方向性は、生徒の市民としての自己形成に資する「自分の頭で考え、自分の言葉で表現する」歴史学習の実現にある。本稿は、歴史教育の転換にあたって、日本学術会議(学術会議)が提唱した「日本史と世界史の統一」と「思考力育成型授業への転換」という二つの難題について、神戸大学附属中等教育学校(神大附)が、「主題的単元史学習」として開発した「歴史総合」実践を基に、筆者の見解を述べるものである。なお、同実践は文部科学省指定研究

表1　新指導要領「地理歴史科」新科目

現行			新制度		
世界史 A	2	1 科目必修	歴史総合	2	必修
世界史 B	4		地理総合	2	必修
日本史 A	2	1 科目選択必修	世界史探究	3	選択
日本史 B	4		日本史探究	3	
地理 A	2		地理探究	3	
地理 B	4		＊数字は標準単位数		

＊移行は 2022 年度から学年進行で実施．公民科では「公共」を新設，必修科目となる．

開発学校(研究開発)として展開したことから、新指導要領「歴史総合」の参考事例として活用された。

一、高校歴史教育の転換と「歴史総合」の成立

高校歴史教育の転換と市民としての自己形成

戦後カナダの外交官で、冷戦期マッカーシズムの犠牲となったハーバート・ノーマン(Edgerton Herbert Norman)は、一九四八年月一一月、「説得か暴力か——現代社会における自由な言論の問題」と題して講演を行った。その中でノーマンは、自主政治(自治)は、政治体制や価値観の相違をこえて「現代社会にとって最も合理的で常識的で文化的な生活方法」とし、その重要性を指摘した。歴史観察や政治的事象についても単純化や短絡的な問題解決を警戒し、自主政治は「時間と忍耐を要するわざ」「市民に対しては高度の抑制と理解が必要」とした(ノーマン 一九七八：一四五—一四六頁)。ノーマンの指摘は歴史教育に直接論及したものではないが、市民の資質形成を考える上で、なお新鮮である。筆者はノーマンの指摘や自己の歴史教育実践をふまえ、将来の歴史アマチュアとしての生徒が培う市民的資質(シティズンシップ)について、次の三点が肝要と考えている。

① 「歴史像」について、「自分の頭で考え自分の言葉で表現」できる。
② 「根拠」を確かめ、「視野」を広げようと努力することができる。
③ 「存在に対する敬意」をふまえ、他者との「対話」を重ねることができる。

一九五〇年代、高校社会科において、自己展開学習など「自分の頭で考え自分の言葉で表現する」歴史学習が希求された(勝山 一九九三)。世界史創成にあたっては、吉田悟郎、鈴木亮らが生徒の授業参加と歴史意識を尊重し、世界史・日本史の統一的把握をめざす実践を展開した(吉田 一九五七)。しかし、六〇年代に入って系統学習が主流となると、生徒の主体的な学びを尊重する学習は後退を余儀なくされた。「子どもの問い」を尊重する社会科歴史を垂範し、歴史叙述に異彩を放った黒羽清隆が指摘したように、「教師はかつての「問題解決学習」的な「社会科」教育の困難さから解放されて、巧妙あるいは拙劣な年代記語りとなり、「社会科歴史」は暗記科目への転落のみち」を歩むことになった(黒羽 一九七二:八頁)。八〇年代には、受験のための知識詰め込み授業が大勢を占め、瀕死の高校社会科は地理歴史科と公民科に分割された。いっぽう、生徒の主体性と歴史的思考力を尊重する先導的実践が、日本史の加藤公明、世界史の鳥山孟郎らによって重ねられ、鳥山は生徒の意識の中における世界史と日本史の統一的把握の課題についても論究した(鳥山 二〇〇八)。

学術会議の提言と「歴史総合」

二〇〇六年、五〇〇〇校を超える高校で世界史未履修問題が顕在化し社会問題となった。地理歴史科の必修科目「世界史」が実際の教育課程から省かれ、他科目に単位を流用されたのである。一因として「難解な世界史は受験に不利」との風潮があった。小川幸司は生徒による世界史離れの現実を直視し、用語数と入試問題の変遷に焦点を当てて要因を分析し、世界史改革論を主張した。さらに小川は、世界史の中に日本史を位置づけると共に、「問いかけ」による対話と歴史叙述を重視した世界史の地平を拓く『世界史との対話』に結実させた。一一年、未履修問題を重く受け止めた学術会議は、提言「新しい高校地理・歴史の創造――グローバル化に対応した時空間認識の育成」(提言一一)を発表した。提言は、時間認識と空間認識のバランスのとれた教育実現のため、①必修科目「歴史基礎」(日本史と世界史の統一科目)「地理基礎」の新設、②知識詰め込み型から思考力育成型授業への転換、③重要用語厳選などを呼びかけた。学術会議は、一四年に提言と共に「課題」と「問い」で構成するカリキュラム試案を公表し、一六年には中央教育審議会の議論を受けて「歴史基礎」から「歴史総合」に変更して提言を重ね、一九年には大学入試共通テストでの「歴史総合」の形骸化防止策を提言した。

本巻「展望」でふれられているように、民間教育研究会の動きも活性化し、提言を受けて、油井大三郎ら研究者、教育関係者の参加を得て高大連携歴史教育研究会(高大連携研)が結成された。いっぽうで、神奈川県や東京都で日本史必修論が台頭し、下村博文文部科学大臣(当時)らによる日本史必修導入の動きが表面化したが、一八年、「学習指導要領の改訂に向けた中央教育審議会答申」(中教審答申)は「歴史総合」「地理総合」を必修科目、「日本史探究」「世界史探究」「地理探究」を選択科目とした。「歴史総合」は、戦後一貫して併置状況にあった日本史と世界史(外国史)を統一した画期的科目であり、日本史を組みこんだ新しい「世界史」とみなすことができる。

二、神大附実践と主題的単元史学習

「主題的単元史学習」の構造

神大附では、学術会議の提言一一を受け、日本史と世界史の統一と思考力育成型授業への転換という二つの難題について検討を進めた。さらに、二〇一三年度、文部科学省研究開発学校の指定(四年間)を受け、高校一年生を対象に「地理基礎」「歴史基礎」(延長指定三年間は「地理総合」「歴史総合」)の開発にとりくんだ。(1)

日本史と世界史の融合については、当初、創意ある実践も生まれた「世界史A」「日本史A」を合わせた近現代通史も構想したが、二単位科目としての制約から、提言一一A案(髙橋昌明作成)を念頭に、時系列単元学習として検討を進めた。また、髙橋、梅津正美ら運営指導委員や教科調査官の指摘、グローバル・ヒストリーなどの研究動向に学び、「世界史の中の日本史」の枠組みを基本とし、グローバル（世界）・リージョナル（東アジア）・ナショナル（日本）・ローカル（神戸）の四層の視点から「歴史総合」を構成することが妥当と判断した。[2] 同時に、東アジアの比重を高めることに注力し、各地域の民族自決・独立などの動きを重視した。日本史と世界史における時期区分（例：近代、現代）や用語（例：国民国家、地域、市民）についても検討し、齟齬《そご》が生じた場合は世界史の論理を優先した。

思考力育成型授業については、内容は異なっても一時間の授業形態がモノトーン（導入、展開、まとめの定型化）な概説史学習の克服が課題となった。「知識詰め込み型」学習に陥るのは、教育内容や知識過多と共にモノトーンな学習形態もその一因である（勝山　一九九二）。六〇年代に導入された主題学習は通史補完的なテーマ学習が主流であったが、現行指導要領になって探究的性格が明示され先導的実践も試行されたが、現場への広がりに欠けるものであった。そこで、フランス歴史教科書や他教科の学習形態（単元を重視した異質な授業形態の組み合わせ）を参考に、時系列単元学習と主題学習との融合を試み「主題的単元史学習」を開発した。同学習は時系列的に単元を設定した上で、単元全体を大掛かりな「主題的学習」として編成した。「主題的単元史学習」とは、①序＝課題設定、②歴史的展開＝史資料の活用・知識理解と考察、③主題学習＝調査・考察・発表、からなる三層を組み合わせる学習形態である。授業・教材開発は奥村暁（初期は水島正稔）が中心となり、年二回の公開授業を実施してプランを整備した。

主題学習とその展開例——「戦争を回避できた時点は」

単元末の主題学習は、単元全体をふり返りながら、生徒が主体的に歴史像を構成する学習である。時間数の制約の中、現代的諸課題の史的探究の観点から「諸地域世界の一体化」「近代国民国家の成立」「アジアの近代と帝国主義」「二つの世界大戦」「冷戦と第三世界」「グローバル化と情報革命」の六単元に精選した。

表2　単元構成「二つの世界大戦」

授業の種類	授業テーマ	視点 世界	東アジア	日本	神戸
課題設定(序)	戦争の変化(戦病死，戦闘死，総力戦)	◎		◎	
歴史的展開(史料と考察)①〜⑨	プロパガンダにみる第一次世界大戦	◎	○		
	ロシア革命，ヴェルサイユ会議と神戸	◎		○	○
	アジアに広がる民族独立運動	○	◎	○	○
	石橋湛山の小日本主義と協調外交	○	○	◎	○
	阪神間モダニズムと賀川豊彦・ハル	○		○	◎
	人びとはなぜナチスを支持したのか	◎		○	
	中国国民革命の進展と日本軍		◎	○	
	大東亜共栄圏の実態(アジア太平洋戦争)	○	◎	○	
	絶望的抗戦と大戦の惨禍	○	○	○	○
主題学習①調査②発表	The Point of No Return(戦争を回避できた時点は)	○	○	◎	

一例として、単元「二つの世界大戦」における主題学習「The Point of No Return：戦争を回避できた時点は」を紹介したい。単元構成は**表2**の通りであるが、「歴史的展開」の授業では、授業ごとに焦点となる視点(世界、東アジア、日本、神戸)を立てながら構成した。立場の違いによって戦争の見方が変わることや戦争の背景や原因が、複合的要素に起因していることを学ぶ上からも、多くの視点から歴史を捉えられるように構成を心掛けた。

主題学習では、まず「戦争を回避できた時点」として五説(Aロンドン軍縮条約締結時／B国際連盟脱退時／Cトラウトマン工作時／D三国軍事同盟締結時／E第三次近衛内閣「日米交渉」時)を提示した。生徒は個人的思考をふまえ、班として支持する説を選び、調査・発表活動を展開した。加藤陽子著『それでも、日本人は「戦争」を選んだ』などの文献調査を行い、報道番組方式によってキャスターや解説者、当事者証言などの役割を分担し、「自分の頭で考え自分の言葉で表現する」歴史解釈に挑戦した。発表では、軍部の動向やアメリカの政策、国際関係の変化(国際連盟脱退、三国軍事同盟締結など)に注目する見解が多かったが、中国との関係を重視した発表もみられた[**表3**]。質疑では、当初、B説「リットン報告は日本の立場も考えていたのに、無視した時点から暴走がはじまった」(国際連盟脱退

表3　主題学習 The Point of No Return「各班の見解」

班	説	主張(要約)＊表記を若干修正
1	D	ドイツの侵攻と三国同盟によって，日本は自信を得すぎて，東南アジアを占領するなど，米英を完全に敵に回すことになったから.
2	B	国際連盟全体を敵に回したのでは，日本にとって国際協調の道がなくなり，国際的な孤立が戦争を招いた.
3	D	三国軍事同盟とベトナム進駐によって，アメリカを敵に回すことになったから．ソ連とも中立条約を結んで，有利になったと考え戦争につながった.
4	B	(国際連盟脱退の)もう少し前のリットン報告の時点．リットン報告は，割合日本の立場も考えている．日本の妥協勢力がまとまっていれば，戦争を防げたかもしれない.
5	C	日本に近い立場のドイツが仲介した時点なら，南京事件も起こらず，中国との全面戦争にはならず，イギリスやアメリカを敵に回すことは避けられた.
6	D	アメリカを敵に回すことになった．経済力に大きな差があり，東南アジアを支配することで対抗しようとしたが，逆に戦争を回避できなくなった.
7	E	可能性をどう考えるか．確かに時代がたつにつれ可能性は低くなる．国際関係次第では，日米開戦前まで交渉によって戦争を回避できた可能性が残っていたのでは.
8	B	国際連盟から脱退した後，ロンドン海軍軍縮条約やワシントン軍縮条約から離脱するなど国際協調を完全に拒否するようになった.
9	D	Dに近いが，近衛内閣が中国の蔣介石を認めず，汪兆銘と結んだ時点．中国の大多数，アメリカ，イギリスなどを敵に回すことになった.

最終的な支持(内容評価)　A説1，B説16，C説3，D説9，E説7，計36.

時)が多数を占めた。しかし、E説が「わずかな可能性も重要。海軍には山本・米内らもいた」と主張し、発表時のパフォーマンスが優れていたこともあって、発表部門評価で一位になった。他に「中国が重要。汪兆銘政権成立で妥協は無理に」「戦争を防止する勢力とは何か、国内なのか、国際的な力なのか」などの意見も表明された。B説は、「すべての説は間違いとは思わないが、国内外の戦争防止勢力が協力できたのはリットン報告時まで」と反論し、最終的な説についての内容評価で一位を獲得した。

複雑な国際関係の理解には課題を残した。しかし、生徒が自己と自班の歴史像について、根拠を基に考察し表現することで、戦争推進と防止勢力との対抗関係や戦争に至る背景・要因を深く学び合う場となった。相互評価で全班が高評価(八四－七六点)を得たことからも積極的な姿勢がうかがえる。選択肢型の発表・討論学習は、自らの意見を明確にして臨むことができるので、授業の参加度を高めやすい。また、高校生になると、自説との関係性を念頭に他者

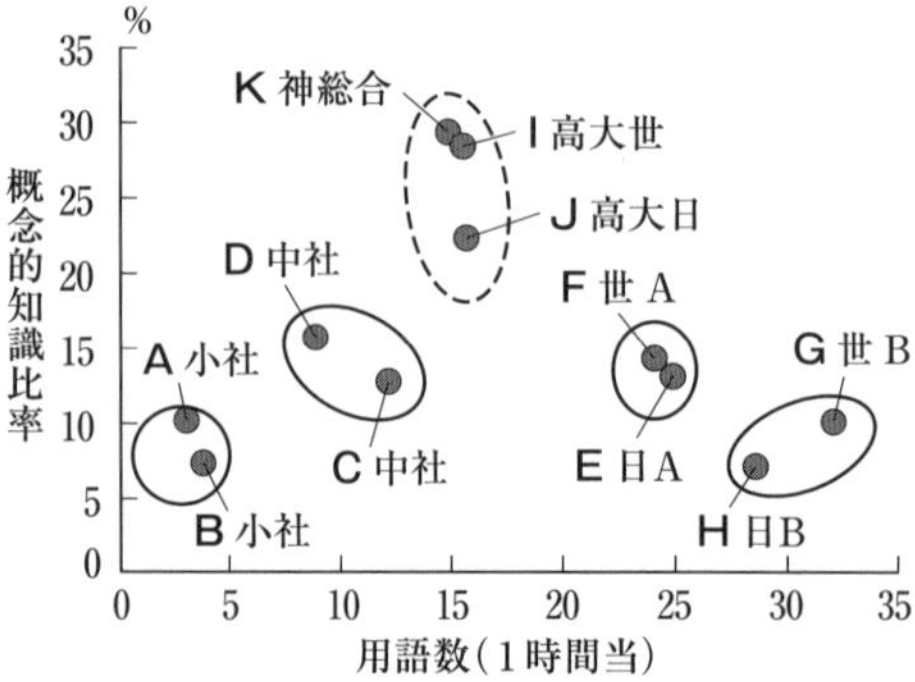

図1　小・中・高　歴史学習用語の構造

- 採択数の多い教科書（A～H）を選択し，用語数は教科書「索引」を対象とした．
- 横軸：1 時間（1 単位 30 時間で計算）の平均用語数
- 縦軸：用語数に占める概念的知識の比率
- A・B 小学社会（歴史部分）／C・D 中学社会歴史的分野／E 日本史 A／F 世界史 A／G 世界史 B／H 日本史 B／I 高大連携研世界史用語リスト／J 高大連携研日本史用語リスト／K 神大附歴史総合用語リスト

＊G・H は用語数が多く概念的知識比率が低い．暗記重視の構造を示す．I・J・K は用語数が少なく概念的知識比率が高い，考察重視の構造を示す．

の説を理解する傾向がみられ、異なる見解を認めた上での議論も増加する。感想では、「歴史には選択による岐路があったことを理解できた」との指摘も散見され、歴史的な「見方・考え方」の形成につながったと思われる。

「概念的知識」の重要性

思考力育成型授業にとって知識は重要だが、問題は質と量にある。神大附では概念的知識（例：冷戦体制）重視と事実的知識（例：ベルリンの壁、NATO加盟国名……）の大幅削減を構想した。一般に、学校階梯に伴って教科・科目の一時間当の用語数や概念的知識比率は増大するが、図1にあるように、B科目教科書では概念的知識の比率が激減し事実的知識が激増して、「覚える」科目としての構造を示しており、「考える」科目を志向する高大研や神大附「歴史総合」用語リストとの相違は明白である。概念的知識は個別の事実的知識を関連づける上で重要な役割を担う。ただし、「ベルリンの壁」から「冷戦」を把握するように、概念的知識は事実的知識や豊かなイメージに支えられてこそ定着する。二〇一七年度、「歴史総合」で使用した用語は、概念的知識二四二、事実的知識五八〇で、計八二二語（中学三六三、高校初出四五九：主題学習などの選択用語を除く）となった。なお、概念的知識と事実的知識は明確に区分できないものもあるが、高大連携研「歴史の基礎概念」（桃木至朗作成）や中学歴史教科書（東京書籍）の用語解説などを参考に、比較的幅広く考え暫定的に区分した（勝山 二〇一八）。

「主題的単元史学習」の可能性と課題

「主題的単元史学習」の可能性はどこにあるのか。歴史教育の構造を考える上で、池尻良平と小川幸司が重要な提言を行っている。池尻は、歴史的思考力について、次の五層（①史料を批判的に読む ②歴史的文脈を理解する ③歴史的変化を因果的に理由付ける ④歴史的解釈を批判的に分析する ⑤歴史を現代に応用する）に整理し、①を基盤にした思考の重要性と思考活用の順序性について指摘している（池尻 二〇一五：三三九―三四二頁）。小川は本巻「展望」で、歴史の探究の営みを、世界史実践の六層構造として提起している。神大附「主題的単元史学習」は、試行錯誤の上、池尻の五層の学力論に依拠しつつ、小川の六層構造の、①歴史実証：事実の探究 ②歴史解釈：連関・構造の探究 ③歴史批評：意味の探究をめざした実践である。さらに、同学習は後述するように、④歴史叙述：叙述の探究 ⑤歴史対話：検証の探究 ⑥歴史創造：行為の探究、への可能性をもつ歴史教育の枠組みと思われる。

単元末の主題学習は、「序」「歴史の展開」の知識と史資料を再吟味（「歴史実証」）し、「国際平和」「命の尊厳」などの現代的視点に基づいて歴史的思考力を鍛え、「歴史解釈」、「歴史批評」に迫る学習形態である。また、「教材と生徒」「教師と生徒」「生徒と生徒」の三者間の「歴史対話」の条件を備えている。対話形態は多様で、調査内容や歴史解釈・批評を紹介し交流する方法もあれば、白熱した討論もある。他者との対話は、新たな歴史の発見を生むと共に、自説を省察することで自己の「見方・考え方」が揺さぶられ、自己との対話を促す。討論の組織化には「手だて」が必要であり、双方向性の展開にはＩＣＴ（情

表4 「課題研究」歴史関係テーマ（抜粋，2017年度）

論文テーマ（副題省略）	進路
「台湾における日本の植民地教育の考察」	工学部
「神戸と台湾における樟脳取引史」	パイロット
「独仏歴史認識と相互理解の試み（独仏教科書：フランスのユダヤ人迫害）」	社会学部
「神戸が受け入れたユダヤ難民とその顚末」	教育学部
「神戸米騒動と新聞報道」神戸新聞 vs. 又新日報	文学部史学科

報通信技術)活用も欠かせない。

「歴史総合」履修後、生徒四人(うち理系三人)から「受験のため地理を選択するが、世界現代史をもっと学びたい」との申し出があり、筆者が、大阪大学歴史教育研究会が作成した『市民のための世界史』(九章─一二章)を選んで読書会を行った。担当生徒が一節を要約して疑問を述べ、「読者への問い」を共に考える方式で一年間継続した。また、多様な進路を希望する生徒九名の「私」の問題意識に基づく**表4**「課題研究」(「総合」の時間:高校二・三年実施)論文の実践も、「歴史叙述」「歴史創造」につながる継続的な学びの可能性を示すものといえよう。

二〇一五年度、「歴史総合」本格実施の結果、以前の「世界史A」に比べて、生徒の授業評価は「共に学びあえる」「学力・思考力」など全項目で大幅に上昇した。自由記述では、「世界」「日本」「考える」「できる」「深い」「面白い」「難しい」といったワードが増加し、「覚える」が大幅に減少した。「難しい」と記した生徒の多くは、「日本史と世界史が交互に出て、歴史の流れが見えにくい」と指摘しており、科目構成上の課題として残った。実践の結果、「主題的単元史学習」という学習形態については有効であると、神大附では判断した。なお、実施できなかった「環境」「ジェンダー」「科学技術」などの主題設定について、「主題的単元史学習」の実施形態の多様化が課題となった。評価では、自由な思考や多様性を保障するルーブリックの作成などに課題を残した。

三、新指導要領下での「主題的単元史学習」の深化

「現代的諸課題」「私たち」「見方・考え方」の強調

二〇一八年、新指導要領が公示され、新「学習指導要領解説」が発表された。新指導要領はグローバル化に対応する知識基盤社会を想定し、教育内容(コンテンツ)ベースから資質・能力(コンピテンシー)ベースへと転換すると共に、

教科固有の「見方・考え方」を強調した。「歴史総合」については、現代的な諸課題の形成に関わる近現代の歴史を主体的に考察、構想できる科目として「私たち」を強調し、歴史の大きな変化を「近代化」「国際秩序の変化や大衆化」「グローバル化」に焦点化して提示し、「世界とその中の日本を広く相互的な視点から捉えること」を学習の中心と位置づけた。また、「主題的単元史学習」と同質の探究的な学びが重層的に配置され、生徒主体の学習を進めようとする旗幟《きし》は鮮明で、「世界史探究」「日本史探究」にも貫かれている。なお、新指導要領への筆者の疑問点については別稿でふれている(勝山 二〇一九)。

新指導要領は、従来の「歴史的思考力」に代えて「歴史的な見方・考え方」を強調し、「「社会的事象を、時期、推移などに着目して捉え、類似や差異などを明確にし、事象同士を因果関係などで関連付け」て働かせる際の「視点や方法(考え方)」」と表記している。教科の学力と資質・能力を架橋する「見方・考え方」を培うことは「自分の頭で考え自分の言葉で表現する」歴史にとって極めて重要である。筆者はさらに、高校生の場合は「社会観」「歴史観」の形成が視野に入ると思われる。「観」は人格形成と共に培われる主体性や価値観を含む体系的な概念で、生徒が自ら培うものであり、市民的資質としての「観」の形成を視野に「見方・考え方」を捉えるべきと考える。

同時に「見方・考え方」は、学習の中で生徒自らが身につけるものであるが、その際、一定の「手立て」が求められる。「歴史総合」に加え、通史として「歴史の構造と展開」や「地域世界の同時代性」を考察する「探究科目」では、より深い「見方・考え方」の育成が課題となる。その際、歴史を捉える「観点」(例:「権力と支配」「国家の二面性」をどう捉えるかなど)について整理し、教師と生徒間で共有・活用・対話することが、事実選択や歴史解釈、歴史批評への学習の深化を可能にする上で重要と思われる(3)。

筆者が作成，紙幅の関係上「歴史的展開」部分は未掲載）

時数	中項目に関する「問い」	小項目「課題を設定した授業」の「問い」
3	神戸港の役割は？「感染症の玄関口神戸港」「洋菓子と第一次世界大戦期の神戸」 ＊世界とのつながり	
	神戸の米騒動，「神戸新聞」と「又新日報」を比べ，なぜ記事に違いがあるのか？　史資料とは？	
2	配布資料「神戸開港 150 年」の項目 1～10 を参考に，生徒が「問い」を考え発表する．	
3		18 世紀東アジアの交易マップを作成する． なぜ繁栄できたのか？
4		神戸港開港当時の輸出入品は？ 欧米諸国が日本に開港を求めたのはなぜ？
4		国民国家に不可欠な条件とは？ 各国はなぜ，「教育」に力を入れたのか？
4		「紳士君か豪傑君か」『三酔人経綸問答』を読み解く．誰を支持するか？
2	「統合・分化」の視点：国民国家の「光と影」とは？ 各国の歴史教科書を基に調査し，批評する．	
2	「映像の世紀」抜粋を視聴し，「問い」を考え発表する． ＊質問対象を選択（例：女性の変化，米ソ，戦争）	
4		総力戦は人びとをどうを変えたのか？ いちばん重要な変化は何か，それはなぜ？
3		なぜ，世界（日本）女性の社会的地位への疑問が生まれてきたのか？
6		なぜ，大衆はナチス（全体主義的国家体制）を支持したのか？ アジア太平洋戦争の回避可能時点があったとしたら，どの時点か？
3		国際連合とブレトン＝ウッズ体制とは？ なぜ誕生したのか，アメリカの目的は？
2	「平等・格差」の視点：民族独立運動のリーダーは，2 つの大戦をどう捉え行動したのか？	
2	資料「感染症の近現代史」を基に，持続可能な社会を意識した「問い」を考える．	
3		分断国家はなぜ誕生した？　現在は？ 社会主義はなぜ支持されたのか？
3		世界にある地域連合とは？ 地域連合が抱える理想と問題点とは？
3		冷戦後，経済成長をとげた地域（国）はどこ？ アジアの経済成長の共通した特色は？
3		冷戦終結後，地域紛争はどこで起きたのか？ なぜ紛争がなくならないのか？
4	「持続可能な社会と私たちの近現代史」をテーマに探究活動（課題の設定，調査，考察，まとめ，発表） <例示テーマ>環境問題と感染症　科学技術の功罪　少子化と家族の歴史　植民，移民，難民など	

表 5 「歴史総合」プラン 2021 60 時間(神大附実践をもとに

大項目	中項目	小項目など
歴史の扉	歴史と私たち	神戸開港 150 年，資料『世界と日本』＊他
	歴史と史資料	史資料で読み解く「神戸の米騒動」
第 1 部 近代化と私たち	近代化への問い	「問い」を表現する授業
	結びつく世界と日本の開国	18 世紀アジア経済と社会
		工業化と世界市場の形成
	国民国家と明治維新	立憲体制や国民国家形成
		列強の帝国主義政策とアジア諸国の変容
	近代化と現代的な諸課題	主題を設定した学習
第 2 部 国際秩序の変化や大衆化と私たち	国際秩序の変化や大衆化への問い	「問い」を表現する授業
	第一次世界大戦と大衆社会	総力戦と第一次世界大戦後の国際協調体制
		大衆社会の形成と社会運動の拡がり
	経済危機と第二次世界大戦	国際協調体制の動揺
		第二次世界大戦後の国際秩序と日本の国際社会への復帰
	国際秩序の変化や大衆化と現代的な課題	主題を設定した学習
第 3 部 グローバル化と私たち	グローバル化への問い	「問い」を表現する授業
	冷戦と世界経済	国際政治の変容
		世界経済の拡大と経済成長下の日本の社会
	世界秩序の変容と日本	市場経済の変容と課題
		冷戦終結後の国際政治の変容と課題
	現代的な諸課題の形成と展望	探究する活動 ・ガイダンス ・テーマの設定と限定 ・調査・考察とまとめ ・発表・質疑

＊『世界と日本』(兵庫県教委作成：地理歴史科用副読本)地域資料教材として利用.

「主題的単元史学習」深化の手立て

「歴史総合」の成否は教育現場の実情をふまえた「年間指導計画」と探究的な学びの実現にかかっている。要領解説の「問い」は本質的だが実際の授業にあたっては、いっそうの具体化が必要と思われる。以下、新指導要領に基づく筆者の新プラン［表5］を示しつつ、「主題的単元史学習」各層の位置づけと活用方法について述べる。なお、大項目・中項目・小項目などの新指導要領の「枠組み」についても表5を参照願いたい。

①「主題的単元史学習」の基層　「事実」と「事実関係」の理解

「史資料の読み解き」：史資料は歴史学習の基盤であり、「事実」を語るものとして学習全般を通して重視されている。しかし、史資料の語る「事実」は、さまざまな脚色があり「事実」とは限らない。そこで、作者の立場や作成目的などを問いかけることによって、史資料を批判的に「読み解き」「事実」を吟味する学習が重要となる。

「歴史的展開の授業」：総授業数の多数を占める。目標は事実と事実関係をふまえ、歴史の文脈を理解することにある。文脈の理解には、「何がどう変わったのか」(変化)「何をもたらしたのか」(結果と影響)などの「問い」を考察することが重要になる。事実の関係づけには、「帝国主義」「華夷秩序」などの概念的理解が鍵となる。

②「主題的単元史学習」の二層　歴史の「解釈」

「課題を設定した学習」(小項目ごとに一〇回程度)：小項目全体の探究「課題」を立てて実施する。目標は小項目の歴史について、事実関係をもとに生徒自身が根拠と論理をもって、考察し解釈することにある。例えば、「国民教育は、なぜ必要だったのか」の「課題」に対して、「方言札」などの史資料を補強しながら、生徒自身が国民教育の意義や問題点について考察し、見解を発表し対話する方法などが考えられる。

③「主題的単元史学習」の三層　歴史の「批評」

「主題を設定した学習」(大項目で二回)：現代的諸課題についての観点(例：統合と分化)をふまえ、大項目全体の探究

「主題」を立てて実施する。目標は、大項目の歴史について歴史批評を行うことにある。例えば、主題学習「国民国家の光と影」では、国民国家について各国歴史教科書などを調査した上で、国民国家の「光と影」について、生徒が価値判断を伴った歴史批評を紹介し、対話によってさらに主題を深める学習などが考えられる。

④「主題的単元史学習」の上に「私の歴史像」の叙述

「探究する活動」(全体の総仕上げ):目標は、生徒が自ら「問い」を設定し、探究的学びの総仕上げとしての「私の歴史像」を叙述することにある。持続可能な社会に向けた課題や時代を通貫する「課題例:少子化と家族の歴史、科学技術の功罪」などが有効かつ可能である。私の歴史の「見方・考え方」をふまえた課題の発見(限定)が最大の鍵であり、考察・構想の時間を充分に保障する必要がある。できれば、夏休み前に「活動」の概要を予告し、二学期末には、教師の支援を受けつつ、生徒が探究テーマを決定しておく必要がある。

学習①~③は繰り返し行うことで有効な学習となる。また、②~④は歴史解釈・歴史批評・歴史叙述に至る歴史学習の重要な「鍵」となる。さらに、各目標に応じた異質な「問い=課題」を重層的に設定し、調査・考察・批評・対話・叙述を行うことで、「自分の頭で考え自分の言葉で表現する」歴史像の構成に寄与できる。

おわりに

「歴史教育の転換」にあたり課題は山積している。第一に、内容精選への教師の自覚と省察が問われている。新教科書の記載事項について、「網羅的扱い」が行われないかとの懸念を抱く。網羅主義は、たとえ探究的事項であっても、暗記主義とは別の意味で生徒の多忙化と思考停止を招き、「転換」を破綻に追いこむ。また、新科目「地理総合」や「公共」との連携と分担について協議することも、内容精選にとって重要と思われる。

第二に、生徒の知的好奇心のみに依拠せず、生活意識・社会意識と結びついた「歴史との対話」をどう実現するかである。現代グローバル化の下で、孤独や不安を抱える生徒が増加しているが、生徒の内面世界と歴史学習との間には、ある種の隔たりが存在する。この隔たりを克服し「自分ごと」の歴史に転換することは、歴史アマチュアとしての市民的資質形成にとって極めて重要である。授業では、「感染症」が突きつける問題、歴史上の「命の尊厳」、「家族」史などへの関心の高さを感じるが、生徒の「意識の鉱脈」の掘り下げと実践の質が問われる。

第三に、「探究科目」における「主題的単元史学習」をどう構想するかである。筆者は「生徒が問いを立てる」授業(「探究科目」の部分的実践)を公開し、学習形態の有効性は実感したが、「歴史総合」と「探究科目」との質的差異の究明に課題を残した(勝山 二〇二二)。「探究科目」は大スケールの歴史を対象に、「時代を通貫する問い」(「日本史探究」)「諸地域の結合・変容を読み解く観点」(「世界史探究」)などを設けて、長い時間軸(長期的視点)と広い空間軸(同時代性)についての深い学びを企図している。「探究科目」が従来のB科目を超えて提起している「時空間の拡大」(世界のつながり方)への「問い直し」について、深く自覚して臨む必要があろう。

最後に、「隘路」打開の鍵は、実践者(研究者を含む)が互いへの敬意をふまえ、自治的精神にみちた「ネットワーク」を構築できるかどうかにあると考える。

注

(1) 研究開発課題は、「グローバル人材育成に向けて、地理歴史科を再編成して「地理基礎」「歴史基礎」(必修科目)を設置し、中高一貫教育課程に位置づけながら、その学習内容と方法、評価についての研究開発を行う」。「地理基礎」では「主題的相互展開学習」を開発した。

(2) 全体像の構成については、髙橋、梅津をはじめ、神戸大学文学部史学講座、桃木至朗、三谷博、杉山清彦、原田智仁、二井正浩、秋田茂、小川幸司に講演・シンポジストやアドバイザーを依頼した。

（3）　歴史を捉える「観点」の重要性と具体例については、次の提案がなされている。小川幸司（二〇一七）「高校歴史教育の用語精選と思考力育成型授業への転換をデザインする」日本西洋史学会六七大会小シンポジウム。桃木至朗（二〇一九）「歴史の「思考法」の定式化」『歴史評論』八二八号。

参考文献

池尻良平（二〇一五）「学習者から捉え直した歴史の可能性」『歴史を射つ：言語論的転回・文化史・パブリックヒストリー・ナショナルヒストリー』御茶の水書房。

石井英真（二〇二〇）『授業づくりの深め方』ミネルヴァ書房。

大阪大学歴史教育研究会（二〇一四）『市民のための世界史』大阪大学出版会。

小川幸司（二〇一一－一二）『世界史との対話――七〇時間の歴史批評』全三巻、地歴社。

勝山元照（一九九二）『概説史学習』から『単元史学習』へ――中学・高校での「社会科歴史」創造のために」『歴史教育・社会科教育年報』三省堂。

勝山元照（一九九三）「五〇年代の「自己展開学習」論議に学ぶ――『歴史地理教育』を高校の授業に活用する」『歴史地理教育』五〇〇号。

勝山元照（二〇一八）「「歴史総合」の用語構成と教育課程上の位置について――「深い学び」の基盤としての概念的理解・知識」『神戸大学附属中等論集』第二巻。

勝山元照（二〇一九）「歴史総合事始め――実践的諸課題をどうとらえるか」『歴史評論』八二八号。

勝山元照（二〇二一）「孫文「大アジア主義」を考える――「歴史総合」から「日本史探究」へ」高大連携歴史教育研究会 https://kodairekikyo.org/

加藤公明（一九九一）『わくわく論争！ 考える日本史授業』地歴社。

加藤陽子（二〇〇九）『それでも、日本人は「戦争」を選んだ』朝日出版社。

君島和彦（二〇一八）「歴史総合はどのような科目か」『歴史地理教育』八八〇号。

黒羽清隆（一九七二）『日本史教育の理論と方法』地歴社。

田尻信壹（二〇一三）『探究的世界史学習の創造』梓出版社。

鳥山孟郎（二〇〇八）『授業が変わる世界史教育法』青木書店。

ノーマン、ハーバート（一九七八）『ハーバート・ノーマン全集』第四巻、大窪愿二編訳、岩波書店。

林創・神戸大学附属中等教育学校（二〇一九）『探究の力を育む課題研究』学事出版。

原田智仁編（二〇一九）『高校社会「歴史総合」の授業を創る』明治図書出版。

前川修一・梨子田喬・皆川雅樹編著（二〇一九）『歴史教育「再」入門』清水書院。

吉田悟郎（一九五七）「歴史意識の自立を求めて――世界史・日本史の統一的把握の考えに至るまで」『歴史地理教育』二九号。

歴史教育者協議会編（二〇二〇）『世界と日本をむすぶ「歴史総合」の授業』大月書店。

『歴史評論』（二〇一八）特集「歴史教育の「転機」にどう向き合うか」八二八号。

日本学術会議心理学・教育学委員会・史学委員会・地域研究委員会合同高校地理歴史科教育に関する分科会：油井大三郎委員長（二〇一一）提言「新しい高校地理・歴史教育の創造――グローバル化に対応した時空間認識の育成」。

日本学術会議史学委員会高校歴史教育に関する分科会：久保亨委員長（二〇一四）提言「再び高校歴史教育のあり方について」。

同分科会（二〇一六）提言「「歴史総合」に期待されるもの」。

日本学術会議中高大歴史教育に関する分科会：若尾政希委員長（二〇一九）提言「歴史的思考力を育てる大学入試のあり方」。

神戸大学附属中等教育学校（二〇一三年度―一九年度）「研究開発実施報告書」および「同参考資料」。

コラム｜*Column*

教育工学からみた歴史学習の未来

池尻良平

教科書や図説を参照しつつ、教師の解説をノートに取り、ワークシートに取り組む。伝統的な日本の歴史の授業ではこういった光景をよく目にするだろう。本稿では、このような伝統的なものとは異なる歴史学習の可能性について、「教育工学」という観点から論じていく。

教育工学とは、教育上の問題を工学的な考え方で解決していこうとする学問である。「工学的な考え方」の中でも特に重視しているのが、理学的基礎と実用性の両方をつなげながら開発をする点である。教育工学の場合、「理学的基礎」は心理学などによって解明された効果的な学習の基礎理論が該当し、「実用性」は最新のテクノロジーの利用を含む効果的な教材や教授法が該当する。

教育上の問題を歴史科の文脈で考えた場合、二〇世紀後半から一貫して取り組まれている問題として、「歴史的思考力はどう育成しうるか」が挙げられる。この問題に対し、歴史家と初学者の思考を比較した認知心理学の知見や、授業を通した実証研究の知見をもとに、歴史的思考力の育成に効果的な学習の基礎理論が複数構築されてきた。理論ごとに多少の異なりはあるものの、おおよそ共通するものをまとめると、①複数の歴史資料を批判的に読みつつ歴史的文脈を理解すること、②因果関係を批判的・多面的に推論すること、③類似点と相違点を注意深く考えながら歴史を現代に応用すること、の三つが歴史的思考力の育成に効果的だとわかっている。

一方で、①~③の歴史学習は初学者には難しいことも明らかになっており、テクノロジーを利用しつつ、効果的な解決方法が模索されてきた。

① 複数の歴史資料を批判的に読みつつ歴史的文脈を理解することの促進には、様々な歴史資料を組み合わせられる学習環境が効果的とされている。そこで活躍するのが、多様な形式の歴史資料にアクセスできるデジタルアーカイヴの利用である。例えば、アメリカ議会図書館(Library of Congress)のWEBサイトでは、文書資料だけでなく、写真や地図や音楽など、多様な歴史資料を閲覧できる上に、授業テーマごとに使用できる歴史資料もまとめられている。また、近年では、立体的に芸術作品等を観察できる3D教材や、遺跡の中を歩き回れるVR教材、当時の歴史を体験できるアドベンチャーゲーム教材なども開発されている。これらを効果的に用いることで、歴史資料を中心に多様な側面から歴史的文脈を理解していくという新しい歴史学習が可能になるといえる。

② 因果関係を批判的・多面的に推論することの促進には、推論を試行錯誤できつつ、多面的な議論を促す環境が効果的

WEB アプリ「歴史タイムマシーン」

とされている。そこで活躍するのが、個個人の推論を可視化しつつ、学習者間のコミュニケーションを円滑にできるオンラインプラットフォームである。例えば、個々人の推論を文章にして共有しつつ、相互に批判しあえる電子掲示板やＳＮＳ、複数人で歴史の因果関係のマップを作れる同期システムなどが該当する。また、近年では、歴史家が大学の講義を動画として配信し、学習者が電子掲示板を使って議論しつつ、課題に取り組む大規模公開オンライン講座(MOOC)も普及しており、世界各国の参加者によって多面的な議論が展開されている。そこでは、異なる歴史背景や価値観を持つ人達で議論するからこそ生まれる、深い歴史学習もありうるだろう。今後は、オンラインプラットフォーム上でどう議論するかだけでなく、誰と議論するかも、因果関係を批判的・多面的に推論させる際の鍵になるといえる。

③ 類似点と相違点を注意深く考えながら歴史を現代に応用することの促進には、関連性の高い歴史と現代を検索・比較できる学習環境が効果的とされている。そこで活躍するのが、歴史と現代の類似性を判定できるＡＩである。例えば、筆者らが開発したＷＥＢアプリ「歴史タイムマシーン」(http://www.historymining.org/timemachine/)がこれに該当する。このアプリでは、上図のように現代のニュースの文面を入力することで、どのようなカテゴリの文章かを自動で判定し、同じようなカテゴリを持つ歴史が提示されるようになっている。関連性が高いと思うカテゴリを追加して検索する機能も備わっているため、ユーザーごとに異なる歴史が提示される点も特徴である。このようなシステムを用いて様々な歴史と現代を結びつけ、類似点と相違点を議論しながら応用することで、現代と歴史のつながりをより意識できる歴史学習が実現できるといえる。

　このように、未来の歴史学習の可能性は多様に開かれている。同時に、効果的な歴史学習の基礎理論も、テクノロジーの利用方法も、時代と共にまだまだアップデートされていくだろう。両方を意識しながら、さらに豊かな歴史学習が開発されていくことを願っている。

【執筆者一覧】

佐藤正幸(さとう まさゆき)
1946年生．山梨大学名誉教授．歴史理論・史学史．

西山暁義(にしやま あきよし)
1969年生．共立女子大学国際学部教授．ドイツ近現代史．

長谷川貴彦(はせがわ たかひこ)
1963年生．北海道大学大学院文学研究院教授．イギリス近現代史・歴史理論．

三成美保(みつなり みほ)
1956年生．奈良女子大学研究院生活環境科学系教授．歴史教育・ジェンダー史・ジェンダー法学．

粟屋利江(あわや としえ)
1957年生．東京外国語大学大学院総合国際学研究院教授．インド近代史．

金沢謙太郎(かなざわ けんたろう)
1968年生．信州大学学術研究院総合人間科学系教授．環境社会学．

飯島 渉(いいじま わたる)
1960年生．青山学院大学文学部教授．医療社会史．

吉岡 潤(よしおか じゅん)
1969年生．津田塾大学学芸学部教授．ポーランド現代史．

笠原十九司(かさはら とくし)
1944年生．都留文科大学名誉教授．中国近現代史．

勝山元照(かつやま もとあき)
1953年生．私立親和中学校・女子高等学校校長補佐．歴史教育．

後藤 真(ごとう まこと)
1976年生．国立歴史民俗博物館研究部准教授．歴史情報学・人文情報学．

吉嶺茂樹(よしみね しげき)
1962年生．北海道有朋高等学校教諭．世界史教育．

川島啓一(かわしま けいいち)
1978年生．同志社中学校・高等学校教諭．世界史教育．

三沢亜紀(みさわ あき)
1967年生．満蒙開拓平和記念館事務局長．

池尻良平(いけじり りょうへい)
1985年生．東京大学大学院情報学環特任講師．教育工学．

【責任編集】

小川幸司(おがわ こうじ)
1966年生．長野県蘇南高等学校校長．世界史教育．『世界史との対話――70時間の歴史批評』全3巻(地歴社，2011-12年)．

岩波講座 世界歴史 1　　第1回配本(全24巻)

世界史とは何か

2021年10月5日 第1刷発行
2022年2月15日 第4刷発行

発行者 坂本政謙

発行所 株式会社 岩波書店 〒101-8002 東京都千代田区一ツ橋2-5-5
電話案内 03-5210-4000 https://www.iwanami.co.jp/

印刷・法令印刷 カバー・半七印刷 製本・牧製本

ISBN 978-4-00-011411-0

岩波講座

世界歴史

A5判上製・平均320頁（黒丸数字は既刊，＊は次回配本）

全㉔巻の構成

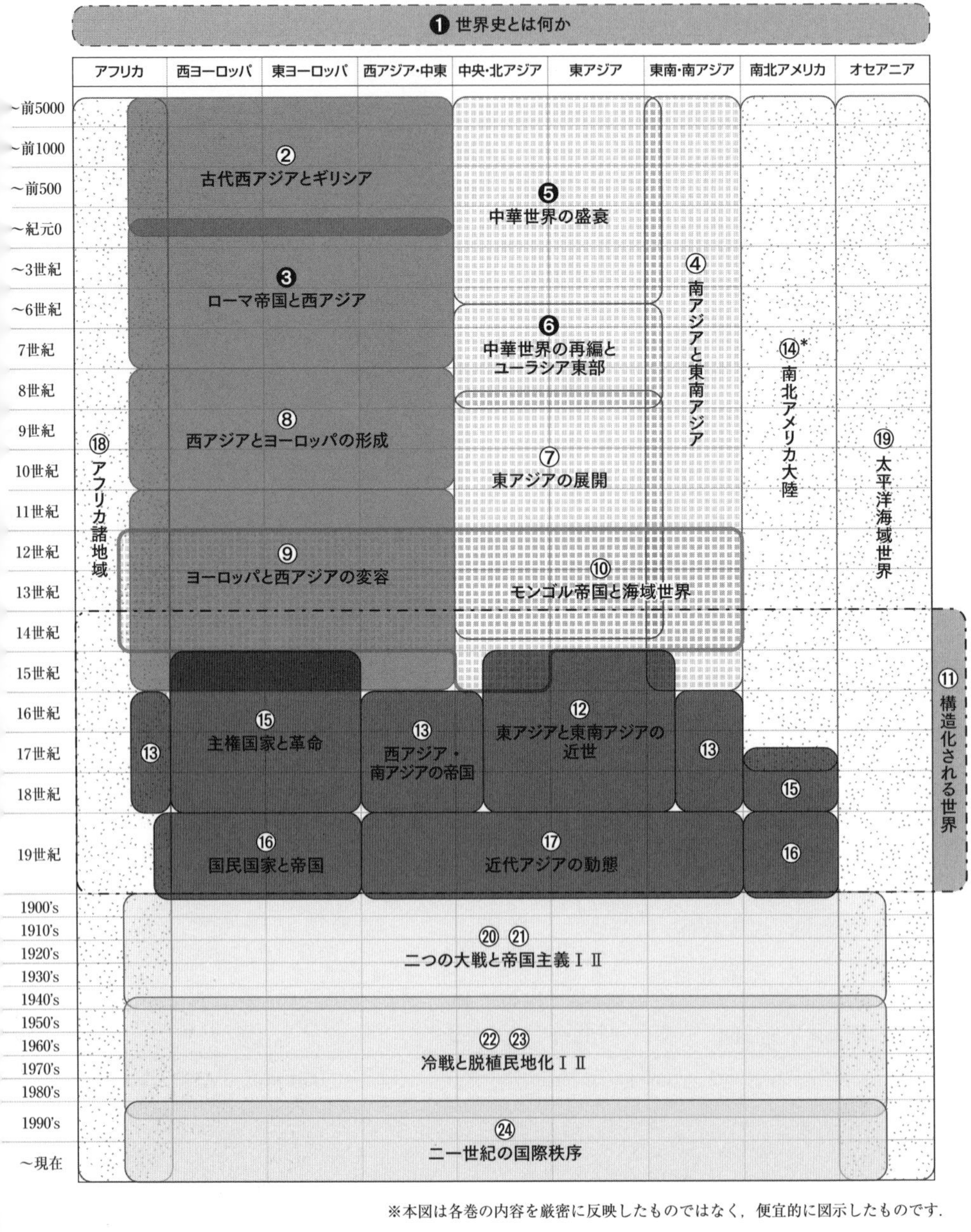

※本図は各巻の内容を厳密に反映したものではなく，便宜的に図示したものです．